# 中厚板轧机
# 测量测试与力学行为建模

主 编  孟令启  李  成

黄河水利出版社

# 内 容 提 要

本书阐述了中厚板轧机在轧制过程中的力学行为和控制模型,主要内容包括:中厚板轧机轧制过程概述;中厚板轧机的轧制过程控制系统;轧制过程的理论和分析;轧钢过程中的 GPS 测量体系;中厚板轧机工艺参数的综合测试;中厚板轧机的动力学行为及稳定性分析;中厚板轧机轧制过程控制数学模型。

本书注重理论与工程实际相结合,可作为机械类及冶金自动化专业硕士研究生教材,也可供从事冶金自动化工作的工程技术人员及相关专业的高等院校师生阅读参考。

**图书在版编目(CIP)数据**

中厚板轧机测量测试与力学行为建模 / 孟令启,李成
主编. 郑州:黄河水利出版社,2006.8
ISBN 7–80734–098–3

Ⅰ.中⋯  Ⅱ.①孟⋯②李⋯  Ⅲ.①中板轧制—研究生
—教材 ②厚板轧制—研究生—教材 Ⅳ.TG335.5

中国版本图书馆 CIP 数据核字(2006)第 088359 号

策划编辑:王路平   ☎ 0371-66022212   E-mail:wlp@yrcp.com

出 版 社:黄河水利出版社
　　　　地址:河南省郑州市金水路 11 号   邮政编码:450003
发行单位:黄河水利出版社
　　　　发行部电话:0371-66026940   传真:0371-66022620
　　　　E-mail:hhslcbs@126.com
承印单位:黄河水利委员会印刷厂
开本:787 mm × 1 092 mm   1 / 16
印张:17.75
字数:410 千字                  印数:1—1 000
版次:2006 年 8 月第 1 版          印次:2006 年 8 月第 1 次印刷

书号:ISBN 7- 80734 –098 – 3 / TG·4          定价:36.00 元

# 前　言

近年来，随着轧钢技术的迅速发展，我国已相继建成数十条中厚板轧制生产线。与此同时，国内的科研人员对中厚板轧制的自动化控制技术进行了深入的研究，对从国外引进的中厚板轧制设备和技术进行系统的学习、改造和创新。为此，对国内外的中厚板轧机控制方面的技术以及其动力学行为进行总结显得十分必要。

本书以4200中厚板轧机改造项目为背景，中厚板轧机控制模型为主线，在对中厚板轧制线完成综合测试的基础上，对中厚板轧机的轧制过程的动力学行为进行了线性和非线性分析研究，对控制系统模型框架、轧制压力控制、轧件温度控制、轧件宽度控制、轧件应力状态系数模型以及轧制规程分配等进行了研究。本书着重讨论中厚板轧机的测量、测试和建模，其中包含数值计算方法和神经网络方法的建模过程。

全书共分15章，其中第1章至第7章由李成编著，第8章至第15章由孟令启编著，王笑冰、杨小平、李莉参与了部分工作。

本书所反映的一些成果是与华中科技大学黄其柏教授、北京科技大学周纪华教授、史小路教授、伦怡馨高级工程师和长沙冶金设计研究院陆松年教授以及舞阳钢铁公司张志民高级工程师、刘玉明高级工程师、曹殿政高级工程师等共同完成的，部分内容吸收了马金亮硕士研究生、王海龙硕士研究生等的论文材料，在此一并表示感谢。

编　者

2006 年 7 月

# 目　录

# 第1章 中厚板轧机轧制过程概述

## 1.1 引言

近年来，随着国民经济的迅速发展，机械、电子、军工、造船等各轻重工业对热轧中厚板的需求日益增加，提高轧机的作业率，建立中厚板轧机的控制模型，是人们关注的重要问题。为满足用户需要，使钢材具有一定的尺寸精度、良好的板型和机械性能，必须建立一套完整的控制模型。

数学模型用于轧钢生产已有 60 多年的历史。以发展来看，人们一贯重视薄板连轧的数学模型研究，数学模型用于连轧的理论已趋于成熟，这方面的论文已有数万篇，现在每年仍有大量文章出现。但是对于中厚板轧机数学模型的研究，往往不为人们所重视，能检索到的论文或研究报告不足 30 篇。而恰恰是中厚板轧机数学模型的研究和分析，已成为亟待解决的主要课题。

近十年来，美国、俄罗斯、日本、德国等国都报道了钢板轧机数学模型的研究和发展状况，以及中厚板轧机数学模型应用的报告。

从我国的情况看，近年来，中厚板轧机数量上并不算少，但中板轧机多，宽厚板轧机少。目前，国内拥有大型宽厚板轧机的厂家有鞍山钢铁集团公司(4 500 mm)、舞阳钢铁责任有限公司(4 200 mm)和上海浦东钢铁有限公司(4 200/5 500 mm)，其余均为 2 500 ~ 5 500 mm 的中板轧机，且有相当部分为单机架轧机。

武汉钢铁公司冷轧薄板厂五机架连轧机、武汉钢铁公司热轧厂七机架连轧机均采用数学模型进行设定控制，本溪钢铁集团、宝钢集团有限公司的热连轧机都采用了适应本身性能的数学模型。但对厚板轧机数学模型的应用国内尚在探索阶段。从轧机自动化生产的发展趋势看，中厚板轧机数学模型的应用研究，将是一个亟待解决的问题。

迄今为止，对中厚板轧机数学模型的研究，尚未见全面、系统的研究报告。对于轧制过程各工艺参数的设定计算亦没有可靠、实用的方法可循。现有的轧制理论，也是在各种假设的情况下提出的，各种实验也是在特定的条件下完成的，若用此计算各工艺参数，是不能反映现场实际情况的。对中厚板轧机来说，一块轧件的轧制过程，前面大部分轧制道次的工艺特征类似于初轧机，而以后道次的工艺特征又与钢板轧机相同，具有开坯和轧板的两种功能，其工艺状况也是复杂多变的，喷水、凉钢、转钢等都是随机的，这给研究其数学模型带来一定的困难。因此，以现有轧制理论进行计算就显得保守和不足，对中厚板轧机数学模型的研究已显得十分必要和迫切。

然而，我国中厚板轧机装备水平普遍较低，与国外比相差 20 ~ 50 年，导致我国中厚板 70%的产品为普通碳素钢板，出现了国内市场普通碳素钢板供大于求，低价竞相出口，同时还要高价进口高附加值钢板的局面。为了解决现有轧机结构、液压系统、自动控制、测宽测厚系统等都较为落后的状况，对现有生产线进行改造，扩大产能、丰富品种和提高产品质量成为摆在广大科研人员面前的重要课题。

河南舞阳钢铁公司 4200 轧机为我国自主研制的第一台中厚板轧机,曾为我国现代化建设做出巨大贡献。本书研究对象为中厚板轧机控制模型,通过对控制系统的研究,建立控制模型,并优化控制策略和实现计算机控制,以达到扩大产能、提高产品质量和增加企业效益的目的。近几年,随着国民经济的发展,对中厚板行业提出了更高的要求,促使中厚板生产工艺和装备水平相应提高,并逐步形成了以四辊轧机为主的格局。一些先进的工艺和设备,如液压 AGC、过程计算机、测厚仪、测宽仪、辊切剪、加速冷却、无氧化热处理、平面形状控制等被广泛采用。但是,目前除了引进项目外,国内绝大多数厂家基本上还都是停留在人工手动轧制的水平上,二级过程机的自动控制处于空白状态,使得各种先进的技术还处于理论和试验状态,无法在大生产中转化成效益。本书结合该改造工程,开发具有完全自主产权的轧机过程控制模型系统,并结合实际生产情况将轧机过程控制模型系统用于在线设定,同时对不同模型的算法进行优化改进,提高过程控制精度,从而大幅度提高产品的质量。

本书对中厚板轧机数学模型进行了系统的研究,通过分析轧机的工艺特性和生产中出现的种种问题,对轧机数学模型的诸工艺参数进行系统的测试和研究,通过对前人提出的各种轧制理论进一步的探讨,应用传热理论、宽展理论、轧制理论以及数值计算方法,分别得到温降模型、宽展模型和轧制压力模型。详细论述了测试的原理和方法,并用计算机采样的方法对中厚板轧机的各工艺参数进行综合测试。通过多元分段回归的方法,建立了两种应力状态系数模型,并对此分析比较,得出实用的压力模型。本书还对中厚板轧机变形区的应力状态的影响因素进行了分析,提出中厚板轧机轧件的应力状态影响因素是变形区的外区影响,但对外摩擦影响一直存在的观点。

中厚板轧机控制数学模型的建立,对中厚板轧机的设计、改造和操作,提高劳动生产率有重要的指导意义。

## 1.2 中厚板轧制过程模型与技术的发展趋势

### 1.2.1 中厚板成材率

成材率是指成品的重量与获得这一成品所需的坯料重量之比。在中厚板生产中,成材率是影响生产成本的重要因素。中厚板尺寸精度控制水平直接影响到成材率,国外高水平中厚板厂的成材率可达 95% 以上,而我国中厚板厂的成材率(含非定尺材及无合同材)为 85% ~ 88%。成材率的高低直接影响到企业的经济效益,对于年产 100 万 t 的厚板厂,如成材率提高 1%,每年即可多创效益 1 000 万元以上。

影响成材率的因素主要有以下几个方面:

(1)钢板横断面形状不良造成的损失(板的中凸现象造成的损失);

(2)钢板纵断面形状不良造成的损失(长度方向板厚偏差造成的损失);

(3)要求尺寸与相对应的轧制尺寸(厚度、宽度、长度)之间的偏差;

(4)平直度不良、镰刀弯所造成的损失;

(5)钢板平面形状不良造成的损失(切边与切头尾损失)。

由此可知,要提高中厚板的成材率,需要提高尺寸精度及平直度,使钢板的平面、断面及侧面形状矩形化,尽量减少余量。

计算成材率的基本公式为

$$Y = \frac{成品钢板重量}{板坯重量} = \frac{t \times W \times l \times \rho_P}{(t + \Delta t)(W + \Delta W)(l + l_{TP} + \Delta l)(1 + S)\rho_s}$$

(1.1)

式中　$t$——成品钢板厚度；

　　　$W$——成品钢板宽度；

　　　$l$——成品钢板长度；

　　　$S$——氧化铁皮损耗率；

　　　$\rho_P$——钢板密度；

　　　$\rho_s$——板坯密度；

　　　$t + \Delta t$——平均轧制板厚；

　　　$l_{TP}$——试样长度；

　　　$l + l_{TP} + \Delta l$——平均轧制长度；

　　　$W + \Delta W$——平均轧制板宽。

在上述影响成材率的因素中，平面形状不良(切头尾与切边)造成的成材率损失占了很大的比例(约占总成材率损失的 48%)。因此，使平面形状矩形化，减少切头尾与切边损失，在提高中厚板成材率中起重要作用。

### 1.2.2　中厚钢板轧机及轧制技术的发展

#### 1.2.2.1　中厚板轧制设备大型化

各国的中厚板轧机越建越大。最早中板生产采用 2 500 mm 轧机，50 年代已升到 2 800 mm 轧机。60 年代开始，为满足船用板和焊管用板的需要，发展以 4 700 mm 为典型代表的宽厚板轧机。仅 10 年的时间，日本、意大利和韩国先后建成 8 套 4 700 mm 轧机。70 年代开始，轧机又加大了一级，以日本 5 500 mm 轧机为典型代表，5 米级轧机世界上有 15 套，其中日本 5 套、美国 2 套、苏联 5 套、德国 2 套、法国 1 套。而日本在 1976～1977 年两年当中就投产 75 套 5 500 mm 轧机，目前世界上这种特宽厚板轧机已有 5 套。轧机不断增大尺寸，不仅是一个板宽和增大生产能力的问题，而且是一个包含着许多有利因素的科学技术问题。

#### 1.2.2.2　中厚板连铸比逐年加大

大多数中厚板轧机用的原料都以连铸板坯为主，中厚板连铸比逐年有明显的提高，我国厚板连铸比已达 80% 以上，大部分厂家均已做到全连铸生产。普通钢可达 100% 连铸板坯生产。非调质钢连铸比可达 60% 以上，调质钢已达 40% 以上。

#### 1.2.2.3　控制轧制

控制轧制可改善钢板性能，细化晶粒，提高强度和韧性，提高可焊性，降低生产成本，节约贵重的合金元素。如日本神户钢铁公司加古川厂用控制轧制控制冷却 KCL 法，生产 APIX70 钢板，性能稳定且很均匀。控制轧制的终轧温度为 740～780 ℃，控制冷却速度为 9 ℃/s，冷至 550 ℃，抗拉强度可提高 20～50 MPa，屈服强度可增高 20～50 MPa，而韧性的变化很小。碳当量可由 0.57% 降至 0.28%，各种性能均能满足要求。

#### 1.2.2.4　板形控制

为了提高钢板的精度和成材率，中厚板轧机必须进行板形控制。板形控制的最终目标是生产出切头尾和切边少、矩形或近似矩形的平直钢板。目前，日本已有多厂的成材率达 95%以上，切头尾和切边量降至 4%以下。另外，还广泛采用液压 AGC、横向板形控制及计算机控制，实现了自动化板形动态系统控制的要求。除了开发一些板形控制装置以外，在工艺上也研究成功许多新的轧制方法。如厚边宽展轧制(MAS)，其特点是在轧制开始阶段给坯料厚度断面以不同的变化来控制其平面板形，使成材率大幅度提高。MAS 法现已应用差厚宽展轧制法和异宽轧制法。差厚宽展轧制法是在宽展到要求板宽后和伸长轧制之前，将板宽度方向两边轧薄，使宽度方向厚度不同，以轧成近似矩形的钢板。此外，道次间自动调整法(ATLAS)用于调整钢板因轧机刚性左右偏差和正反转之差以及板坯厚度左右偏差，而在轧制后产生的镰刀弯。ATLAS 法以液压压下将预测到的轧制压力在道次间进行自动调整，可达到横向平整钢板的作用。以前镰刀弯平均为 20 mm/m，而现在只有 5 mm/m，使成材率提高 1.28%。

#### 1.2.2.5　精整设备现代化

厚板精整线一般由热矫直机、步进式或盘辊式冷床、表面检查修磨装置、超声波探伤仪、双边剪或圆盘剪、定尺剪、打印标记机、收集装置及冷矫直机等设备所组成，一条现代化精整线一年可处理钢板 150 万 t 以上。

#### 1.2.2.6　自动化主导着轧钢技术的发展

随着计算机可靠性的提高，轧钢生产的计算机控制，已由生产环节的局部某一工艺过程控制，发展到整个轧钢生产工程的自动化控制。数学模型的运用，对优化轧制工艺规程和计算机控制起着决定性的作用。因此，中厚板轧制技术的发展是比较快的，新建轧机的尺寸(辊面宽度)都在 5 m 左右，世界上 5 m 以上轧机有 15 套，其中 5 500 mm 级轧机有 5 套，而淘汰的都是 4 m 以下的。中厚板轧机的尺寸普遍加大，轧机性能也都普遍提高。首先是轧机的刚度系数已提高至 10 MN/mm 以上，辊身单位长度的轧制力由 10 kN/mm 提高至 15 ~ 20 kN/mm，轧制速度由 4 m/s 提高至 7.5 m/s，主电动机功率也加大。液压 AGC、计算机以及测温、测压、测厚、测宽、测长及测板形等自动化检测手段已广泛采用，轧制钢板的最大长度已由 50 m 提高至 60 m，生产钢板最大宽度已达到 5 550 mm。钢板尺寸的偏差也缩小了，厚度最小偏差已达 0.055 mm，宽度最小偏差达 5 mm，长度最小偏差为 8 mm 以下，镰刀弯也减至 5 mm/m 以下。切废量已减至很小，总切边量只有 50 mm 以下，切头尾长不到 200 mm，使成材率达到 95%以上。热装炉时，燃耗已降至 0.6 GJ/t 以下。

### 1.2.3　四辊轧机控制数学模型研究现状

#### 1.2.3.1　轧制过程理论研究现状

B.R.Sims 根据 E.Orouwan 理论所得方程的解适用于热轧，其一般型式如下：

$$P = p_c \cdot F_d \tag{1.2}$$

$$p_c = k \cdot Q_P \tag{1.3}$$

$$Q_P = \frac{\pi}{2}\sqrt{\frac{1-\gamma}{\gamma}}\arctan\sqrt{\frac{\gamma}{1-\gamma}} - \frac{\pi}{4} - \sqrt{\frac{1-\gamma}{\gamma}}\sqrt{\frac{R}{h_1}}\ln\frac{h_\phi}{h_1} + \frac{1}{2}\sqrt{\frac{1-\gamma}{\gamma}}\sqrt{\frac{R}{h_1}}\ln\frac{1}{1-\gamma} \tag{1.4}$$

式中　　$P$——轧制压力；

$p_c$——平均单位压力；

$F_d$——轧辊和轧件的接触面积；

$K$——平面变形抗力；

$Q_P$——应力状态影响系数；

$\gamma$——压下率，$\gamma = \dfrac{h_0 - h_1}{h_0}$；

$h_0$、$h_1$——入口、出口轧件的厚度；

$h_\phi$——中性面轧件厚度；

$R$——轧辊半径。

$P$ 的大小主要决定于以下两个因素：

(1)决定于金属材料的机械性能——变形抗力 $\sigma$，它与变形材质、变形温度、变形程度以及变形速度有关。

(2)决定于变形区的应力状态。水平方向之压应力 $\sigma_s$ 增大时，为了使受三向压应力的材料产生的塑性变形抗力较大，即需增加单位压力才能使轧件变形。而影响轧件应力状态的主要因素为变形区外区、张力和外摩擦的影响。

由此可见，建立轧制压力模型，须要建立应力状态系数 $Q_P$ 模型和金属塑性变形抗力 $\sigma$ 模型。中厚板轧机的轧制特点是 $h_0 / D$ ($h_0$ 为轧件厚度，$D$ 为轧辊直径)的值较大。近代轧制理论和实践证明：热轧中，当 $l / h_c < 1$ 时，外区对平均压力影响是主要的($l = \sqrt{R\Delta h}$

为接触弧长的水平投影，$h_c = \dfrac{h_0 + h_1}{2}$ 为轧件平均厚度)，外摩擦的影响则可以忽略。

近年来比较适用的公式有以下几种。

1)J.Beese 公式

BISRA 采用 Sims 公式为基础的计算式，适用于中厚板轧机轧制压力的计算。J.Beese 根据滑移线理论提出修正，系数 $n_\sigma$ 是 $\dfrac{h_c}{l_{dc}}$ ($l_{dc}$ 为平均接触弧长的水平投影)的函数。其计算公式如下：

$$p_c = k n_\sigma \tag{1.5}$$

式中　　$k$——$k = 1.15\sigma$；

　　　　$\sigma$——金属塑性变形抗力；

　　　　$n_\sigma$——外区影响系数。

2)斋腾好弘公式

斋滕好弘假设轧类似于镦粗，在变形区界面作用着内摩擦剪应力 $\tau = \dfrac{k}{2}$，变形区内剪应力分布为直线型。其计算式为

$$p_c / k = \frac{1}{4}(\pi + \frac{h_c}{l_d}) \tag{1.6}$$

式中　　$k$——方坯 $k = 1.1\sigma$，板坯 $k = 1.15\sigma$；

$h_c$——轧件平均厚度，$h_c = \dfrac{h_0 + h_1}{2}$。

3)志田茂公式

志田茂对 $Q_P$ 值给出了下列计算式：

$$Q_P = 0.8 + \lambda(\sqrt{R/h_c} - 0.5) \tag{1.7}$$

$$\lambda = \frac{0.052}{\sqrt{\gamma}} + 0.016 \qquad (当\ \gamma \leqslant 0.15\ 时)$$

$$\lambda = 0.2\gamma + 0.12 \qquad (当\ \gamma > 0.15\ 时)$$

4)赵志业公式

赵志业按滑移线理论得到轧制厚件($l_d/h_c < 1$)时的数值解，并列出如下的计算式：

$$p_c/k = 0.14 + 0.43l_d/h_c + 0.43h_c/l_d \qquad (1 \geqslant l_d/h_c > 0.35)$$
$$p_c/k = 1.6 - 1.5l_d/h_c + 0.14h_c/l_d \qquad (l_d/h_c < 0.35) \tag{1.8}$$

与轧制厚件的单位压力相比，上式是实用的。

5)J.Jedlicka 公式

Jedlicka 给出的平均单位压力计算式是一个经验公式：

对钢锭初轧 $\qquad\qquad\qquad p_c = 1.27\sigma$ $\qquad\qquad\qquad\qquad\qquad$ (1.9)

对厚板轧制 $\qquad\qquad\qquad p_c = \sigma[1 + (0.5\sqrt{R\Delta h})/h_0 + h_1]$ $\qquad$ (1.10)

用式(1.9)、式(1.10)计算结果与实测数据比较，精度高于 Sims 等公式。

以上几种平均单位压力 $p_c$ 和应力状态数 $Q_P$ 的几种算法是针对中厚板轧机来考虑的，如 J.Beese 公式是在试验于相对变形量 $\gamma = 20\%$ 的条件下导出的，斋滕好弘公式假设初轧类似于高件镦粗的基础上，而赵志业公式是按滑移线理论得出的数值解，Jedlicka 给出也仅是一个经验公式。由此可知，以上算式是鉴于不同的试验条件和理论推出的。所以，中厚板轧机的轧制压力模型必须基于自己试验的基础上，借鉴前人的经验，推算出符合自己特点的控制模型。

**1.2.3.2 数学模型在各厂的实用状况**

1)武钢 1700 冷连轧系统数学模型

武钢 1700 冷连轧机的生产过程完全由计算机控制,其轧制压力数学模型考虑了下列因素：钢带张力、钢种，轧辊咬入摩擦和油膜轴承特性。轧制压力模型为 Hill 公式形式，它是理论推导出来 Bland-Ford 公式的近似式，包含了理论本质而形式简单。其单位轧制压力表达式是：

$$P = kZl\left(1.08 + 1.79\gamma\mu\sqrt{\frac{R'}{H} - 1.02\gamma}\right) \tag{1.11}$$

$$L = \sqrt{R'\Delta h}$$

式中　$Z$——张力因子；

$R'$——轧辊压扁半径，$R' = R(1 + C_0 \dfrac{P}{\Delta h})$，$C_0 = \dfrac{16(1 - \gamma^2)}{\pi E}$。

2)本钢带钢热连轧系统数学模型

该轧机数学模型是由德国 AEG 公司提供的，其模型形式为

$$P = p_c \left[ p_c R \frac{c}{2} + \sqrt{\left( p_c \cdot R \cdot \frac{c}{2} \right)^2 + R\Delta h} \cdot b - (0.5\sigma_{ZE} + 0.5\sigma_{ZA})\sqrt{R\Delta h} \cdot b \right] \tag{1.12}$$

式中  $P$——轧制压力；

$p_c$——平均单位压力；

$R$——工作辊半径；

$c$——Hitchcook 常数，$c = 2.25 \times 10^{-5}\,\mathrm{mm^2/N}$；

$\Delta h$——压下量；

$b$——轧件宽度；

$\sigma_{ZE}$——入口张力；

$\sigma_{ZA}$——出口张力。

从模型的形式来看，轧制力分为两部分，前半部分为变形所需的轧制压力，后半部分为张力作用使轧制压力减小的部分。

该模型利用力学原理，当压强为 $p_c$ 时，作用在面积上的力 $P$ 为：$P = p_c S$，因此

$$P = p_c \sqrt{R\Delta h} \cdot b \tag{1.13}$$

并采用压扁后等效的轧辊半径 $\tilde{R}$，$\tilde{R} = R(1 + \dfrac{CF}{\Delta hb})$，同时考虑张力影响，因此得式 (1.12)。

由式 (1.11)，得出图 1.1 曲线。

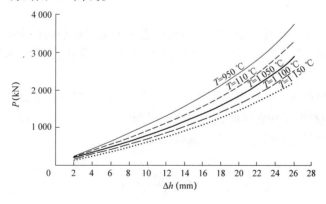

图 1.1  $P\text{-}\Delta h$ 曲线图

由图 1.1 可知：

(1)压下量增加时，轧制压力增大；

(2)温度降低时，轧制压力增大；

(3)温度不同时，使轧制力达到设备极限的压下量也不同。

3)武钢 1700 热连轧系统数学模型

武钢热连轧机组所采用的各种数学模型都是作为专利从日本引进的。其中精轧机组的轧制压力模型由新日铁提供，模型的结构如下：

$$P_i = k_{p_i} \sigma_i Q_{p_i} l_{d_i} B \tag{1.14}$$

式中　$P_i$——轧制压力预报值；

　　　$B$——轧件成品宽度；

　　　$k_{pi}$——钢种系数，下标 $i$ 表示轧机序号。

日本新日铁所提供的轧制变形区应力状态影响系数模型为

$$Q_{Pi} = \alpha_{1i}\sqrt{\frac{D_i'}{zh_{i-1}}} + \alpha_{2i}\gamma_i\sqrt{\frac{D_i}{zh_{i-1}}} + \alpha_{3i}\gamma_i + \alpha_{4i} \tag{1.15}$$

式中　$D'$——轧辊弹性压扁后辊径；

　　　$h_{i-1}$——轧件入口厚度；

　　　$\gamma_i$——压下率；

　　　$\alpha_{1i},\cdots,\alpha_{4i}$——模型系数。

日本所提供的轧制压力模型是一个经验模型。它是以日本钢种为对象得到的变形抗力模型，然后又以变形抗力模型为基准，采用实测轧制压力反推，回归得到变形区应力状态系数模型。

影响金属塑性变形抗力的一个重要因素是钢种及其化学成分。由于各国矿产资源、钢的冶金工艺制度不可能完全相同，势必会导致即使是同样牌号的钢，其化学成分也不尽相同。例如：日本的钢大多用铝脱氧，而武钢自产钢大多用硅脱氧，这就导致了武钢生产的钢中，其含硅量大于日本所生产的钢。另外，武钢所生产的钢中，铜的含量也大于日本所生产的钢。

由上述分析可知，新日铁根据日立研究所志田茂采用日本钢种所得到的轧制压力数学模型在武钢使用，不可避免地会产生较大的预报误差，并被武钢 20 多年的生产实践所证实。

为此，北京科技大学与武钢合作研制了新的轧制压力数学模型，其中包括变形区应力状态影响系数 $Q_P$ 模型和金属塑性变形抗力模型。

新研制的应力状态系数 $Q_P$ 模型，其结构如下：

$$Q_{Pi} = \alpha_{1i}\frac{l_{d_i}}{h_{c_i}} + \alpha_{2i}\gamma_i\frac{l_{d_i}}{h_{c_i}} + \alpha_{3i}\gamma_i + \alpha_{4i} \tag{1.16}$$

$$h_{ci} = \frac{h_{i-1} + h_i}{2}$$

对新模型进行在线分析表明：新模型的预报精度比旧模型高，更符合武钢生产的实际情况。

可以看出，轧制压力数学模型对不同轧机是采用不同的理论得到的，但即使是同一类轧机，轧制工况不尽相同，轧制压力数学模型也是有所区别的。

由上述可知：①各轧机的数学模型所采用的轧制理论不同，如武钢冷连轧采用的是Bland-Ford公式，本钢热连轧是利用力学原理直接推导的公式，武钢热连轧采用的是据Orouwan方程推导出的Sims简化式。②组成压力模型的金属塑性变形抗力模型不同，即使是同种轧机，如武钢1700热连轧机，由于钢中各化学成分发生变化，变形抗力模型也要发生变化。③变形区的应力状态系数模型不同。各 $Q_P$ 模型结构不同，考虑的影响参数也不尽相同。如本钢热连轧 $Q_P$ 模型：

$$Q_P = \frac{\pi}{4} + 0.25 \frac{l_c}{h_c}$$

武钢热连轧 $Q_P$ 模型：

$$Q_P = \alpha_1 \frac{l_d}{h_c} + \alpha_2 \gamma \frac{l_d}{h_c} + \alpha_3 \gamma + \alpha_4$$

虽然它们都是Sims公式的简化式，但实际应用所考虑的影响参数是不一样的。

因此，建立中厚板轧机的数学模型，不仅要考虑轧机的结构性能，还要对轧制工况进行审慎的研究。应掌握数学模型的研究方法，提高从事轧制过程数学模型研究的能力。

### 1.2.4 中厚板轧制过程控制模型的发展

中厚板轧制过程的控制涉及众多控制数学模型，如轧制力模型、轧制力矩模型、温降模型和宽展模型等，每个模型的建立都是通过一系列简化与近似建立起来的。

数学模型的发展是与计算机计算能力的发展相联系的。早期工业计算机的计算能力有限，轧制过程数学模型大多是简化公式和表格，而且数据的采集和处理很麻烦，这些限制对轧制过程控制模型的设定精度影响很大。

随着计算机技术的迅速发展，轧制过程控制模型的型式和精度有了质的飞跃，其结构性、合理性以及精度比以前有了很大提高，而且能完成大量的数值计算。类似有限差分法和影响函数法的复杂计算程序对于早期的过程机设定程序是无法运行的，现都能够在计算机上很快地运行。当前用于中厚板轧制过程在线控制的数学模型结构有两大类：一类是以欧美为代表的模型，它是以实测数据为基础的统计模型；另一类是以日本为代表的模型，它是以轧制理论为基础构建出来的理论 - 统计模型。

为了适应现场不断变化的状态，提高轧制过程数学模型的设定精度，自学习过程被引入到在线设定。轧制过程数学模型的计算值与实测值之间存在偏差，偏差产生的原因主要有三种：①模型本身误差；②测量误差；③生产条件引起的误差。上述原因造成的模型计算偏差，可以通过收集轧制过程实测信息对数学模型中的系数进行在线修正，使之能自动跟踪轧制过程状态的变化，从而减少计算值与实际值之间的偏差。这种提高模型计算精度的方法称为数学模型的自学习。

自学习算法主要包括：增长记忆递推回归法；渐消记忆递推回归法；指数平滑法等。前两种方法可以同时对多个回归系数进行自适应修正，但它只适用于线性模型，而不适用于非线性模型。目前实际生产的在线控制算法通常采用指数平滑法和最小二乘法。

层别的划分是影响模型计算精度的主要因素，即将一个多维空间划分成多个小单元体，不同单元体对应的数学模型参数不同。它是提高轧制过程数学模型的一个有效方法，但是它必须与自学习方法进行结合才能发挥出相应的效果。轧制过程数学模型一般都是非线性模型，其计算精度取决于数学模型的非线性拟合程度。采用层别划分法在某种意义上降低了模型的非线性程度，所以可以大幅度提高数学模型的计算精度。

随着社会发展、技术进步，人们对钢板产品质量提出了更高的要求。而经典轧制理论在一定程度上无法适应新的要求。因此，以有限元等数值模拟技术为代表的新轧制理论与方法应运而生。

有限元法将连续的变形体通过单元离散化，利用线性关系将多个微单元体组合起来描述事物整体受力和变形的复杂特性，从而解决经典轧制理论所不能解决的诸多问题。目前，有限元法已成功地用于轧件的稳定变形、非稳定变形、宽展轧制等方面。

有限元法虽然可以解决一些经典轧制理论所无法解决的问题，但轧制过程具有多变量、非线性、时变性等复杂特性，有限元法很难精确完整地将这些特点表述出来。如不同轧制过程中金属流动的边界条件和摩擦条件很难精确描述，而这些问题是有限元法计算的重要影响因素。因此，面对这些复杂问题，人们又提出利用人工智能方法处理轧制过程所面临的问题。

## 1.3 中厚板轧制过程控制技术

### 1.3.1 中厚板轧制过程控制技术的发展

中厚板轧制过程控制模型的应用历程可分为两个阶段，即人工操作阶段和计算机控制阶段。20 世纪 60 年代以前基本上属于人工操作阶段。在这个阶段，中厚板轧机的自动化控制技术已经完全成熟，自动厚度控制(AGC)、自动板形控制(AFC)也开始进入应用阶段。但在这个阶段，数字计算机尚处于初始发展阶段，真正的过程控制还没有建立起来，轧机的工艺参数和基础自动化各子单元的工作参数完全由操作工或工艺人员凭经验设定。由于中厚板轧制过程是一个非常复杂的物理过程，轧制条件和状态不断发生变化，过程特性复杂并难以掌握，单纯靠人工操作很难达到上述要求，所生产的钢板的质量也比较差。

20 世纪 60 年代后期，随着数字计算机控制技术的成熟，数字计算机被大量引入轧钢生产的控制中，具有真正意义上的分级计算机控制系统逐步得到采用，所有的轧制工艺参数、基础自动化各系统的工作参数的设定均由计算机完成。采用计算机进行过程设定，具有下列优点：

(1)能显著提高轧件的尺寸精度。在中厚板轧制过程中，采用计算机进行过程设定可以提高一些独立控制系统的性能，如 AGC 的控制性能。对这些系统本身来说，它们尚不具备适应工艺条件、设备条件变换的性能，而采用过程机对这些系统的状态参数设定，就可以大幅提高钢板的尺寸精度。

(2)能够迅速适应轧制规格的变换。如果采用手动控制，当轧件的规格品种发生变化时，需花费较长时间才能调整好精确的设定值。当通过过程控制计算机对轧制过程进行自动设定时，由预先编制的程序很快就可以计算出新的设定值。另外，过程设定不仅可以对表征轧制过程的物理量进行控制，使其保持不变或按一定规律变化，并且能够根据轧制工艺参数的波动情况进行自适应控制和自学习控制。

(3)可显著提高钢板的力学性能。在中厚板生产中，最终产品的组织性能与轧制过程中的温控轧制规程密切相关，所以温度控制的精度直接关系到最终产品的力学性能。在轧制过程中轧件的温度会由于本身的辐射、对流及热传导传热而降低；同时由于塑性功转化为热能，温度会上升。轧制和热传导引起的温度变化受轧件厚度、压下率与轧制速度的影响，而热辐射和对流则受材质、温度和轧件厚度的影响。这些影响因素错综复杂，手动控制不仅需要相当高的熟练程度，而且存在较大的偏差。采用计算机通过计算控制上述因素，可以大幅提高精轧的温度控制精度，从而提高带钢的力学性能。

除上述优点外，采用计算机过程控制还具有减少误轧次数、精简操作环节、提高轧制节奏等优点。

### 1.3.2 中厚板轧制过程控制技术的应用

坯料尺寸范围小而产品尺寸范围大是中厚板轧制的特点之一，因此要进行宽展轧制。典型的中厚板轧制过程一般分为成形轧制、展宽轧制、精轧三个阶段。

#### 1.3.2.1 成形轧制阶段

成形轧制是将板坯沿长度方向(即沿纵向)上轧制 1.4 道次。成形轧制的目的是为了改善坯料的表面条件，消除板坯表面凹凸不平带来的影响，并使之具有正确的板坯厚度，提高后序展宽轧制的精度。

#### 1.3.2.2 宽展轧制阶段

宽展轧制又称为横轧，是在成形轧制后，将板坯转 90º，沿成形轧制时的宽度方向进行轧制，使板坯宽展。宽展轧制的目的是为了获得规定的轧制宽度。

#### 1.3.2.3 精轧阶段

精轧是在宽展轧制后，再将板坯转 90º，沿板坯原纵向进行轧制，直至轧出规定的厚度。在中厚板的轧制过程中，不只是在板坯纵向进行了轧制，而且在横向上也进行了轧制。

传统的平板轧制理论基本上是以平面应变条件为基础进行的，在宽厚比较大时认为横向不发生变形。但在厚板轧制过程中，成形轧制和展宽轧制阶段，由于轧件较厚，轧制中在轧件的横向也会发生变形。在轧件头尾端由于缺少外端牵引作用，这种现象更为显著，会发生所谓的不均匀变形。成形和展宽轧制阶段产生的不均匀变形合成起来，则轧后钢板的平面形状便不是矩形。

图 1.2 中的 $C_1$ 和 $C_3$ 部分那样的凹形是由于头尾端局部宽展造成的，而 $C_2$ 和 $C_4$ 部分的凸形是因为在宽度方向上，两边部分比中间部分展宽大，因而在长度方向上发生延伸差，再加上 $C_1$ 和 $C_3$ 部分局部展宽的影响而产生的。轧制结束时的平面形状是由板坯尺寸、成品尺寸及影响展宽的诸多因素决定的。就影响平面形状的因素而言，除了横向轧制比(轧制宽/板坯宽，即展宽比)和长度方向轧制比(轧制长/板坯长)之外，还有压下率、变形区接触弧长等因素。因此，在宽展比小和长度方向轧制比大的情况下，最终轧件头尾端部呈现凸形，而边部呈现凹形；在展宽比大和长度方向轧制比小的情况下，最终轧件头尾端部呈现凹形，而边部呈现凸形。

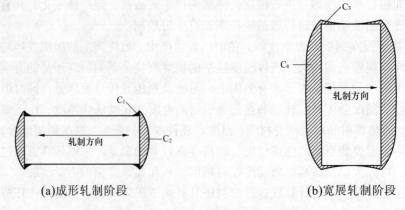

(a)成形轧制阶段　　　　　　　　　(b)宽展轧制阶段

图 1.2　轧制过程中的中厚板平面形状变化

### 1.3.3　人工智能技术在中厚板轧制应用的进展

人工智能技术已经应用到轧钢领域的多个方面。神经网络被用于轧制力预测、识别轧辊偏心、板形控制、板形板厚综合控制和预测热轧钢板的组织性能。为了提高精轧机组的轧制力预设定精度，Siemens 公司的 N.F.Fortmann 等在德国 Krupp-Hoesch 钢铁公司 Westfalen 热轧厂的热带钢连轧设定计算中采用了神经网络这一新的信息处理工具，该厂采用该系统后，轧制力预报精度提高了 12.4%。

专家系统作为人工智能的一个重要分支，开始时用于加热炉出炉节奏控制、轧制负荷分配精整线上的板卷运输以及带钢厚度精度诊断等对实时性要求不高的生产过程，用做诊断、控制、计划与设计、物流管理系统等。近年来，随着专家系统理论的逐渐完善和计算机技术的飞速发展，专家系统开始应用于一些实时控制系统中，如轧制规程设定与控制以及板形控制，取得了较好的效果。

模糊逻辑与模糊控制被用于中厚板轧制规程的分配、轧辊分段冷却和板厚—张力模糊解耦控制。日本古河铝工业株式会社福井厂将模糊控制引入厚板轧制过程上进行轧辊分段冷却控制，实际运行结果表明，采用模糊控制后，可以实现高速轧制，生产率提高 25%。

除上述方法外，人工智能的另一项新技术遗传算法也开始在轧钢过程中应用，如东北大学的孙晓光和澳大利亚伍伦贡大学的 K.Tieu 教授带领的研究组利用遗传算法对轧制规程进行优化，东北大学吕程等人利用遗传算法预测立辊短行程控制参数。

目前，人工智能技术在轧钢工业中的发展趋势是充分利用各种人工智能技术的优点，将各种人工智能技术结合在一起使用，以克服各种人工智能技术所固有的缺陷，尽可能地减少人对系统的干涉，最大限度地提高系统精度。

### 1.3.4　中厚板厚度控制

由于中厚板轧制过程的特点是轧件长度短，每道次的轧制时间及两道次之间的间隙时间都短，对钢板头尾部分的厚度公差要求严格，一般认为，钢板沿长度方向厚度的均匀性比板厚的绝对值显得更重要。因此，在 20 世纪 70 年代中期以前，普遍采用头部锁定式 AGC 来实现厚度控制，即相对 AGC 方式。但随着对中厚板精度要求的提高以及负公差轧制工艺的要求，中厚板的绝对厚度也逐步受到重视，使得绝对值 AGC 得到广泛应用。目前，厚度自动控制已经是现代化中厚板生产中实现厚度高精度轧制的重要手段，控制方式也比较多，例如 GM-AGC、前馈 AGC、反馈 AGC、监控 AGC 等。厚度控制技术已日趋成熟，中厚板的同板厚差精度已达到很高的水平。

在 AGC 系统发展的过程中，经历了进步较大的 3 个阶段：液压 AGC 的采用、绝对值 AGC 的采用以及测厚仪的应用；由图 1.3 可见，随着 AGC 技术的不断进步，中厚板的厚度偏差在逐渐减小。

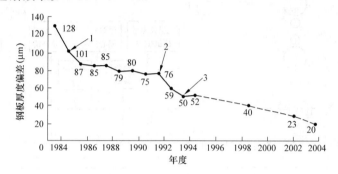

1—液压 AGC；2—绝对值 AGC；3—钢板测厚仪

**图 1.3　采用各种 AGC 系统所轧制的钢板厚度偏差比较**

### 1.3.4.1　液压 AGC

20 世纪 60 年代末，由于伺服阀的改进，以及液压技术的进步，开发了液压 AGC 新技术。与电动 AGC 相比，液压 AGC 系统不仅惯性小，对轧辊辊缝调节反应速度快，厚度调节精度高，带钢成品质量高，而且还可以改变轧机刚性系数。

表 1.1 中的数据清楚表明，液压 AGC 与电动 AGC 性能对比具有很大的优越性。液压 AGC 系统已成为厚度自动控制系统发展的新方向。为获得良好的同板厚差，必须进行基于高精度 AGC 模型的液压压下位置控制。

**表 1.1　液压 AGC 与电动 AGC 性能对比**

| 项目 | | 液压 AGC | 电动 AGC |
|---|---|---|---|
| 执行机构 | | 油缸 | 压下螺丝 |
| 响应 | 阶跃特性 | 达 95%响应需 0.055 s | 达 95%响应需 0.56 s |
| | 频率特性 | −5dB 是为 15Hz | −5 dB 是为 0.6 Hz |
| 压下螺丝负荷 | | 轻载(轧制时无作用) | 重载(轧制时控制) |
| 压下螺丝推力轴承 | | 轻载 | 重载 |
| 负荷极限 | | 68.6 MN | 59.2 MN |

### 1.3.4.2　绝对值 AGC

绝对值 AGC 技术最早于 1976 年在鹿岛建设的厚板轧机上正式使用。其厚度精度达到当时的最高水平 $1\sigma$ =87 μm。对于传统的锁定方式 AGC，当设定计算有误差时，带钢头部厚度会产生偏差，因而使带钢产生不合格厚度过长的缺陷。为解决这个问题，开发了绝对值 AGC。其控制原理图见图 1.4。

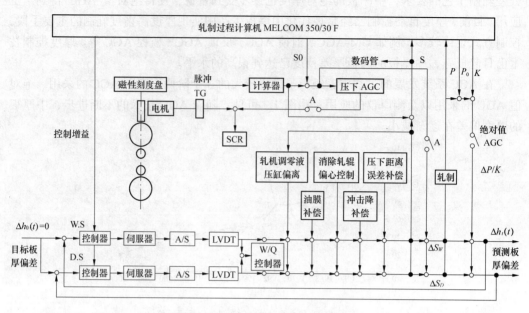

图 1.4　绝对值 AGC 控制原理图

绝对值 AGC 的工作原理是：当轧件头部咬入轧机之后，将实测轧制力和预设定轧制力进行比较，修正辊缝，使带钢实测厚度趋近设定时的目标厚度。绝对值 AGC 是从带钢头部开始按目标厚度控制的，因而提高了带钢全长厚度精度。但是绝对值 AGC 采用的实测厚度是根据测厚仪模型计算出来的，所以使用高精度绝对值 AGC 的前提必须满足以下几个条件：

(1)高精度的轧制力预报模型；

(2)高精度的测厚仪模型；

(3)高精度的前馈补偿，包括油膜厚度补偿、轧辊热膨胀补偿、轧辊磨损补偿、头部沉入补偿以及支撑辊偏心补偿等。

日本住友公司鹿岛厚板厂采用的测厚仪模型为

$$h = S + P / M_H (M_0) + \delta_1 + \delta_2 + \Delta S_0 \tag{1.17}$$

式中　$h$——轧件出口板厚；

$S$——无载辊缝；

$P$——轧制力；

$M_H$——机架刚性系数；

$M_0$——轧机刚度(换辊时测量算出)；

$\delta_1$——轧辊弯曲量；

$\delta_2$——轧辊压扁量；

$\Delta S_0$——自适应项(根据测厚仪实测算出)。

在轧制时根据压下规程计算出各道次的板厚、轧制力，然后用式(1.17)计算出轧机设定辊缝值。根据式(1.18)还可以计算出轧件的出口厚度。

$$h' = S + (P + \Delta P) / M_H(M_0) + \delta_1' + \delta_2' + \Delta S_0 \qquad (1.18)$$

式中　$h'$——轧件出口板厚；

　　　$\Delta S_0$——轧辊间隙变化量；

　　　$\Delta P$——预报轧制力与实际轧制力的差值；

　　　$\delta_1'$——轧制中的轧辊弯曲量；

　　　$\delta_2'$——轧制中的轧辊压扁量；

其他符号含义同前。

在轧制过程中，虽然 $\delta_1'$ 和 $\delta_2'$ 随着轧制力不同而变化，但是与其他项比较很微小，可以认为和式(1.17)计算得到的 $\delta_1'$ 和 $\delta_2'$ 相等。因此，绝对值 AGC 根据式(1.17)式(1.18)以及轧制过程轧制力的变化可以动态进行辊缝调整。为了使绝对值 AGC 正确控制，根据轧机出口处激光测厚仪来进行学习计算，提高测厚仪模型的精度($1\sigma = 551\ \mu m$)。

日本神户钢铁公司加古川厚板厂在建立高精度的测厚仪模型时，用实测轧机伸长量预测轧机机架的变形量，然后将辊间压力和工作辊与轧件之间的压力用四次多项式来表示，从而导出轧辊变形模型。另外，该厂采用摄动法求解二次传导方程，设计了工作辊温度曲线的高精度模型。以实测轧辊磨损为基础，建立了轧辊磨损模型。采用该测厚仪模型后的厚度精度比前一个模型的精度提高约 15%。

### 1.3.5　中厚板平面形状和宽度控制

为了降低成本，提高成材率，20 世纪 70 年代开始一系列的平面形状控制方法逐渐用于中厚板轧制过程。平面形状控制的目的就是控制成品钢板的矩形化，减少切头、切尾及切边损失。如图 1.5 所示，平面形状控制和宽度控制涉及的内容有：

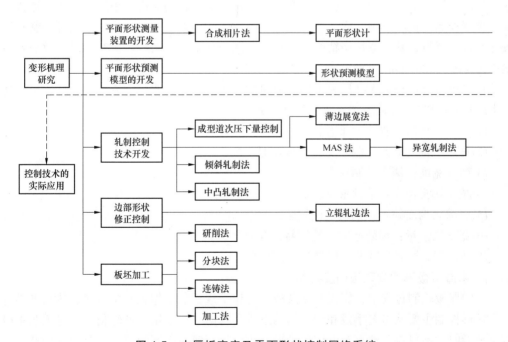

图 1.5　中厚板宽度及平面形状控制网络系统

(1)中厚板平面形状预测模型的研究；

(2)平面形状测量装置的开发；

(3)立辊轧边机的有效利用；

(4)轧制前板坯的加工技术；

(5)平面形状控制技术的开发。

日本川崎制铁公司水岛厂开发的控制辊缝开口度来改变轧件厚度的 MAS 法 (Mizushima Automatic Plan View Patern Control System)。该方法定量预测轧后钢板的平面形状，并算出成形阶段最后一个道次板厚的变化曲线(称为成形 MAS 法)或展宽阶段最后一个道次板厚的变化曲线(称为展宽 MAS 法)，并利用绝对值 AGC 方式进行辊缝的控制，采用 MAS 法后，该厂的成材率提高了约 4.4%。

日本川崎制铁公司千叶厚板厂开发的薄边展宽轧制法，其特点是在展宽阶段完成后，倾斜上工作辊，对轧件边部进行轧制，然后转钢进入伸长轧制阶段，实践证明这种方法可以明显改善头尾形状，从而提高成材率 0.55%左右。如果将这种方法结合立辊轧机进行平面形状控制可以提高成材率 1.5%。

日本钢管公司福山厚板厂开发的狗骨轧制法(Dog Bone Rolling)，使切头损失减少 65%，成材率提高 2%。新日铁名古屋厚板厂开发出立辊轧边法来控制轧件平面形状。该方法根据成品轧件的头尾形状预测模型，并对钢板宽度进行绝对控制，生产齐边钢板。该厂在采用该方法后使得厚板成材率提高了 5%，达到 96.8%。

舞阳钢铁公司中厚板轧制线开发出相应的咬边返回轧制法和留尾轧制法对改变轧件形状，以及提高成材率也有明显效果。

目前采用近置式轧边机进行自动宽度控制的方法也得到应用。采用近置式轧边机后使得板宽控制与板厚控制一样，具有绝对值 AWC 和前馈 AWC 功能。根据日本新日铁大分厚板厂资料，其板宽控制精度在采用了液压 AWC 控制系统后，其头尾有效板宽的偏差为 $1\sigma$ =10.58 mm。

日本川崎制铁公司水岛厂为了提高成材率和生产效率，改善物流状况，开发出无切边生产技术(TFP)。该技术涉及以下研究课题：

(1)方边：预防狗骨状和重叠；

(2)直边：宽度偏差控制、头尾宽度不足控制；

(3)精确宽度：侧弯控制；

(4)减少切头损失：端部形状控制；

(5)边部无表面缺陷：预防表面缺陷；

(6)宽度压下量：预防翘曲、轧制特性条件。

中厚板板宽控制精度的发展趋势见图 1.6。

### 1.3.6　中厚板板形控制和板凸度控制

在中厚板轧制过程中，钢板凸度及板形与压下规程、工作辊原始凸度、热凸度等有关。板形控制主要从工艺手段和设备结构上进行考虑。当采用调整轧制规程等工艺手段调整板形时，不可避免地存在响应速度慢、无法进行实时控制的缺陷。鉴于这种情况，实际应用中只能将工艺方法作为板形控制的辅助手段，而主要通过调节相应的板形控制

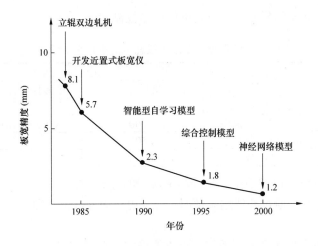

图 1.6　中厚板板宽控制精度的发展趋势

设备达到控制板形的目的。从设备方式和执行机构看，主要板形控制技术包括：液压弯辊、阶梯形支撑辊、轧辊变形、轧辊横移以及轧辊交叉等。过去在厚板轧制中钢板凸度和平直度控制主要是采用工作辊弯辊技术。鉴于工作辊弯辊能力的不足，近年来，在中厚板轧机上一些先进的板形控制设备，如 WRS 轧机、PC 轧机、CVC 轧机等得到了逐步的应用，使得中厚板轧机的控制能力大幅度提高。

### 1.3.6.1　阶梯形支撑辊技术

在对传统四辊轧机分析的基础上，为消除板宽范围之外工作辊与支撑辊间的有害接触而提出了阶梯支撑辊(BCM)和大凸度支撑辊(NBCM)技术。

### 1.3.6.2　液压弯辊技术

这是最早采用的现代板形控制技术，其应用效果早已获得一致公认。作为一种基本板形控制手段，液压弯辊技术在各种板形控制轧机中获得广泛应用。

### 1.3.6.3　轧辊变形技术

轧辊变形技术的原理是采用液压或机械方法改变轧辊辊型，以改善辊间接触应力的分布。目前获得广泛应用的轧辊变形技术有：住友金属的 VC 支撑辊，DAVY 的 NIPCO 支撑辊，CLECIM 的 DSR 支撑辊以及各种形式的自补偿 SC 支撑辊等。

### 1.3.6.4　轧辊横移技术

轧辊横移技术以日本日立公司的 HC 技术和德国 SMS 公司的 CVC 技术为代表。HC 轧机通过工作辊(中间辊)的轴向移动来适应轧件宽度的变化，消除各辊间有害接触区。CVC 板形控制技术的工作原理是将工作辊磨削成 S 形辊，并呈 180º反向布置，通过轧辊的轴向移动连续改变辊缝形状。

### 1.3.6.5　PC 轧机

80 年代初，德国率先将交叉轧制用于轧钢生产。而后，日本的三菱重工和新日铁共同研制开发了对辊交叉轧机。与其他类型轧机相比，PC 轧机凸度控制范围大，控制精度高，具有有效的边部减薄控制能力，可实现大压下轧制，提高轧制能力，轧辊原始辊型曲线简单。

表 1.2 列出了世界部分先进厚板轧机的板形控制设备。

表 1.2　世界部分先进厚板轧机的板形控制设备

| 序号 | 国家 | 厂名 | 轧机 | | 年产能力 |
| --- | --- | --- | --- | --- | --- |
| | | | 精轧机尺寸(mm) | 板形控制设备 | (万 t) |
| 1 | 日本 | 新日铁，君津 | 4 724 | PC | 240 |
| 2 | 日本 | 日本钢管，福山 | 4 700 | WRS+WRB | 240 |
| 3 | 韩国 | 浦项第三厚板厂 | 4 500 | PC | 106 |
| 4 | 瑞典 | SSAB | 5 700 | CVC | |

　　日本加古川厚板厂通过控制轧辊冷却水流量的分布,适当改变工作辊热辊型的控制,建立高精度预测模型。通过在线结果证明,轧制规格为 6 mm×5 000 mm 的轧件,其凸度为 80 μm。

　　一套完善的中厚板板形控制系统,首先要确定板凸度与平直度控制策略,即确定轧制过程中凸度与平直度控制的侧重点,当存在多种执行机构时决定其操作优先次序,决策执行机构的最佳调节量。其次需要在板形预设定计算中考虑以下四部分内容:轧辊磨损计算模型、轧辊热变形计算模型、执行机构设定模型和自学习模型。板形预设定模型的工作原理如图 1.7 所示。在中厚板进入轧机进行轧制之前,预设定模型在已知来料板形和各道次负荷分配等信息的基础上,根据目标凸度和目标平直度,计算预设定值输出给轧机各执行机构。通常,在当前轧件轧制完成后,计算机将板形执行机构动作实际值和板形实测值送入自学习环节,对预设定模型中的可调参数进行修正,以期在下次轧制同样规格材质轧件时,提高预设定精度。

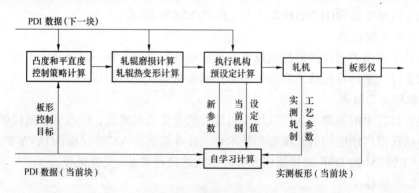

图 1.7　中厚板轧机轧制板形的设定过程

　　中厚板预设定模型要同时实现凸度与平直度的控制,必须在预设定模型中充分考虑凸度与平直度的相互影响,不仅要保证轧后凸度达到目标值,也要使平直度处于最佳可调范围内,有利于板形控制模型调节相应设备,使平直度达到目标值。

　　由于板形预设定模型在计算设定值时使用的是预测轧制力,而且轧制过程中由于厚度控制系统的调整和其他随机干扰的影响,轧制力的波动不可避免,造成平直度发生变化。为了快速消除轧制力预测误差和波动对板形的影响,采用平直度反馈控制模型调整板形控制机构进行实时反馈补偿。平直度反馈控制属于闭环预估控制,控制精度受轧制力对平直度影响预测模型精度的限制。当系统配置板形仪时，可根据实测板形信号进行实时修正，以使出口板形达到目标值。

### 1.3.7 中厚板轧制规程分配

中厚板轧制规程的分配与板形控制是密不可分的。下面介绍中厚板轧制规程设定的发展。最初的中厚板轧制规程设计方法是：前几个道次为满负荷道次，尽量在许可能力范围内加大压下量，减少轧制道次，降低热损失。后几个道次特别是后三个道次为成型道次，需要满足比例凸度恒定的原则。因此，传统方法一般采用分段控制策略，即在前面道次不考虑板凸度和板形的影响，而只在后几个道次严格遵循比例凸度恒定原则，使轧件出口板形稳定，如图 1.8 所示。

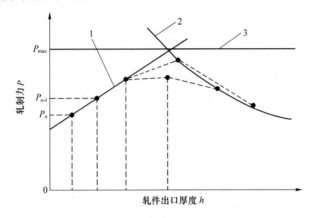

1—恒比例凸度；2—轧制力矩限制线；3—轧制力限制线

**图 1.8  中厚板轧制规程的分配比例凸度恒定**

后来在轧制规程考虑轧制过程金属横向流动的影响，开发出联合控制凸度—板形轧制规程设计法。因为等比例凸度控制法需要的轧制道次较多，而且忽略了厚板轧制过程中的金属横向流动。根据试验得知，板形与板凸度有图 1.8 所示的关系。联合控制凸度—板形轧制规程设计法允许在中间道次偏离等比例凸度线，实行一定程度的大压下轧制，仅对最后道次给予严格控制，考虑到厚板轧制过程金属有较大的横向流动，该方法对板形不会产生太大的影响，却显著提高了轧机的生产能力。

## 1.4  中厚板轧机轧制过程的控制模型研究内容

### 1.4.1  4200 中厚板轧机存在问题

4200 中厚板轧机是国产第一台中厚板轧机，现年产钢板 40 万 t，轧制品种有压力容器钢、海洋平台钢、舰艇用钢等高质量品种，满足了不同用户的需要。但在设备性能和轧制工艺上还存在着某些方面的不足，现就这方面的问题进行阐述。

#### 1.4.1.1  自动化程度不高

由此产生了一系列问题，轧钢生产效率较低，钢板质量相应不高，成材率仅为 75%左右。由于是人工操作，劳动强度较大。为此，现正不断进行四辊轧机的技术改造，已安装了智能辊缝仪、激光测厚仪、脉冲测宽仪，正进行自动控制和液压 AGC 技术项目的改造。

### 1.4.1.2 轧制工艺相应落后

现代厚板轧机的操作方法可分为三种，即常规轧制、温度控制轧制和热机械轧制法。

(1)常规轧制法。常规轧制的主要目标是轧制尺寸精度高、板型良好的平直钢板。这必须通过有限次数的轧制道次来实现，以保证对轧机的最佳利用。这就是说，必须在较高的温度下产生变形。而比较高的温度轧制则不易使钢板保持平直，且板材的性能也不易保证。

中厚板轧制的目的是生产出尺寸公差小、性能优、板型佳以及良好平直度的钢板。而常规轧制，钢板是在高温下轧制的，难以达到其要求，因此发展和研究了温控轧制和热机械轧制。

(2)温控轧制法。在温度控制轧制中，除了上述的目标参数外，还要求在规定的温度范围内实施全部变形。

(3)热机械轧制法。在热机械轧制中，规定的道次压下量必须在规定的温度范围内予以轧制。通过两阶段及三阶段轧制可达此目的(如图 1.9 所示)。

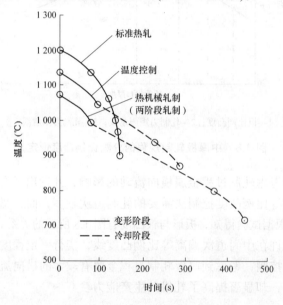

图 1.9　厚板生产中不同轧制工艺的典型温度特性

### 1.4.1.3　生产及设备事故较多

当工人经验不足或轧制新品种时，容易发生堆钢或拉钢现象而造成事故。另外,由于负荷分配不当，也会使轧机发生压力过大而断辊或因电流过大而跳闸，使生产无法顺利进行。

### 1.4.1.4　相关的操作难以配合

轧制时，当各块坯料的参数发生变动(如来料厚度或温度不同)，人工操作来不及调整，将使成品厚度公差太大，而一块坯料的头尾由于存在温降，亦使得其纵向厚差太大而影响产品质量。

由此可以看出，中厚板轧机轧制规程是不甚合理的。一个合理的轧制规程必须考虑设备的零件强度、能耗、电机容量、工艺上的限制和板型条件等，而这些因素往往是相互矛盾的。例如，保证了设备强度的均等利用，就保证不了电机能力的均等利用，更保证不了轧出的板型。因此，需对轧制规程作进一步的研究。合理的轧制规程又是建立在轧制过程数学模型的基础之上的。根据被控对象的不同，数学模型可以是一个单一的公式，如温降模型、宽展模型，也可以是一套有机组合的公式，如轧制压力模型。

### 1.4.2  中厚板轧机轧制过程的控制数学模型研究内容

#### 1.4.2.1  生产过程中各参数间的关系

数学模型即是根据生产过程中各种现象的物理规律，应用数学方程来描述生产过程中各参数间的关系，这些关系可分为以下六类：

(1)设备负荷参数。即电机功率、轧制压力和轧制力矩。

(2)设备特性参数。主要是机座刚度系数。

(3)轧制过程中的外扰量。对热轧来说，主要是来料温度波动 $\delta t\ \text{℃}$，来料厚度波动 $\delta H$。

(4)控制参数。即用来作为调节手段的参数，主要是辊缝量 $S_0$ 和轧辊速度 $V_0$。

(5)目标参量。它是轧钢生产所要求的，主要是轧出厚度 $h_i$(特别是成品厚度 $h$)及轧材的综合机械性能。

(6)固定不变或变化缓慢的参数。如轧辊半径 $R$、轧件宽度 $B$ 等。

#### 1.4.2.2  中厚板轧机轧制过程数学模型建立的步骤

中厚板轧机轧制过程的控制数学模型的建立，分以下几个步骤：

(1)深入现场调研，找出问题要点。通过现场生产过程的观测以及理论上的分析研究，必要时通过试验(即实测)、研究分析来确定数学模型的结构。

(2)在现场试验中，通过轧机综合测试，得到具有一定精度的实测数据。

(3)实测数据整理并加以分析。

(4)根据实测数据规律和基本理论，拟定模型结构。

(5)回归分析和人工智能分析。

(6)实践检验。通过实践考核，修正并应用数学模拟法进行分析比较，确定一种较好方案后，再进行实践检验，最后确认。

#### 1.4.2.3  本书研究内容

针对国内中厚板轧机过程控制模型系统还处于初级阶段的现状，结合舞阳钢铁公司轧钢厂控轧控冷改造工程，开发出适合于在线控制的轧机过程控制模型，并对其中的系统结构、组成、模型，以及为提高精度采用的各种离线与在线训练算法和各种优化策略进行研究。主要研究内容如下：

(1)建立在线中厚板轧机过程控制模型设定系统框架，这方面的研究国内还处于初级阶段。中厚板轧制过程对在线模型设定系统的要求与热连轧不同，它是一个多道次往返过程，需要根据实测参数与预测值的差值不断地修正后续道次的设定辊缝。过程控制模型对于控制轧件精度的重要性远大于热连轧过程。它涉及轧制策略的制定、轧制规程的预计算、阶段修正计算、道次修正计算和自学习计算。所以，如何针对具体轧线工艺布置和仪表布置来设计中厚板轧机过程控制模型设定系统框架是重点研究的对象。

(2)结合中厚板工程在线应用的特点，建立高精度的轧制力模型：分析不同因素对轧制力模型计算精度的影响，提出合理的轧制力模型结构；针对目前控轧控冷过程残余应变对变形抗力计算精度影响较大的现象，建立在线残余应变计算模型，并分析模型计算误差对轧制力的影响程度；针对中厚板多道次可逆且温度测量可靠性较低等特点，分析如何消除温度累计误差对轧制力计算精度的影响，提出合理轧制力模型的自学习算法；针对中厚板轧制过程没有实测中间厚度的特点，分析弹跳方程的零点漂移对轧制力修正的影响，给出合理的解决方案，使得轧制力模型的自学习更加完备、合理。

(3)研究中厚板轧制过程温度的变化特点，采用有限差分法和传热学的相关理论对轧制过程的热辐射、高压水除鳞温降、轧辊接触传热、塑性加工热进行分析，建立高精度的温度计算模型。结合厚板厚度方向存在较大温度梯度的情况，分析厚板温度分布随时间与厚度的变化规律，解决实测表面温度处理方法。针对需要控制轧制的钢种，分析控温温度和终轧温度的函数关系，提出合理的算法来确定控温温度和终轧温度。

(4)研究厚度控制和板形开环控制之间的关系，针对中厚板的轧制特点给出合理的解决方案，以保证轧件的厚度精度和板形良好。

(5)中厚板轧制过程存在多阶段、多道次的特点，其轧制规程的制定比热连轧和冷连轧要复杂很多。首先，需要结合中厚板坯料和成品的尺寸给出轧制策略的合理算法，使轧件最终的矩形化程度更加合理。然后，根据宽展阶段和伸长阶段的轧制特点，提出适合宽展阶段和伸长阶段的轧制规程分配方法，使之不仅能够尽量减少道次，而且满足板形控制的要求。

# 第2章 中厚板轧机的轧制过程控制系统

## 2.1 中厚板生产工艺

### 2.1.1 中厚板轧机用途

中厚板轧机是将铸锭或铸坯轧制成各种规格板材的设备。而中厚板轧机的四辊轧机是全轧制线的主要机械设备,它能将 15~40 t 的钢锭、5~25 t 的初轧板坯经过若干道次的往复轧制,轧制成厚度为 8~250 mm、宽度为 1 900~5 900 mm 的各种钢板。该轧机同机架辊、机前机后的工作辊道、机前机后推床以及立辊轧机等联合工作。

### 2.1.2 中厚板轧机生产工艺

#### 2.1.2.1 4200 中厚板轧钢车间的平面布置

中厚板轧制线的总体布置可分为 5 个区,即原料区、加热区、轧制区、精整区和热处理区。

#### 2.1.2.2 中厚板轧机的生产工艺

4200 轧制线工艺流程见图 2.1。

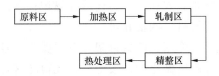

**图 2.1　4200 轧制线工艺流程**

(1)原料区。轧制中厚板所用的原料为铸锭或铸坯,随着 1900 板坯连铸的投产,轧材原料将大部分用连铸坯,使用连铸坯进行轧板,板型质量好,生产率、成材率高。原料区的作用主要是原料的选择和存放,按钢种规格、技术要求和设备条件,制定其加热工艺。

(2)加热区。其加热炉共有三种:连续式加热炉、均热炉、室状车底式加热炉。

连续式加热炉用于连铸坯加热,其型式为滑轨式,采用预热、加热、均热组成的多段式加热炉,其出入料皆由推料机和出料机来执行,其主要缺点:板坯表面易于擦伤和易于翻钢,使板坯尺寸和炉子长度受到限制,而且排空困难、劳动条件差。这是滑轨式加热方式存在的普遍问题。

均热炉是用于对钢锭进行加热的,共有 12 个均热坑,缺点是耗能高、热利用率低。

加热是钢板生产中十分重要的工序,加热质量的好坏直接影响到钢板的质量、产量,以及操作和设备事故。

(3)轧制区。4200 轧机的作用是将加热后的原料(锭或坯),轧制成其各项指标都符合要求的钢板。其轧制过程大致可分为除鳞、立辊、四辊等几个轧制阶段。

除鳞:将板坯表面的炉尘、初生和次生铁皮除净,以免压入表面,产生缺陷,是保证钢板表面质量的关键措施。

立辊轧机：将板坯进行侧向轧制，目的是控制生产钢材宽度和得到齐边钢板，降低金属消耗，提高成材率。

四辊轧机是现代应用最广泛的中厚板轧机，它将粗轧和精轧合二为一，其任务是将板坯宽展到所需的宽度和一定厚度及尺寸精度，进行大压缩量延伸，同时进行质量控制。

(4)精整及热处理区。

4200轧制线的精整包括矫直、冷却、检查及清理缺陷和剪切，必要时进行热处理。

矫直：为使板形平直，钢板在轧制以后，必须趁热进行矫直，热矫温度通常在600～800℃之间。

冷却：钢板经矫直后，在运输和冷却过程中，要求冷却均匀，并防止刮伤。

检查及清理缺陷：钢板经矫直后冷却到200～150℃以下，便可进行检查，除表面检查以外，还采用在线超声波(检查)探伤，以检查内部缺陷。

热处理：主要处理一些对产品的机械性能提出特别要求的板材。厚板热处理的主要方式是常化与淬火—回火，以提高其塑性。

此外，在轧制优质和合金钢厚板时，为防止白点常采用缓冷措施。

## 2.2 设备概况

4200中厚板轧制线由以下主体设备组成：

加热区：均热炉、室状车底式加热炉、连续加热炉；

轧制区：除鳞箱、立辊轧机、四辊轧机；

精整区：九辊热矫直机、冷床、修磨台架、双边剪、一号定尺剪、二号定尺剪；

热处理区：常化炉、外部机械化炉、缓冷坑、九辊冷矫直机。

四辊轧机的设备性能如下。

### 2.2.1 技术规范

| | |
|---|---|
| 工作辊直径 | $930_0^{0.10} \sim 980_0^{0.10}$ mm |
| 辊身长度 | 4 200 mm |
| 轧制速度 | 0～2～4 m/s |
| 轧辊上下移动速度 | 5～10～55～50 mm/s |
| 上工作辊最大工作行程 | 1 100 mm |
| 支承辊直径 | 1 600～1 800 mm |
| 轧辊转速 | 0～40～80 r/min |
| 最大轧制力 | 4 200 t |
| 工作辊轴承 | 四列圆锥滚子轴承 600×800×380×4 |
| 支承辊轴承 | 液体摩擦轴承 $D$=1 500 |
| | $l$=975 $l/D$=0.75 4个 |
| 压下直流电动机 | ZD127-28W 520 kW |
| | 750/1 000 r/min 2台 |
| 测速发电机 | ZCF-12 0.5 kW |
| | 1 500 r/min 1台 |

### 2.2.2 结构

四辊轧机由工作机架、轧辊及轴承、压下装置、平衡装置以及平台组成，如图 2.2 所示。

(1)工作机架：如图 2.3 所示，机架牌坊由铸钢制造，为了运输方便和满足铸造能力，牌坊由三部分组成。分成牌坊本体和两侧支脚，牌坊本体也分四块焊接，牌坊本体和两侧支脚的装配是用 12 个钢箍热装紧固，每片牌坊各用 4 个 M180 的螺钉连接，牌坊的下部用一个铸钢横梁连接。

(2)轧辊及轴承：四辊轧机的工作辊安装在四列圆锥滚子轴承上，而支承辊则采用液体摩擦轴承。

工作辊材料是采用半冷硬球墨铸铁，其表面硬度为 HS>45° (肖氏)，两轴端各装一个四列圆锥滚子轴承($\Phi600/ \Phi800 \times 580$)，上工作辊轴承座是安装在上支承辊轴承座的下面。支承辊用 9Cr2Mo 的辊套和 55 CrMo 的辊轴热装而成，两端采用液体磨擦轴承。

(3)压下装置：压下装置实际上由配置在单独铸钢箱体里的两个圆弧面蜗轮蜗杆组成，圆弧面蜗轮箱靠$\Phi900$ mm 凸台对准，并用 M42 螺钉与牌坊上部固定，两边各有一个平键防止箱体转动，用两台带调整装置低转动惯量的 920 kW 的直流电动机驱动。

(4)平衡装置：每片牌坊上各有两个直径为 255 mm 的液压缸柱塞，顶着一根铸钢横梁，横梁上各悬挂两根直径 160 mm 的长拉杆，拉杆下端钩在上支承辊轴承座的半燕尾槽上，液压缸塞的上升下降都是同压下螺丝相协调的。

(5)平台：为维护和修理压下装置、平衡装置，在机架上部设有平台。

## 2.3 过程控制系统功能描述

### 2.3.1 系统的软件组成

中厚板轧机过程控制系统的系统软件主要由数据采集与处理子系统、过程跟踪子系统以及轧制模型设定与控制子系统三部分组成。图 2.4 为过程控制系统(PCs)和基础自动化(BA)以及人机界面系统(HMI)的关系。

### 2.3.2 数据采集与处理子系统

数据采集与处理系统主要完成实时数据的采集接收和处理，为跟踪模型和轧制模型的功能实现做预备处理。由于实际生产中对过程的控制实际上就是对生产设备的控制，因此就需要采集和存储大量的生产数据，包括：轧制过程数据，如轧制力、辊缝、温度等；设备数据，如 MTS(顶帽传感器)数值、油柱高度、辊缝的倾斜量等。1 级系统在采集到这些数据后不断传送给 2 级轧机过程控制系统。轧机过程控制系统得到这些数据后，一方面要保存原始数据，为分析生产情况提供原始数据；另一方面还要对这些数据进行处理，为轧制模型提供可靠的控制依据。对于不同用途的数据，处理的方式也不同，图 2.5 为数据采集与处理系统的基本结构图。有效数据的确定根据经验和现场实际情况而定，滤波处理的方法也会因为数据的不同而存在差别。

### 2.3.3 过程跟踪子系统

过程跟踪模型实现了钢坯的在线跟踪和对轧制模型的调用，是过程控制系统的基础。根据 1 级基础自动化系统传来的检测信号，跟踪模型判断轧线上钢坯的位置及状态，并根据需要触发轧制模型进行相应的计算，具体内容包括以下几部分。

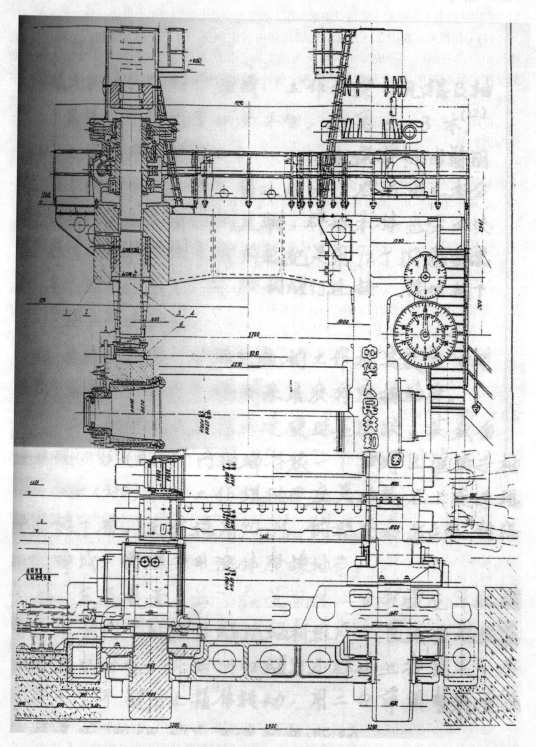

图 2.2　4200 轧机结构

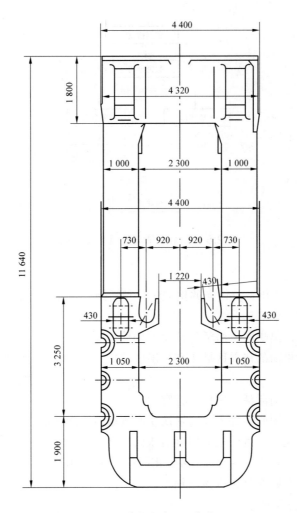

图 2.3　4200 轧机机架　（单位：mm）

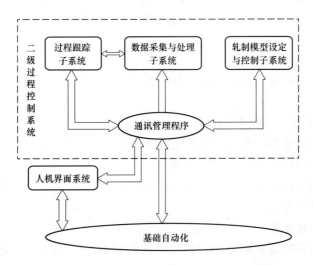

图 2.4　中厚板轧机轧制过程控制系统简图

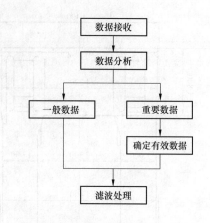

图 2.5　数据采集与处理系统简图

2.3.3.1　判断位置

根据 1 级基础自动化系统传来的检测信号判断钢坯在轧线上的物理位置和状态。

2.3.3.2　触发轧制模型

(1)当钢坯在等待出炉时,激活等待出炉确认计算;

(2)当钢坯经过机前的待温区域 1 和待温区域 2 时,根据测温仪的信号进行压下规程的再计算;

(3)在每阶段轧制前激活阶段修正计算;

(4)当道次轧制到中间,并采集完道次实测数据后,激活道次修正计算;

(5)当轧件轧制完毕,测到实测厚度后激活后计算;

(6)当轧件在待温辊道上待温时,每隔相应的时间,根据实测温度激活待温时间计算;

(7)根据轧制节奏判断是否应该出钢。

2.3.3.3　内存中数据区的管理

中厚板轧制过程在很多情况下需要进行控温轧制,为减少轧机的等待时间,加快轧制节奏,就会造成轧制线上同时有多块钢的情况,如何管理轧线上不同轧件的数据是过程跟踪的重要功能之一。

2.3.3.4　数据输入和注销

当轧件在轧制过程中发生错误时,跟踪子系统要在内存中取消这块钢的数据,并作好相应的记录。

**2.3.4　轧制模型设定与控制子系统**

轧制模型是过程控制的核心,是实现自动轧钢、提高产品质量、提高产量的关键部分。轧制模型主要由跟踪模型进行触发调用,实现对轧制过程的记录、优化与控制,具体功能有:压下规程的预计算、再计算、修正计算和后计算。测试仪器在中厚板轧制线的位置示意如图 2.6 所示。

2.3.4.1　压下规程预计算

压下规程预计算就是根据原始的 PDI 数据和各种设备限制条件,进行合理的压下负荷分配,来确定每道次的压下量。此时的压下规程只是一个理想化的规程,因此还需要对这个规程进行后续的再计算和修正计算，使压下规程更加适用于实际情况。压下规程的预计算通过人机界面的"准备出炉"按钮和"调用计算机规程"按钮触发。触发方式为手动触发，触发位置在图 2.6 中的①。

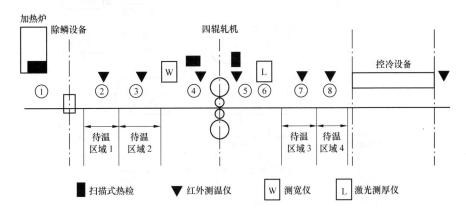

图 2.6  测试仪器在中厚板轧制线的位置示意

### 2.3.4.2  再计算

压下规程再计算就是根据钢坯出炉除鳞后的实测温度对压下规程进行再次的计算。在除鳞到轧机之间设有三个测温仪，第一个测温仪安装在待温区域 1，第二个测温仪安装在待温区域 2，第三个安装在轧机前。对于第一个测温仪信号只是采用计算，但不修改规程，在得到第二个测温仪信号后，综合考虑两个信号，对规程进行修改计算。压下规程的再计算由跟踪子系统触发，触发方式为自动触发。触发位置在图 2.6 中的②、③。

### 2.3.4.3  修正计算

压下规程的修正计算就是在钢坯完成一道次的轧制后，由数据采集和处理子系统得到实测的道次数据，根据这些数据进行模型参数的短期自学习，并对后续道次的压下量进行重新分配，消除实测的道次数据和设定数据的偏差，提高产品的质量。压下规程的修正计算由跟踪子系统触发，触发方式为自动触发。触发位置在图 2.6 中的④和⑤。

### 2.3.4.4  后计算

压下规程的后计算就是在钢坯完成轧制后，根据得到的轧制数据进行模型参数的长期自学习。压下规程的后计算由跟踪子系统触发，触发方式为自动触发。触发位置在图2.6 中的⑥。在图 2.6 中的②、③、⑦、⑧位置还触发模型的待温时间计算。

### 2.3.5  过程控制系统的数据流图

中厚板轧机轧制过程控制系统数据流向如图 2.7 所示。

## 2.4  小结

本章以舞钢 4200 中厚板轧制线为例，介绍了中厚板生产的基本工艺布置、工艺流程和轧制生产线的计算机控制系统。该厂的过程控制系统能够在实时状态下完成轧件的生产过程跟踪、等待出炉确认计算、坯料测温修正计算、阶段修正计算、道次修正计算、自学习计算等重要功能，对于国内中厚板轧机过程控制模型设定系统的设计有较强的借鉴意义。

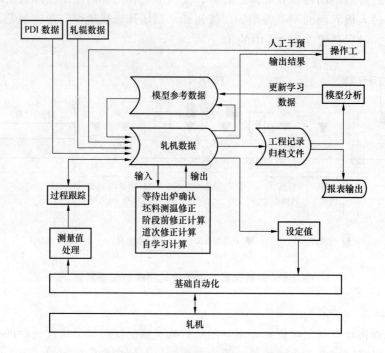

图 2.7　中厚板轧机轧制过程控制系统数据流向示意图

# 第3章 轧制过程的理论和分析

## 3.1 中厚板轧机轧件的应力和变形状态

### 3.1.1 应力和应力状态

对任何一个物体施加外力，则在物体内部总要产生内力，其内力的产生是用以抵抗外力的，这种分布在单位面积上的内力叫应力。即

$$\sigma = \frac{P}{A} \tag{3.1}$$

式中　$\sigma$——应力；

　　　$P$——压力；

　　　$A$——受力面积。

一般地说，在轧制时轧件内部某一个微分体积的应力不是单向的，这一微分体所受的应力状况称之为应力状态，它分为单向应力状态、平面应力状态和三向应力状态。应力状态对加工过程有很大影响，单向应力状态易于变形，三向压应力状态必须施加较大的外力才可能变形；而三向流体静压力不管有多大，总是不能使物体变形的。

### 3.1.2 轧制时变形区的应力状态

在轧制过程中，轧件在轧辊间承受轧制压力而产生塑性变形。由于金属塑性变形时体积不变，当变形区金属在垂直方向受到压缩时，在轧制方向便产生延伸，在横向便产生宽展。而延伸和宽展均受到接触面摩擦力的限制，使变形区中金属呈三向压应力状态。

轧制时整个变形区内部各点的应力状态是不均匀的。中厚板轧制由于无张力的作用呈三向压应力状态。

轧制时粘着区和难变形区示意如图 3.1 所示，$ABCD$ 为金属质点对轧辊没有滑动的区域，$FEHG$ 为金属质点对轧辊没有横向滑动的区域，即为粘着区；$MON$ 为轧件宽度中间难变形区的垂直断面。应指出，这些不同区域的大小将依变形区几何因素与该表面外摩擦系数的不同而变化，直到完全没有粘着区或完全没有滑动区为止。

### 3.1.3 轧制时外区的应力状态

所谓外区是指在轧制过程中某一瞬间不直接承受轧辊作用而处于变形区以外的部分，由于不变形的外区与变形区直接连接，所以在变形过程中，它们之间要发生相互作用，外区的作用影响着金属的变形、应力；同时变形区内金属的流动也给外区以影响，使变形与应力波及到与变形区相连的一定区域。

局部压缩时外区对变形及应力分布的影响如图 3.2 所示，当无外端压缩时，将产生单鼓变形；当有外端压缩时，在邻近外区处，金属除受摩擦阻力外，还受到外区的影响。

在金属受到压缩时，由于是一个整体，这种自由延伸会受到外区的限制，而使纵向延伸趋于一致，即外区对纵向变形有强迫拉齐作用，结果在自由延伸大的部位受到纵向附加压应力，而在自由延伸小的部位受到纵向附加拉应力。由于各层的纵向变形在外区

的作用下被迫拉齐，纵向变形的不均匀性必然要导致横向变形的不均匀。

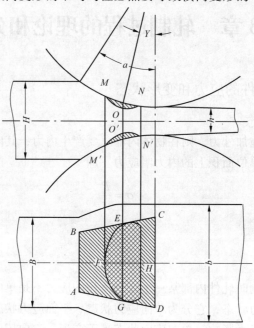

图 3.1　轧制时粘着区及难变形区示意图

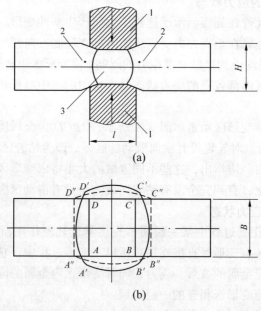

(a)

(b)

1—工具；2—外区；3—变形区

图 3.2　局部压缩时外区对变形及应力分布的影响

由图 3.2(b)，在无外区压缩时，$ABCD$ 变形后要变成 $A'B'C'D'$ 的形状，而在有外区影响时，将变成 $A''B''C''D''$ 的形状。所以要发生这种变化，是由于在外区的强迫拉齐作用下，沿宽度的中间部分将出现纵向附加压应力，使其延伸减少；而在边部出现纵向附加拉应力，使延伸增加，结果使纵向变形趋于均匀。

四辊轧机在轧制过程中，其外区影响在于变形区交界处的高度方向，中部出现附加压应力，边部出现附加拉应力，使变形强迫"拉齐"，在沿宽度方向，中部亦出现附加压应力，边部出现附加拉应力(如图 3.3 所示)。

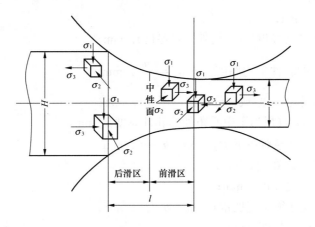

图 3.3 轧制时变形区及外区的应力状态图

变形区内附加应力的出现，使其应力状态中三向主应力呈拉压交错并存的状况，势必要加大使金属产生塑性变形的平均单位压力。

### 3.1.4 金属塑性变形条件——塑性方程式

在复杂的应力状态条件下的塑性条件，通常把它归结为确定屈服极限和主应力 $\sigma_1$、$\sigma_2$、$\sigma_3$ 之间的关系，而表示此关系的方程式叫塑性方程式。

基于形状位能等于常数的塑性条件，推得的塑性方程式为

$$(\sigma_1 - \sigma_2)^2 + (\sigma_2 - \sigma_3)^2 + (\sigma_3 - \sigma_1)^2 = 2\sigma^2 \qquad (3.2)$$

式中　$\sigma_1$——最大主应力；

　　　$\sigma_2$——中间主应力；

　　　$\sigma_3$——最小主应力；

　　　$\sigma$——金属的塑性变形抗力。

塑性方程表明：当在三向应力状态时，主应力差的平方和等于金属材料屈服极限平方的两倍时，可实现塑性变形。

为了实际应用的方便，塑性方程可简化为

$$\sigma_1 - \sigma_3 = \beta\sigma \qquad (3.3)$$

式中　$\beta$——中间主应力 $\sigma_2$ 的影响系数。

当 $\sigma_2 = \sigma_1$ 时，$\beta = 1$；

当 $\sigma_2 = \dfrac{\sigma_1 + \sigma_3}{2}$ 时，$\beta = 1.15$；

当 $\sigma_2 = \sigma_3$ 时，$\beta =1$。

所以，中间主应力的影响系数 $\beta$ 值的范围为 1～1.15，在计算钢板轧制压力时，一般取 1.15。

### 3.1.5 变形区的基本参数

变形区基本参数如下。

$D$：轧辊直径，mm；

$R$：轧辊半径，mm；

$h_0$：轧制前轧件之高度(或称轧件入口厚度)，mm；

$h_c$：轧制前后的轧件平均厚度，$h_c = \dfrac{h_0 + h_1}{2}$，mm；

$h_1$：轧制后轧件之高度(或称轧件出口厚度)，mm；

$h_\gamma$：轧件中心高度(相当于中心角处的轧件厚度)，mm；

$\Delta h$：压下量(或称绝对压下量)，$\Delta h = h_0 - h_1$，mm；

$b_0$：轧制前轧件之宽度，mm；

$b_1$：轧制后轧件之宽度，mm；

$\Delta b$：宽展量(或称绝对宽展量)，$\Delta b = b_1 - b_0$，mm；

$l_0$：轧制前轧件之长度，mm；

$l_1$：轧制后轧件之长度，mm；

$\gamma$：临界角(或称中性角)；

$\alpha$：咬入角，$\alpha = \sqrt{\dfrac{\Delta h}{R}}$；

$l_c$：接触弧水平投影之长度，$l_c = \sqrt{R \Delta h}$，mm。

## 3.2 影响轧制压力的主要因素

由于轧制压力在接触弧上的分布是不均匀的，为便于计算，一般均以单位压力的平均值——平均单位压力来计算轧制总压力。一般写成下列形式：

$$p_c = n_\sigma k = n'_\sigma n''_\sigma n'''_\sigma k \tag{3.4}$$

式中　$k$——$k=1.15\,\sigma$；

$n_\sigma$——应力状态影响系数；

$n'_\sigma$——考虑摩擦对应力状态的影响系数；

$n''_\sigma$——考虑外区对应力状态的影响系数；

$n'''_\sigma$——考虑张力对应力状态的影响系数。

### 3.2.1 外摩擦的影响

外摩擦对单位压力的影响是一个综合因素，主要影响因素有轧件高度、轧件与轧辊间的摩擦系数、压下量以及轧辊直径等。

水平应力 $\sigma_x$ 是由外力 $p_x$ 和单位摩擦力 $t_x$ 在水平方向投影的代数和除以该截面轧件的厚度得到。单位摩擦力和摩擦系数越大，单位压力 $p_x$ 也就越大。

试验表明，随着轧件厚度的增加，单位压力相应降低。这是因为厚度加大后，摩擦

力对水平应力 $\sigma_x$ 的影响也减弱了，因而单位压力降低。

轧辊直径对单位压力的影响，一般以轧件厚度 $h_l$ 与轧辊直径 $D$ 的比值反映，随着 $h/D$ 值的加大，平均单位压力降低(见图 3.4)。因为轧辊直径减小后，摩擦力的水平分力减小，从而水平应力 $\sigma_x$ 也减小，使单位压力降低，轧制力降低。另一方面，由于轧辊直径减小，将使接触面积减小，亦会使轧制力降低。

外摩擦对单位压力的综合影响可用影响系数 $n'_\sigma$ 来表示。在变形区特征参数 $l/h_c$ 大于 1 时，$n'_\sigma$ 随 $l/h_c$ 的增加而增大。

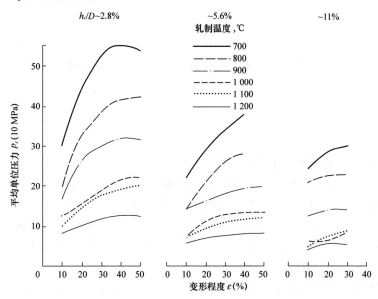

图 3.4　在不同温度、不同 $h_c/D$ 比值时平均单位压力与压缩率的关系(0.28%)

## 3.2.2　张力的影响

试验结果表明，前后张力都使单位压力降低，且后张力影响更为显著。由于存在张力，使变形区内金属在轧制方向产生附加拉应力，此拉应力引起三向压应力状态的水平方向主应力 $\sigma_x$ 的减小，从而降低了单位压力。由于中性面偏向出口，故后张力影响大于前张力。

## 3.2.3　外区的影响

变形区外金属对单位压力的影响，主要是由于轧制时变形区内金属的不均匀变形，引起变形区外金属的局部变形，从而改变了变形区内金属的应力状态，使单位压力加大。

当轧件在轧辊间发生塑性变形时，产生了不均匀变形；变形区入口端的断面形成向外凸出的弯曲形状，而变形区出口端表面层的延伸比中间层小，这种不均匀变形的趋势受到前后端外部金属的限制，引起变形区内 $\sigma_x$ 的增加，因而使单位压力增大。当接触弧长度 $l$ 与轧件平均高度 $h_c$ 的比值 ($l/h_c$) 大于 1 时，不均匀变形较小，外区影响不明显；当 $l/h_c<1$ 时，不均匀变形变大，外区影响变得比较明显；随着 $l/h_c$ 的减小，不均匀变形愈加严重，因而外区影响也就逐渐加大。变形区 $l/h_c$ 与应力状态影响系数的关系如图 3.5 所示。

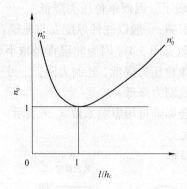

图 3.5  变形区 $l/h_c$ 与应力状态影响系数的关系

$n''_\sigma$ 可用下式求出：

$$n''_\sigma = (l/h_c)^{-0.4} \tag{3.5}$$

### 3.2.4  中厚板轧机轧制压力主要影响因素

中厚板轧机在轧制过程中，金属在轧辊间承受轧制压力的作用而发生塑性变形。

各类轧机轧制条件的差别，主要反映在轧件高度($h_0$)、各道压下量($\Delta h$)、轧辊半径($R$)等参数的不同比例上，根据大量现场实测和研究表明：影响轧件应力状态的主要参数是接触弧长度($l$)与轧件平均高度($h_c$)的比值。$l/h_c$ 指标综合反映了变形区的三个主要参数 $R$、$h_0$、$\Delta h$ 对应力状态的影响，从而反映了对整个轧机轧制压力的影响。

中厚板轧机的轧制特点是轧件尺寸($h_0$)大，虽然压下量亦较大，但 $l$ 与 $h_c$ 相比尚较小，$l/h_c$ 一般为 0.5～1.2，只有在轧制最后几道次时，$l/h_c$ 才有可能达到 1.2，其大部分轧制道次的 $l/h_c<1$。此时接触弧上摩擦力的影响不是主要的，但始终存在。

影响轧制压力大小的主要因素是外区影响系数 $n''_\sigma$，从图 3.5 也能看出。中厚板轧机的另一特点是轧件宽度($b_c$)较大，其 $b_c/l \gg 5$，可近似认为平面应变情况，$\beta =1.15$。中厚板轧机由于不存在张力，即 $n'''_\sigma =1$，因此其平均单位压力为

$$p_c = n'_\sigma n''_\sigma k = 1.15 n'_\sigma n''_\sigma \sigma \tag{3.6}$$

但在实测中，由于轧件规格和压下量都较大，实际上存在着一定宽展。因此，在建立中厚板轧机数学模型中，应首先建立宽展模型。

## 3.3  轧制压力计算理论

### 3.3.1  T.Karman 单位压力微分方程及 A.N.采利柯夫解

现代轧制理论中，单位压力的数学-力学理论的出发点是在一定的假设条件下，在变形区内任意取一微分体(见图 3.6)。微分方程建立过程如下。

#### 3.3.1.1  建立单位压力微分方程的假设条件

为了简化问题，在计算轧制压力时假设：轧件金属性质均匀，可宏观地看做均匀的连续介质，轧制时变形均匀，且无宽展；轧件在变形区内各横截面沿高度方向之水平速

度相等；轧制时，轧件的纵向、横向和高向与主应力方向一致；轧辊和机架为刚体。

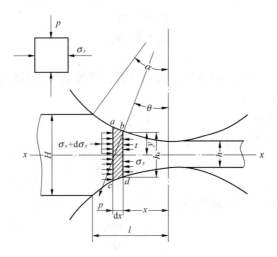

图 3.6　Karman 方程力学图

### 3.3.1.2　单位压力微分方程式

根据力的平衡条件，所有作用在水平轴 $x$ 上力的投影代数和应等于零。亦即 $\sum X = 0$

$$2\sigma_x yB - 2(\sigma_x + \mathrm{d}\sigma_x)(y + \mathrm{d}y)B + 2p\tan\theta\,\mathrm{d}xB - 2t\,\mathrm{d}xB = 0 \qquad (3.7)$$

原假设没有宽展，取 $\tan\theta = \mathrm{d}y/\mathrm{d}x$，忽略高阶项时，对式(3.7)进行简化，得前滑区的公式为

$$\frac{\mathrm{d}\sigma_x}{\mathrm{d}x} - \frac{p - \sigma_x}{y}\cdot\frac{\mathrm{d}y}{\mathrm{d}x} + \frac{t}{y} = 0 \qquad (3.8)$$

后滑区

$$\frac{\mathrm{d}\sigma_x}{\mathrm{d}x} - \frac{p - \sigma_x}{y}\cdot\frac{\mathrm{d}y}{\mathrm{d}x} - \frac{t}{y} = 0 \qquad (3.9)$$

代入屈服条件，则 $p - \sigma_x = k$，其中 $k = 1.15\sigma$。

因此
$$\mathrm{d}p = \mathrm{d}\sigma_x \qquad (3.10)$$

代入式(3.8)、式(3.9)，则
$$\frac{\mathrm{d}p}{\mathrm{d}x} - \frac{k}{y}\frac{\mathrm{d}y}{\mathrm{d}x} \pm \frac{t}{y} = 0 \qquad (3.11)$$

式(3.11)即为单位压力微分方程的一般形式。

### 3.3.1.3　单位压力微分方程 A.N.采利柯夫解

如对式(3.11)求解，必须知道式中单位摩擦力 $t$ 沿接触弧的变化规律、接触弧方程和边界上的单位压力。由于研究者所取的条件不同，因而存在着不同的解法。

1)边界条件

由 $p - \sigma_x = k$ 可知：

轧件出口处　　$p_h = k$

轧件入口处　　$p_H = k$

考虑张力影响，$q_h$、$q_H$ 分别代表前后张应力

$$p_h = k - q_h$$

$$p_H = k - q_H$$

2)接触弧方程

常有下列假设：把圆弧看成直线，以弦代弧；用抛物线代替圆弧。

3)单位摩擦力变化规律

假设服从干摩擦定律            $$t = fp \qquad (3.12)$$

假设单位摩擦力不变，且约等于

$$t = 常数 \approx fk \qquad (3.13)$$

假设轧件与轧辊间发生液体摩擦，则

$$t = \eta \frac{\mathrm{d}u_x}{\mathrm{d}y} \qquad (3.14)$$

式中    $\eta$——黏性系数；

$\dfrac{\mathrm{d}u_x}{\mathrm{d}y}$——在垂直于滑动平面方向上的速度梯度。

A·N·采利柯夫解是假设摩擦力分布服从干摩擦定律，即 $t = fp$。接触弧方程用直线，以弦代弧。

将式(3.12)代入式(3.11)，得

$$\frac{\mathrm{d}p}{\mathrm{d}x} - \frac{k}{y}\frac{\mathrm{d}y}{\mathrm{d}x} \pm \frac{fp}{y} = 0 \qquad (3.15)$$

此微分方程的一般解为

$$p = \mathrm{e}^{\mp \int \frac{f}{y}\mathrm{d}x}\left(c + \int \frac{k}{y}\mathrm{e}^{\pm \int \frac{f}{y}\mathrm{d}x}\,\mathrm{d}y\right) \qquad (3.16)$$

代入边界条件，接触弧方程，其解为

有前后张力时

后滑区    $$p_H = \frac{k}{\delta}\left[(\xi_H\delta - 1)(\frac{H}{h_x})^\delta + 1\right]$$

前滑区    $$p_h = \frac{k}{\delta}\left[(\xi_h\delta + 1)(\frac{h_x}{h})^\delta - 1\right] \qquad (3.17)$$

式中    $\xi_H = 1 - \dfrac{q_H}{k}$

$\xi_h = 1 - \dfrac{q_h}{k}$

$\delta = \dfrac{2lf}{\Delta h}$

无前后张力时

后滑区
$$p_H = \frac{k}{\delta}\left[(\delta-1)(\frac{H}{h_x})^\delta + 1\right]$$

前滑区
$$p_h = \frac{k}{\delta}\left[(\delta+1)(\frac{h_x}{h})^\delta - 1\right]$$
(3.18)

分析以上所得接触弧之单位压力分布方程，可看出公式里考虑了外摩擦、轧件厚度、压下量、轧辊直径以及轧件在进出口所受张力的影响。

由上述公式可得出以下结论：摩擦系数越高，单位压力的峰值越高，因而单位压力和平均单位压力越大，压下量越大，平均单位压力也越大；增加压下量，引起变形区长度增加，因而也引起轧制压力的增加。

$D/h$ 是影响轧制压力的重要因素之一，当辊径或接触弧长度增加而轧件厚度减小时，轧制压力增加，此时轧制压力增加不但是因为轧件与轧辊的接触面积增加，同时也因为单位压力本身增加。

轧制时张力对轧制单位压力也有影响。张力越大，单位压力降低也越显著，而且后张力 $q_H$ 比前张力 $q_h$ 的影响大。

## 3.3.2　E.Orowan 方程及 D.R.Bland 和 R.B.Sims 压力公式

### 3.3.2.1　E.Orowan 方程

图 3.7 为 Orowan 方程力学图。

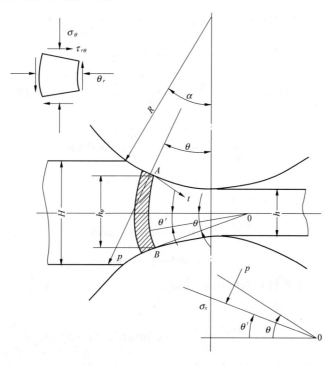

图 3.7　Orowan 方程力学图

Orowan 在推导方程的过程中，作以下假设：

(1)热轧时整个变形全为粘着，在变形区内，取圆弧小条，水平力沿轧件高度分布不均匀，而且存在切应力 $\tau$ ；

(2)平面变形，即宽展为零；

(3)变形抗力 $\sigma$ 在变形区内取为常数；

(4)由于存在着切应力，以主应力表示的塑性方程式为

$$(\sigma_\theta - \sigma_\gamma)^2 + 4\tau_{r\theta} = k^2 \tag{3.19}$$

式中　$k = 1.15\sigma$

$$\sigma_r = p - k\sqrt{1 - (\frac{2fp}{k})^2(\frac{\theta'}{\theta})^2} \tag{3.20}$$

作用在 $AB$ 弧上的水平力由 $\sigma_r$ 和 $\tau_{r\theta}$ 的水平分量所组成，如以 $Q$ 表示，则

$$Q = Q_\sigma + Q_\tau \tag{3.21}$$

如忽略水平分量 $Q_\tau$ ，则

$$Q = Q_\sigma \tag{3.22}$$

由图 3.7 知，$AB$ 弧上某微分体之面积 $\mathrm{d}F$ 为半径 $r = h_\theta /(2\sin\theta)$ ，乘弧长 $\mathrm{d}\theta'$ ，故

$$\mathrm{d}F = \frac{h_\theta}{2\sin\theta}\mathrm{d}\theta'$$

作用在 $AB$ 弧的微分体上之水平分量为

$$\mathrm{d}Q \approx \mathrm{d}Q_\sigma = \sigma_r \cos\theta' \mathrm{d}F = \sigma_r \cos\theta' \frac{h_\theta}{2\sin\theta}\mathrm{d}\theta' \tag{3.23}$$

将式(3.19)代入式(3.23)积分得到 $AB$ 弧长的水平力为

$$Q = Q_\sigma = h_\theta p - \frac{h_\theta k}{\sin\theta}\int_0^\theta \left[ (\sqrt{1 - (\frac{2fp}{k})^2\frac{\theta'}{\theta})^2})\cos\theta'\mathrm{d}\theta' \right] \tag{3.24}$$

令

$$w = \frac{1}{\sin\theta}\int_0^\theta \left[ \sqrt{1 - (\frac{2fp}{k})^2(\frac{\theta'}{\theta})}\right]\cos\theta'\mathrm{d}\theta'$$

得

$$Q = Q_\sigma = h_\theta p - h_\theta kw \tag{3.25}$$

圆弧 $AB$ 上水平方向的力平衡方程式为

$$\frac{\mathrm{d}Q}{\mathrm{d}\theta} = 2R'p\sin\theta \pm 2R'p f \cos\theta \tag{3.26}$$

$$= D'p(\sin\theta \pm f \cos\theta)$$

式中　$R'$、$D'$ ——考虑弹性压扁时的 $R$ 及 $D$ 。

将式(3.25)代入式(3.26)，则得 Orowan 方程：

$$\frac{\mathrm{d}[h_\theta(p - kw)]}{\mathrm{d}\theta} = D'p(\sin\theta \pm f \cos\theta) \tag{3.27}$$

#### 3.3.2.2　D.R.Bland-H.Ford 轧制压力公式

此公式以 E.Orowan 方程为基础求解，并作了如下假设：

(1)接触弧保持圆柱形；

(2)摩擦系数为常数;

(3)轧件无宽展;

(4) $p = \sigma_y$ , $p = \sigma_x + k$ ;

(5)为便于数学运算,由于

$$(\frac{p}{k}-1)\frac{\mathrm{d}}{\mathrm{d}\theta}(h_\theta k) << h_\theta k \frac{\mathrm{d}(\frac{p}{k})}{\mathrm{d}\theta}$$ (3.28)

则左式可忽略,且取

$$\sin\theta = \theta, \quad \cos\theta = 1, \quad 1-\cos\theta \approx \frac{\theta^2}{2}$$

式中 $h_\theta$ ——任意角 $\theta$ 处轧件的高度。

则 Orowan 方程为

$$\frac{\mathrm{d}Q}{\mathrm{d}\theta} = 2pR'(\sin\theta \pm f\cos\theta)$$ (3.29)

因纵向应力 $$\sigma_x = \frac{Q}{h_\theta}$$

则 $$p = \sigma_x + k = \frac{Q}{h_\theta} + k$$

$$Q = h_\theta(p-k)$$ (3.30)

式中 $Q$——$AB$ 弧上的水平力。

将式(3.30)代入式(3.29),则

$$\frac{\mathrm{d}}{\mathrm{d}\theta}\left[h_\theta(p-k)\right] = 2pR'(\sin\theta \pm f\cos\theta)$$ (3.31)

解得 $$p = C\frac{kh_\theta}{R'}\mathrm{e}^{\pm fa_{h\theta}}$$ (3.32)

式中: $$C = \frac{R'}{h}(1-\frac{q_h}{k_h})$$

$$a_{h\theta} = 2\sqrt{\frac{R'}{h}}\arctan(\sqrt{\frac{R'}{h}}\theta)$$

在有张力时:

后滑区 $$p_{(1)} = \frac{k_h h_\theta}{H}(1-\frac{q_h}{k_h})\mathrm{e}^{f(a_H - a_{h\theta})}$$

前滑区 $$P_{(2)} = \frac{k_h h_\theta}{h}(1-\frac{q_h}{k_h})\mathrm{e}^{fa_{h\theta}}$$ (3.33)

式中: $$\alpha_H = 2\sqrt{\frac{R'}{h}}\arctan(\sqrt{\frac{R'}{h}}\alpha)$$

无前后张力时

$$p_{(1)} = \frac{k_h h_\theta}{h} e^{f(a_H - a_{h\theta})}$$

$$p_{(2)} = \frac{k_h h_\theta}{h} e^{fa_{h\theta}} \qquad (3.34)$$

### 3.3.2.3  R.B.Sims 单位压力公式

此公式的特点就是考虑了发生粘着的摩擦规律。R.B.Sims 认为热轧时发生粘着并在 E.Orowan 方程中取单位摩擦力

$$t = fp = \frac{k}{2}$$

如图 3.7 所示，作用于 $AB$ 弧的微分面积上的水平力为

$$dQ = \sigma_r \, dy$$

将 E.Orowan 方程代入此式，则

$$dQ = \left[ p - k\sqrt{1 - (\frac{2fp}{K})^2 (\frac{\theta'}{\theta})^2} \right] dy \qquad (3.35)$$

令 $\alpha = \dfrac{2fp}{k}$，而 $\dfrac{\theta'}{\theta} = \dfrac{2y}{h_\theta}$ 代入上式，则

$$dQ = \left[ p - k\sqrt{1 - \alpha^2 (\frac{2y}{h_\theta})^2} \right] dy$$

作用在整个水平弧上的水平力

$$Q = Q_\sigma = 2 \int_0^{h_\theta/2} \left[ p - k\sqrt{1 - \alpha^2 (\frac{2y}{h_\theta})^2} \right] dy$$

$$= p h_\theta - h_\theta k w \qquad (3.36)$$

式中：$w = \dfrac{1}{2}(\dfrac{1}{\alpha}\arcsin\alpha + \sqrt{1 - \alpha^2})$

发生粘着情况下，$t = \dfrac{k}{2}, \alpha = \dfrac{t}{\frac{k}{2}} = 1, w = \dfrac{\pi}{4}$

得

$$Q = Q_\sigma = h_\theta(p_0 - h_\theta k w) = h_\theta(p_0 - \frac{\pi}{4}k) \qquad (3.37)$$

如取 $\sin\theta = \tan\theta = \theta, \cos\theta = 1, 1 - \cos\theta = \dfrac{\theta^2}{2}$，并注意到 $f = \dfrac{k}{2p}$

那么 E.Orowan 方程可写成

$$\frac{d}{d\theta}[h_\theta(\frac{p}{k} - \frac{\pi}{4})] = 2R'\theta \frac{p}{k} \pm R' \qquad (3.38)$$

积分后求解，对后滑区得出轧制单位压力为

$$\frac{p_{\theta(1)}}{k} = \frac{\pi}{4}\ln\frac{h_0}{H} + \frac{\pi}{4} + \sqrt{\frac{R'}{h}}\arctan(\sqrt{\frac{R'}{h}}\alpha) - \sqrt{\frac{R'}{h}}\arctan(\sqrt{\frac{R'}{h}}\theta)$$

前滑区

$$\frac{p_{\theta(2)}}{k} = \frac{\pi}{4}\ln(\frac{h_\theta}{h}) + \frac{\pi}{4} + \sqrt{\frac{R'}{h}}\arctan(\sqrt{\frac{R'}{h}}\theta) \tag{3.39}$$

轧制总压力为

$$P = \frac{b_0 + b_1}{2}R\int_0^2 p_\theta\, \mathrm{d}\theta \tag{3.40}$$

对上式积分，再除以接触面积，则得平均单位压力为

$$p_c = (\frac{\pi}{2}\sqrt{\frac{1-\varepsilon}{\varepsilon}}\arctan\sqrt{\frac{\varepsilon}{1-\varepsilon}} - \frac{\pi}{4} - \sqrt{\frac{1-\varepsilon}{\varepsilon}}\sqrt{\frac{R}{h_1}}\ln\frac{h_r}{h_1})$$

$$+ \frac{1}{2}\sqrt{\frac{1-\varepsilon}{\varepsilon}}\sqrt{\frac{R}{h_1}}\ln(\frac{1}{1-\varepsilon})k = n'_\sigma k \tag{3.41}$$

由式(3.41)可以看出，R.B.Sims 公式的应力状态系数仅决定于压下率 $\varepsilon$ 及比值 $R/h_1$。

由于 R.B.Sims 公式计算工作量大，不便应用，因此很多学者提出简化公式，在研究现状中已述及。

## 3.4 小结

本章主要分析轧制过程中轧件的应力和变形状态，从而导出了塑性方程，并进一步分析中厚板轧机的轧制压力的各影响要素。又在不同的假设条件下，推导出了各自的简化公式。现有轧制压力数学模型往往是理论公式，简化以后，经修正用于生产。由此也可看出，建立中厚板轧机控制数学模型，也应在现有轧制理论的基础上，通过现场实测才能得到一套符合中厚板轧机特点的公式。

# 第4章 轧制过程中的 GPS 标准体系模型

## 4.1 概述

GPS 是国际标准化组织 ISO/TC213 对"Geometrical Product Specification and Verification(产品几何规范与认证)"的简称。传统 GPS 以几何学为基础，新型 GPS 以计量学为基础，它是适应现代化、全球化与经济一体化要求的，面向数字化设计、制造与检验的标准与计量信息系统。为了尽快在我国建立与国际标准一致的 GPS 标准体系，提高我国钢铁产品在国际市场上的竞争力，从根本上研究和把握新型 GPS 标准体系的本质内涵和发展趋势具有重要的意义。

现行的轧钢产品 GPS 标准体系结构如图 4.1 所示。它以几何学理论为基础，包括尺寸极限与配合及相关检测、形状和位置公差与相关检测、表面结构与相关检测三个标准系列。这些标准虽然为几何产品的设计、制造及检验提供了技术规范，但仅是尺寸公差、形位公差及表面结构标准的组合，没有建立它们之间的相互联系。该系列标准缺乏功能要求、设计规范及测量评定方法等相关信息之间准确的表达和传递方法。由于这些标准是基于几何学理论，仅限于描述理想几何形状的工件，没有考虑到生产过程中实际工件的不确定性，标准缺乏表达各种功能和控制要求的图形语言，不能充分地精确表述对几何特征误差控制的要求；检验过程由于缺乏误差控制的设计信息，使得合格评定缺乏唯一的准则。

传统的产品几何公差标准由于其图纸技术文件规范不完整，设计、制造和认证之间标准的基础理论不统一，使设计、制造以及计量工程师之间缺乏共同的技术语言，无法有效地沟通，导致测量评估失控引起纠纷的问题和矛盾。随着 CAD/CAM/CAT 技术成熟，新的测量技术、测量原理及测量仪器以及先进钢铁生产技术发展的需要，一套基于计量数学的新型 GPS 语言与标准体系正在国际上形成。新型 GPS 继承发展现行的 GPS 标准，在基础理论和体系结构上发生了根本变化，将为产品设计、制造及计量测试人员提供一套共同的信息交流平台。国际上新型 GPS 标准的发展还处于起步阶段，虽然在 ISO/TR 14638 中提出了"GPS 总体规划(Masterplan)"，但只是提出了一种 GPS 框架及结构模式的构想，没有建立完整的新型 GPS 标准体系以及产品功能、设计、制造与认证标准之间的关联关系。

本章基于现行的 GPS 标准存在的问题和不足，提出了新型 GPS 标准的综合模型，并依据 ISO/TR14638"GPS 总体规划"，给出了我国新型 GPS 标准体系的建议，以便为相关标准制定、推广应用提供明确的技术指导。

## 4.2 新型 GPS 标准的综合模型

图 4.2 所示为 GPS 标准的综合模型及其构成。

由于过去管理体制问题，无论在国内还是在国际上，几何产品的"技术标准和计量检测"是两个体系，产生产品合格评定标准与测量评估不一致的问题。新型 GPS 标准的

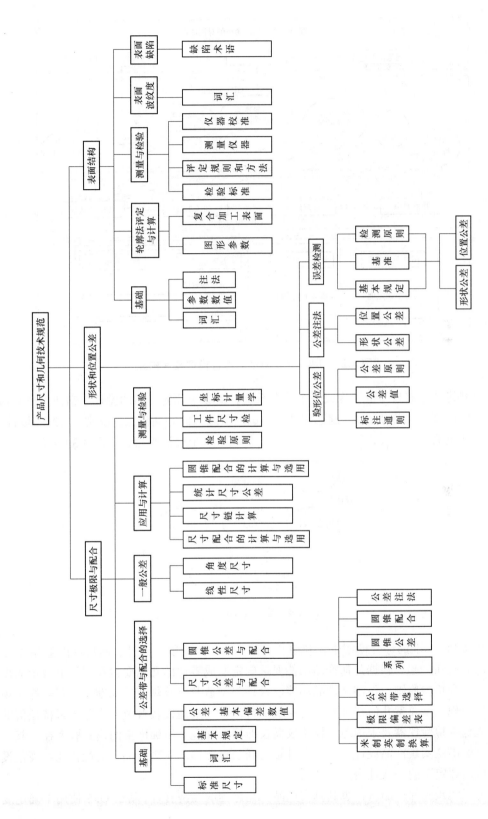

图 4.1　现行的轧钢产品 GPS 标准体系结构

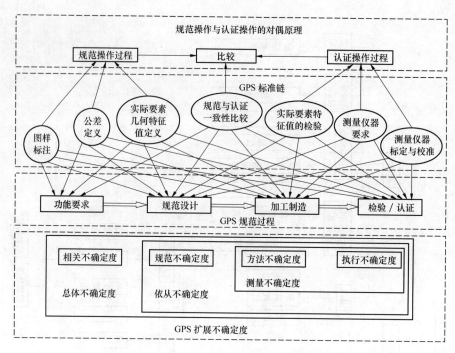

图 4.2 新型 GPS 标准的综合模型及其构成

综合模型将"标准与计量"构成一个综合系统,贯穿于几何产品的设计、钢铁生产和检验整个生产过程,成为设计、制造和计量测试人员之间的共同依据的准则。为产品设计、制造及计量测试人员提供了一套共同语言,建立了一个交流平台,如图 4.3 所示。

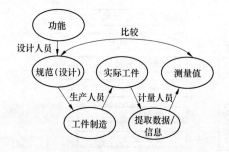

图 4.3 新型 GPS 平台

在 GPS 标准的综合模型中,利用"规范"将产品功能、设计、制造及检验等 GPS 各阶段关联在一起。根据几何产品功能要求确定组成零件的几何要素在图样上表示的规则、定义和检验原则。将涉及产品功能、设计与制造及检验规范的标准:"图样标注规范—公差规范—要素几何特征值规范—规范与认证一致性比较规范—实际要素特征值的检验规范—检验仪器要求规范—检验仪器校准标定规范"用标准链的模式联系在一起,利用该标准链实现产品设计、制造及计量之间信息传递。实现产品"功能描述—规范设计—检验评定"的一致性表达。

为了实现几何产品从构思到真实产品转化过程的经济管理,新型 GPS 使用不确定度作为经济杠杆，以控制不同层次和不同精度功能要求的产品几何量规范，使产品制造和检验的资源能够合理、高效地分配。新型 GPS 标准的综合模型将设计规范过程与检验认证过程构成一个物像对应系统，根据"规范过程"和"认证过程"的对偶性关系，把"标准与计量"通过不确定度的传递关联起来，以解决基于几何学标准的规范设计与检验认证理论基础不统一，使测量评估失控，引起对产品合格性评估产生歧义的矛盾。

依据新型 GPS 标准的综合模型，几何产品的"功能描述—规范设计—检验评定"一致性表达是通过不同规范的操作与操作链来实现的。操作链包括功能操作链(Function Operator)、规范操作链(Specification Operator)和认证操作链(Verification Operator)。功能操作链将产品的功能要求转换为功能规范，规范操作链对规范表面模型的操作，将功能规范转换为几何要素的特征规范，即：确定几何要素的特征规范值/图样标注；根据几何要素的特征规范确定工件的制造规范并据此生产出实际工件；认证操作链对认证表面模型的操作，从被认证的实际工件表面提取数据信息形成认证表面模型，获得测量结果(特征值)；最终将检测评定的测量结果与图样标注的规范值进行"比较"，以获得产品的合格性认证。

综上分析可以看出，依据新型 GPS 标准的综合模型，在几何产品功能描述、规范设计、生产过程和认证(检验)过程中，利用基于计量数学的规范操作与不确定度的评定为产品设计工程师、制造工程师和检验工程师提供了统一的信息传递与交流平台。

## 4.3 新型 GPS 标准体系模型

### 4.3.1 新型 GPS 标准的范围

根据 ISO/TR14638"GPS 总体规划"，将新型 GPS 标准所涉及的范围划分为：工件尺寸和形状位置几何特性、表面特征及其相关的检验原则、测量器具和校准要求，也包括测量不确定度、基本表达方法以及在图样标注的解释等，概括为：

(1)基本规则、原则和定义、几何性能及其检验的标准；

(2)尺寸、距离、角度、形状、位置、方向、表面粗糙度等几何特征的标准；

(3)基于制造工艺(如机加工、铸造、冲压等)的加工公差等级分类标准和标准机械零件(如螺纹件、键、齿轮等)的公差等级标准；

(4)制造过程设计、制造、计量、质量保证等环节所涉及的标准。

### 4.3.2 新型 GPS 标准体系框架

根据新型 GPS 标准的综合模型和 ISO/TR 14638 的"GPS 总体规划"建立新型 GPS 标准体系框架。该体系框架将 GPS 标准分为综合 GPS 标准、基础 GPS 标准、通用 GPS 标准和补充 GPS 标准四个类型。新型 GPS 标准体系模型采用矩阵结构表示各类标准的关系，如图 4.4 所示。该矩阵中包括的标准由 100 多个 ISO、ISO/TR 及 ISO/TS 文件，覆盖了 GPS 所涉及的范围，以及处理标准与计量中所涉及的问题。

#### 4.3.2.1 基础 GPS 标准

基础 GPS 标准(The Fundamental GPS Standards)是确定 GPS 标准体系原则和总体框架结构的标准，是协调和规划 GPS 标准体系中各标准的依据，其关系如图 4.5 所示。在GPS 标准体系中，基础 GPS 标准影响其余三类 GPS 标准。基础 GPS 标准包括 ISO14659

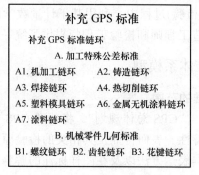

基础 GPS 标准

确定 GPS 标准体系原则和总体框架结构的标准

**综合 GPS 标准**

影响一些或全部的通用 GPS 标准链环的
GPS 标准或相关标准

**通用 GPS 标准矩阵**

要素几何特征

1. 尺寸　　　　　 2. 距离
3. 半径　　　　　 4. 角度
5. 与基准无关的线的形状
6. 与基准有关的线的形状
7. 与基准无关的面的形状
8. 与基础有关的面的形状
9. 方向　　　　　 10. 位置
11. 圆跳动　　　　12. 全跳动
13. 基准　　　　　14. 轮廓粗糙度
15. 轮廓波纹度　　16. 基本轮廓
17. 表面缺陷　　　18. 棱边

**补充 GPS 标准**

补充 GPS 标准链环

A. 加工特殊公差标准

A1. 机加工链环　　 A2. 铸造链环
A3. 焊接链环　　　 A4. 热切削链环
A5. 塑料模具链环　 A6. 金属无机涂料链环
A7. 涂料链环

B. 机械零件几何标准

B1. 螺纹链环　 B2. 齿轮链环　 B3. 花键链环

图 4.4　GPS 标准体系模型结构

"基本原则"和 ISO/TR14638 "GPS 总体规划"。所有 GPS 标准都在 ISO14659 的原则下进行总体规划，可在 GPS 标准体系框架内中找到各自的位置。为了明确单个标准在整个标准体系中的作用和与其他标准的联系，要求每个 GPS 标准都要在该标准的附录中将该标准所提出的或涉及到其他标准的概念绘制成概念图，以明确其间的联系，并在标准体系的总框架和标准链的矩阵中标明其所属的 GPS 标准类别和在通用 GPS 标准中所影响的标准链环。

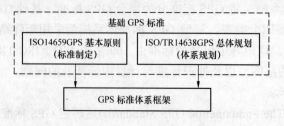

图 4.5　基础 GPS 标准与 GPS 标准体系的关系

#### 4.3.2.2 综合 GPS 标准

综合 GPS 标准(Global GPS Standards)主要是规范 GPS 标准的共性问题，奠定新型 GPS 标准的数学基础和规范模式。该部分标准涉及、影响几个或全部的通用 GPS 标准和补充 GPS 标准。主要包括通用原则和定义标准，如测量的基准温度，几何特征，尺寸、公差、通用计量学名词术语与定义，测量不确定度的评估等。综合 GPS 标准直接或间接地影响通用 GPS 标准链。

基于"GPS 总体规划"，综合 GPS 标准已初步建立了以 ISO17450"GPS 一般概念"、ISO14660"几何要素"和 ISO14253"测量不确定度"等系列标准所构成的综合 GPS 标准主体标准，此外还有"VIM 国际标准计量基本和通用术语"与"GUM 测量不确定度表述指南"两个技术文件。这些标准以满足在大范围内工件的功能需求为目标，用基于计量学的数学方法，将几何要素进行重新分类和定义，提出了几何要素的操作、操作链、GPS 不确定度等全新概念。综合 GPS 标准之间的关联关系如图 4.6 所示。

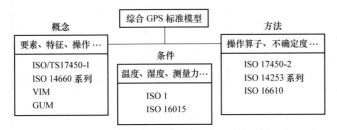

图 4.6 综合 GPS 标准之间的关联关系

综合 GPS 标准为数字化设计和信息化制造定义了工具和规范模式，将测量不确定度扩展到规范不确定度、关联不确定度、方法不确定度和执行不确定度等，充分利用了不确定度的量化统计特性和经济杠杆作用，将功能、规范与认证(检验)集成一体，已可达用最小成本获取最大利益的目的。

目前急需的是研究制定一系列综合 GPS 标准，为制定通用 GPS 标准提供丰富清晰的数学语言和统一的规范模式。

#### 4.3.2.3 通用 GPS 标准

通用 GPS 标准(General GPS Standards)是 GPS 标准的主体，包括用来确立零件不同几何要素在图样上表示的规则、定义和检验原则等标准。通用 GPS 标准构成了一个 GPS 标准矩阵，如表 4.1 所示。

通用 GPS 标准采用矩阵形式的目的是将影响同一大类几何要素的所有标准有序地排列组合、方便地说明各标准不同的作用和相互关系。在通用 GPS 标准矩阵中的"行"是组成零件的几何要素的 18 个特征分类；"列"是几何要素特征在图样上表示的规则、定义和检验原则等标准，分为图样标注、公差定义、要素几何特征值定义、规范与认证一致性比较、实际几何要素的检验、检验仪器要求及检验仪器校准标定标准。将零件的功能要求、设计规范及检验认证规范关联在一起，提供了统一的数学理论基础和统一的规范模式。

在通用 GPS 标准矩阵中的每一行对应一类几何要素特征，描述几何要素在图样上表示的规则、定义和检验原则等标准，一系列 GPS 标准构成一个 GPS 标准链，即所有影响同一几何要素及几何特性的一系列相关标准。一个 GPS 标准链由七个链环组成，每个链环至少包含一个标准，它们之间相互关联，并影响着其他链环中的标准。任一链环标准的缺少，都将影响该几何特征功能的实现。根据通用 GPS 矩阵中标准链可针对性地制定标准，方便实施。

表 4.1　通用 GPS 标准矩阵

| 标准链<br><br>几何要素特征 | 通用 GPS 标准链 | | | | | | |
|---|---|---|---|---|---|---|---|
| | 1 | 2 | 3 | 4 | 5 | 6 | 7 |
| | 产品图样表达 | 公差定义 | 实际要素几何特征定义 | 工件误差评判 | 实际要素几何特征检验 | 计量设备要求 | 计量设备标定 |
| 1　尺寸 | | | | | | | |
| 2　距离 | | | | | | | |
| 3　半径 | | | | | | | |
| 4　角度 | | | | | | | |
| 5　与基准无关的线的形状 | | | | | | | |
| 6　与基准有关的线的形状 | | | | | | | |
| 7　与基准无关的面的形状 | | | | | | | |
| 8　与基准有关的面的形状 | | | | | | | |
| 9　方向 | | | | | | | |
| 10　位置 | | | | | | | |
| 11　圆跳动 | | | | | | | |
| 12　全跳动 | | | | | | | |
| 13　基准 | | | | | | | |
| 14　轮廓粗糙度 | | | | | | | |
| 15　轮廓波纹度 | | | | | | | |
| 16　基本轮廓 | | | | | | | |
| 17　表面缺陷 | | | | | | | |
| 18　棱边 | | | | | | | |

在通用 GPS 标准矩阵中七个环所对应的内容如下：

(1)环 1 产品文件标注。表达工件几何特征或几何要素图样标注的有关标准。图样标注时经常使用一些符号代表几何要素的特征，这些符号之间的微小差异，都会造成涵义上的较大变化。这部分标准定义了图样符号、符号的使用及符号相关"语法"等规则。

(2)环 2 公差定义—理论定义及其数值。定义工件几何要素特征的公差，并用相关符号表示公差及规范值定义的有关标准。这部分标准定义了公差符号转换规则，即如何把公差代号转化为"人能够理解的"(语言)和"计算机能够理解的"(数学)数值表达，反之亦然。

(3)环 3 实际要素几何特征的特征值、参数及定义。这部分标准是定义实际要素几何特征的特征值、参数，并在图纸中用相关的公差符号清楚地定义和表示非理想的、真实工件的几何特性。该链环基于几何要素的功能需求，对实际要素及其特性进行定义，确定与图样中公差标注相对应的非理想几何体(实际要素特征)，定义实际要素为无限数据点集。为帮助人们对定义的理解和计算机计算，实际要素应该以语言描述和数学表达的方式予以定义，以便约定人们的思维习惯和计算机处理。

(4)环 4 工件偏差评判—与公差极限比较。本部分标准是对工件误差的认证比对标准。这些标准在兼顾环 2 和环 3 定义的同时，定义了工件偏差评定的详细要求。该环中的标准规定如何比较测量结果和公差极限的详细规则，将测量或检验过程的不确定度考虑在内，验证工件是否符合规范的几何特征及相关公差。

(5)环 5 实际要素几何特征的检验与认证。有关实际工件的检验过程和检验方法的标准，该环标准描述工件的提取要素计量方法和数学处理方法。该部分标准与环 3 构成对偶关系。

(6)环 6 测量仪器要求，描述特定测量器具的标准。本链环所包含的通用 GPS 标准描述了特定的测量器具或各种类型的测量仪器。这部分标准定义了测量仪器特性，这些特性影响着测量过程及测量仪器本身带来的不确定度。标准中还包括测量器具已定义特性的最大允许极限误差值。

(7)环 7 测量器具计量特性的定标和校准。对环 6 中描述的测量器具进行定标、校准以及环 6 中的特定测量器具的检验要求。

图 4.7 给出了通用 GPS 标准矩阵中一个直线度标准链之间关系的例子，从中可以看出，通用 GPS 矩阵中每一个链分别包含了产品设计(建立规范)、制造(解释规范)以及认证(检验与评定)的过程。标准链环 1、2、3 用于规范过程，5、6、7 用于认证(检验)过程。规范过程是将功能要求转换成规范链并用图形语言表达，规定几何要素特性的过程；认证(检验)过程是将规范链转换成认证(检验)链进行操作，得到特性测量值的过程；链环 4 的比较是对检验认证过程的测量值与规范过程的给定值进行一致性比较。

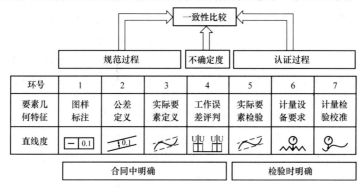

图 4.7　通用 GPS 标准链之间关系

可以看出，通用 GPS 标准以工件/要素的几何特征为对象，将产品设计(建立规范)、制造(解释规范)以及认证(检验与评定)的标准联系在一起，实现了产品功能要求、设计规范及测量评定方法等相关标准及信息之间准确的表达和系统的传递方法，对全过程实施"全方位"的规范化。通用 GPS 标准链将公差设计的规范过程和误差评定的认证过程采用并行对应的原则，通过不确定度将规范和认证集成在一起，保证设计功能的实现和认证结果的可溯源性。

### 4.3.2.4　补充 GPS 标准

补充 GPS 标准(Complementary GPS Standards)是对通用 GPS 标准在要素特定范畴的补充规定。这些标准是基于制造工艺和要素本身的类型而提出的。它包含特定的几何特征和要素制图标注方法、定义以及验证原理。在补充 GPS 标准中，一些与加工类型有关，如切削加工、铸造、焊接等；另一些与要素的几何特征有关，如螺纹、键、齿轮等。

补充 GPS 标准可采用类似通用 GPS 标准矩阵的构成模式，补充 GPS 标准也可以排列成矩阵形式。但补充 GPS 标准中大部分仍由各自的 ISO 技术委员会制定，只有极少部分由 ISO/TC213 制定。

### 4.3.3 新型 GPS 标准构成原则

从 GPS 标准体系框架中可以看出，GPS 标准之间相互关联，作用清楚。为了使新型 GPS 标准能够实现功能、设计、认证(检验)之间的一致性和全方位的规范化，确立了下列原则：

(1)明确性准则。每个通用 GPS 标准要给出完整的规则和定义，以及数学表达方法，以保证几何特性要求在图样上表达的准确性、唯一性及特性值的可溯源性。

(2)全面性准则。在通用 GPS 标准矩阵中要考虑各种可能性，使其能表达涉及几何产品广泛的功能要求。

(3)互补性准则。在通用 GPS 标准矩阵中，每一个独立的标准链与其他标准链是互补的，可保证在图样上给定的每个要求是相互独立的，它们之间不会产生矛盾。

(4)简化及最小成本原则。在满足功能前提下体现简化的原则，建立一套全球一致的缺省定义和准则，以简化制图和提高生产效率。同时用"不确定度"作为经济杠杆进行整体资源的优化与分配，以最小的成本获得最大的效益。

## 4.4 我国轧钢生产中的新型 GPS 标准体系

我国轧钢生产中现行的 GPS 标准体系是采用表 4.2 所示的体系结构。如前所述，标准是以几何学理论为基础，包括极限与配合，尺寸公差及相关检测、几何公差与相关检测和表面结构与相关检测三个标准系列，但是没有建立它们之间的相互联系，缺乏功能要求、设计规范及测量评定方法等相关信息之间准确的表达和系统的传递方法。

**表 4.2 中国新型 GPS 标准体系框架建议**

| 综合 GPS 标准 (The Global GPS Standards) | | | | | | | | |
|---|---|---|---|---|---|---|---|---|
| 通用 GPS 标准链（The General GPS Chains of Standards） | | | | | | | | |
| 标准链环号 | | 1 | 2 | 3 | 4 | 5 | 6 | 7 |
| 要素的几何特征 | 要素或参数的第二几何特征 | 图样表达 | 公差定义 | 实际要素特征值的定义 | 误差的评定 | 实际要素特征值的检验 | 计量器具的计量特性要求 | 计量器具计量特性的校准 |
| 尺 寸 | — | | | | | | | |
| 距 离 | 台阶距离(高度) | | | | | | | |
| | 实际要素或导出要素与导出要素间的距离 | | | | | | | |
| 半 径 | — | | | | | | | |
| 角 度（公差用"度"表示） | 实际要素间的角度 | | | | | | | |
| | 实际要素与导出要素间的角度 | | | | | | | |

| | | | | | | | | |
|---|---|---|---|---|---|---|---|---|
| 与基准无关的线的形状 | 实际要素（线） | 线轮廓度 | | | | | | |
| | | 直线度 | | | | | | |
| | | 圆度 | | | | | | |
| | 导出要素（线） | 线轮廓度 | | | | | | |
| | | 直线度 | | | | | | |
| | | 圆度 | | | | | | |
| 与基准有关的线的形状 | 实际要素 | 线轮廓度 | | | | | | |
| | 导出要素 | 线轮廓度 | | | | | | |
| 与基准无关的面的形状 | 实际要素（面） | 面轮廓度 | | | | | | |
| | | 平面度 | | | | | | |
| | | 圆柱度 | | | | | | |
| | 导出要素（面） | 面轮廓度 | | | | | | |
| | | 平面度 | | | | | | |
| 与基准有关的面的形状 | 实际要素（面） | 任意表面 | | | | | | |
| | | 圆锥面 | | | | | | |
| | 导出要素 | | | | | | | |
| 方 向 | 实际要素（线或平面） | 平行度 | | | | | | |
| | | 垂直度 | | | | | | |
| | | 倾斜度 | | | | | | |
| | 导出要素 | 平行度 | | | | | | |
| | | 垂直度 | | | | | | |
| | | 倾斜度 | | | | | | |
| 位 置 | 实际要素 | 位置度 | | | | | | |
| | 导出要素 | 位置度 | | | | | | |
| | | 同轴度 | | | | | | |
| | | 同心度 | | | | | | |
| | | 对称度 | | | | | | |
| 圆跳动 | — | | | | | | | |
| 全跳动 | — | | | | | | | |
| 基 准 | 基准 | 由实际要素组成的基准 | | | | | | |
| | | 由导出要素组成的基准 | | | | | | |
| | 基准目标 | | | | | | | |
| | 基准体系 | | | | | | | |
| 表面结构 | 表面粗糙度 | 中线制—$R_a$，$R_b$ | | | | | | |
| | | f 中线制—S，$S_m$，$T_e$ | | | | | | |
| | | Motif 法—R，R x，… | | | | | | |
| | | $R_{pq}$，$R_{vq}$，$R_{mq}$ | | | | | | |
| | | 表面三维特性 | | | | | | |
| | 表面波纹度 | 中线制—W a，W z，… | | | | | | |
| | | Motif 法—W，AW，… | | | | | | |
| | 原始轮廓 | 中线制—$P_a$，$P_t$，… | | | | | | |
| | 表面缺陷 | — | | | | | | |
| 棱 边 | — | | | | | | | |

补充 GPS 标准（The Complementary GPS Stamdards）

新型 GPS 标准的综合模型和 ISO/TR14638 "GPS 总体规划"，给出了我国轧钢生产中的新型 GPS 标准体系框架建议(如表 4.2 所示)。依据该标准体系框架建立我国新型 GPS 标准体系。在这个标准体系中，建立了涉及几何产品的所有要素及要素的几何特征，包括尺寸公差及相关检测、几何公差与相关检测和表面结构与相关检测之间的标准及标准之间的关系，为有关标准的制定、推广应用提供明确的技术指导。

## 4.5  小结

(1)本章分析了现行轧钢生产中的 GPS 标准体系的结构及不足，提出了新型轧钢生产中 GPS 标准综合模型的建议。该模型将几何产品的设计规范过程与检验认证过程构成一个对偶系统，把规范设计与检验认证通过不确定度的传递关联起来，为产品功能描述、技术规范、制造与计量认证之间信息传递提供了一个统一的交流平台，以解决基于现行 GPS 标准中因设计规范与检验认证不统一所引起的矛盾和争议。

(2)依据新型 GPS 标准的综合模型和 ISO/TR14638 "GPS 总体规划"，给出了我国新型 GPS 标准体系框架建议，为有关标准的制定、推广应用提供了明确的技术指导。

# 第5章 轧钢生产中新型GPS标准理论框架体系

## 5.1 概述

随着新型 GPS 标准体系构思的提出，一些专家对轧钢生产中构成新型 GPS 标准的基础理论进行研究，取得了一些成果。例如，V.Srinivasan 基于几何要素分类的思想，对规范、认证中不确定度的关系进行了分析；HenrikS.Nielsen 从公差发展历程着手，分析了新型 GPS 的功能描述、设计与认证中规范、操作链及不确定度概念的关系；Durakbasa N.M 研究分析 GPS 中的基本概念及之间的关系。Johan Dovmark 对有关不确定度、测量设备要求、尺寸和公差等术语及意义进行了分析研究。ISO/TS17450-1：2002 给出了 GPS 的几何规范和认证模型的一般概念以及 GPS 中基本的数学定义和符号规范，ISO/TS 17450-2：2002 给出了 GPS 中的操作链和不确定度的一般概念。

但从发展现状来看，新型 GPS 标准体系的理论基础及应用技术发展还处于起步阶段，虽然提出了一些新的概念，分析了之间的基本关系，但没有系统完整地建立新型 GPS 标准的基础理论体系和应用模式，没有充分研究分析清楚它们在产品功能、设计、制造与认证之间的信息传递的原理和方法。本章根据新型 GPS 标准的综合模型和新型 GPS 标准体系框架，分析给出"表面模型、几何要素、规范、操作与操作链、不确定"等概念及理论之间的关系。建立基于计量学以"表面模型"、"几何要素"、"操作及操作链"、"规范及认证"、"不确定度"等理论及关键技术所构成新型 GPS 标准的理论框架体系及应用模式，为新型 GPS 标准制定、进一步推广应用奠定明确的理论基础，提供技术指导。

## 5.2 新型 GPS 标准的理论框架体系

新型 GPS 标准的基本理论思想是通过参数化几何学及计量数学的方法实现几何产品的功能规范、设计规范及认证规范的统一，将产品的"功能描述、规范设计、检验认证"表达一致。根据新型 GPS 标准的综合模型和 GPS 的总体规划，新型 GPS 标准的理论基础是由基于计量学的"表面模型"、"几何要素"、"操作及操作链"、"规范及认证"、"不确定度"等理论构成，图 5.1 表示新型轧钢生产中 GPS 标准的理论框架体系。

依据新型 GPS 标准的综合模型，GPS 通过功能操作链(Function Operator)将对产品的功能要求转换为功能规范(Function Specification)，建立表面模型；利用规范操作链(Specification Operator)对规范表面模型的操作，将功能规范转换为几何要素的特征规范，即：确定几何要素(Geometrical Feature)的特征规范值/图样标注；根据几何要素的特征规范确定工件的制造规范并据此生产出实际工件；利用认证操作链对认证表面模型的操作，从被认证的实际工件表面提取数据信息形成认证表面模型，获得测量结果(特征值)；最终将检测评定的测量结果与图样标注的规范值进行"比较"，以获得产品的合格性认证。

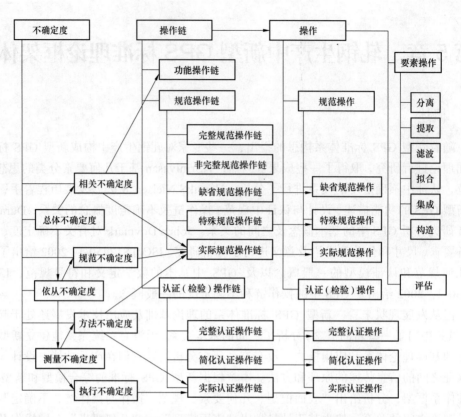

图 5.1　新型轧钢生产中的 GPS 标准的理论框架体系

新型轧钢生产中 GPS 标准的理论核心可以概括如下：

(1)通过公称表面模型、规范表面模型、认证表面模型、实际工件表面以及几何要素等理论概念的引入，实现了几何要素从定义、描述、规范到认证评定过程中数字化控制，为解决产品在"功能描述、规范设计、认证检验"过程中数学表达的统一规范提供了必要的理论基础。

(2)基于计量学的表面模型和操作使 GPS 标准从技术实施的角度，提供了联系产品设计、制造、认证(检验)的量化操作纽带。GPS 成功地将产品的设计、制造、认证过程与表面模型、几何要素、特征与操作链的规范协调统一，为实现产品几何技术规范在设计、制造、计量认证(检验)过程中的数字化信息交流奠定了必要的技术基础。

(3)基于统计优化理论的测量不确定度概念的拓展，并利用拓展后不确定度的量化统计特性和经济杠杆调节作用，实现 GPS 量化统一和过程资源优化配置。

本章分别对构成新型轧钢生产中的 GPS 的关键技术理论及应用技术进行了研究，明确了构建新型轧钢生产中的 GPS 标准的基础理论的框架体系。

## 5.3　表面模型

新型轧钢生产中的 GPS 是通过参数化几何学及计量数学的方法，实现几何产品的功能规范、设计规范及认证规范的统一，实现几何产品的"功能描述、规范设计、检验认证"阶段的规范统一，必须在产品的功能描述、规范设计及检验认证中建立一个一致性的基本几何表达模型——表面模型(Surface Model)，来实现各阶段的 GPS 规范的表达。

### 5.3.1 表面模型的分类与定义

表面模型定义为工件和它的外部环境物理分界面的几何模型。它是实现 GPS 各阶段规范表达的基础。在设计阶段，设计工程师基于几何产品的功能要求，用表面模型对实际工件表面进行模拟，对限定要素进行各种操作，确定在满足功能要求前提下几何要素最大偏差，用来指导公差设计和精度设计。在认证(检验)阶段，计量工程师将实际工件与表面模型对应考虑，对与表面模型相对应的要素进行相应操作，确定实际工件的误差大小，最后对实际工件与表面模型进行一致性比较，从而确定实际工件是否符合规范要求，能否满足功能需要。

根据 GPS "功能描述、规范设计、检验认证" 不同的阶段，将表面模型分为公称表面模型、规范表面模型以及认证表面模型。

#### 5.3.1.1 公称表面模型

公称表面模型(Nominal Surface Model，NSM)是由设计者所定义的在尺寸和形状上完美的表面模型，是由无限个点所构成的连续表面，它是一个理想几何模型。如图 5.2(a)为公称表面模型示例。

公称表面模型用于零件功能要求的规范，设计者根据产品的功能要求，设计一个能够满足功能要求、在形状和尺寸上都是完美的理想零件。

#### 5.3.1.2 规范表面模型

规范表面模型(Specification Surface Model，SSM)是设计者想象的几何规范表达，是一个非完美形状的、模拟真实表面的模型。如图 5.2(b)为规范表面模型示例。

规范表面模型是一个非理想几何模型，它不同于理想表面模型，也不同于零件真实表面，而是两者之间的桥梁。在产品设计阶段，设计者不可能用实际工件来验证所设计的零件是否满足产品功能要求，但是可在产品规范设计阶段，由设计者根据零件制造工艺，在满足零件功能要求情况下模拟仿真实际工件，从而得到该零件的非理想表面模型，即规范表面模型。通过对规范表面模型进行操作，确定零件要素的几何特征变动范围，即规范要素几何特征的极限值或特征的允许值。

#### 5.3.1.3 认证表面模型

认证表面模型(Verification Surface Model，VSM)是利用测量仪器对实际工件表面进行采样，由得到的测量点所构成的轮廓表面模型。

认证表面模型是对实际工件表面(见图 5.2(c))的测量而得到的非理想表面模型，它是实际工件表面的替代体(见如图 5.2(d))，它是一系列的有限测量点的集合。通过对认证表面模型进行操作，获得实际工件的要素的几何特征值，评定所获得特征值或实际偏差值。

### 5.3.2 表面模型之间的关系

在设计一个零件时，设计者最初往往把它想象成为一个完美的物体，希望零件没有任何尺寸和形状误差，而且表面光滑。公称表面模型就是设计者根据功能定义的一个满足工件功能要求的、具有完美形状和尺寸(公称值)的 "零件"。该 "零件" 由理想要素构成。

| 表面模型 | 公称表面模型 | 规范表面模型 | 实际工件表面 | 认证表面模型 |
|---|---|---|---|---|
| 图例 | 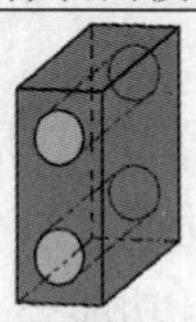 (a) | 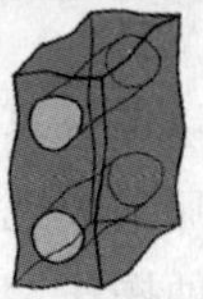 (b) |  (c) |  (d) |
| GPS 阶段 | 规范设计 | | 生产制造 | 认证检验 |

图 5.2　表面模型图例

　　由于在零件制造过程中存在误差,通过制造加工所得到的实际零件不可能是理想的;其形状是失真的,表面是粗糙的,尺寸也有偏差。即使根据同一张设计图纸,在同一台高精度的机床上,用同一完善工艺对工件进行加工,所得到的每一个工件也都不会完全相同。但如果实际工件能满足使用功能要求,则可认为该工件是合格的。因此,在几何产品的规范阶段,要求设计者根据工件的功能要求,从公称几何量出发,考虑零件的制造工艺,进行仿真模拟形成规范表面模型。依据该模型在概念上估计实际零件表面在形状、尺寸、表面质量上的极限变化范围,从而确定其特征值(公差值),为零件的制造与认证检验提供依据。

　　根据零件几何要素的特征规范值,进行生产加工而获得实际工件表面。由于实际工件表面是非完美的,无法对实际工件表面完整表达,只有通过必要的检测和拟合等操作,形成实际工件的替代模型——认证表面模型。对认证表面模型操作,评定获得的实际工件几何要素特征值,并与设计阶段所规范的要素特征值进行认证,确定实际工件是否合格。

　　综上分析可以看出,表面模型是 GPS 各阶段规范基础,是实现产品在"功能描述、规范设计、检验评定"中规范的统一表达的依据。

## 5.4　几何要素

　　几何要素(Geometrical Feature)是构成工件几何特征的点、线和面。几何要素在几何产品的规范、加工和认证检验过程中起着重要的作用。产品的设计是对组成各种零件的几何要素在尺寸、形状和位置进行规范,根据功能要求给出适当的公差;制造是对几何要素规范的解释,检验是对实际工件的几何要素与所设计的规范一致性的认证。

　　在新型轧钢生产中的 GPS 中,要素扮演了重要的角色。图 5.3 显示了新型轧钢生产中的 GPS 中产品、零件、要素及约束分类及相互关系。一个产品可定义为零件间的装配,零件是以要素为边界的,而要素由约束规定其状况。显然,就几何产品的规范而言,如果以零件为底层进行递归分解往往达不到理想的结果,而会因为很难定义零件这个概念造成混乱。从数学的角度看,零件可定义为由刚性实体建模而得的规则集;而从工程的角度看,零件的划分应符合实际要求,即符合工业生产的组织方式。例如:一个变速箱设计者可能视某个轴承为一个零件,而轴承设计者则视轴承的内、外圈为零件,以上两个设计者是从不同的工程需要出发来划分零件的。

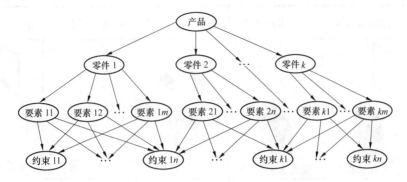

图 5.3　GPS 中产品、零件、要素及约束分类及相互关系

为了解决此问题，引入要素的概念，无论是相同零件或不同零件，要素间的关系由约束唯一确定，它们组合可逆流向上构成零件和产品。事实上，基于要素的分类方法符合目前的公差标准，不同的设计者可以根据自身的需要，将某产品分解为不同的零件，然而它们分解的几何要素具有唯一性。

### 5.4.1　几何要素的分类与定义

几何要素从总的方面可分为两种，即理想要素(Ideal Feature)和非理想要素(Non-ideal Feature)。理想要素是由参数化方程所定义的要素。参数化方程表达理想要素的类型及其特征，参数化方程的参数正是反映该理想要素的本质特征，理想要素的类型如直线、平面、圆柱面、锥面、球面、圆环面等。非理想要素是依赖于非理想表面模型(SSM 及 VSM)的有缺陷的要素，它可能是非理想要素表面模型本身或其中的一部分。

在产品的设计、制造和检验过程中，根据不同的目的和要求，派生出了许多不同类型的要素，其中一些在第一代 GPS 标准 ISO1101、ISO2692、ISO5458 和 ISO5459 中已经进行了了定义，但是随着基于计量学的新型轧钢生产中的 GPS 标准引入和标准化领域的重构，原来的定义及对它们的认识存在着明显不足，在实际应用中出现很多争议和矛盾。在新型轧钢生产中的 GPS 中需要对几何要素进行重新分类和定义，并给出产品功能、技术规范、制造与计量之间的量值传递的数学方法，为产品设计、制造及计量测试人员提供了一个无歧义的信息交流平台。

根据几何产品的设计、制造和检验的不同阶段，基于不同的要求，将几何要素划分为三个"领域"，即规范领域、物理领域及认证领域。设计阶段由设计者想象的几何要素存在于规范领域，实际工件的几何要素存在于物理领域，认证检验阶段由检验人员通过测量提取的几何要素存在于认证领域。基于几何要素存在三个领域的思想，为了描述几何要素在图样上的表达与测量及分析的差别，依据描述零件的功能需求，将几何要素划分为组成要素和导出要素两大类。下面对这些扩展的几何要素进行详细的分类和定义，并分析它们之间的关系及应用。

#### 5.4.1.1　组成要素

组成要素(Integral Feature)是组成工件的一个或一系列面、线或点，或者是其中的一部分。根据几何要素存在的三个领域，组成要素分为公称组成要素、规范组成要素、实际组成要素、提取组成要素和拟合组成要素五种类型，图 5.4 为组成要素的图例说明。

| 要素类型 | 公称组成要素 | 规范组成要素 | 实际组成要素 | 提取组成要素 | 拟合组成要素 |
|---|---|---|---|---|---|
| 图例 | 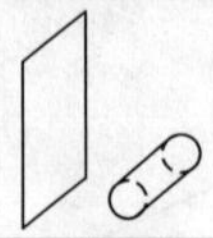 | 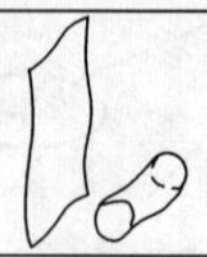 |  | 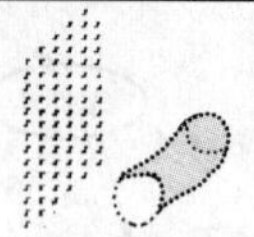 | 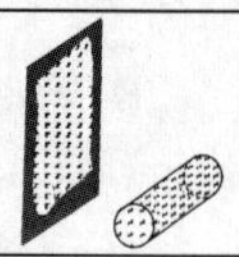 |
| 来源图例 | 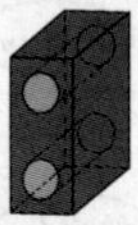 | 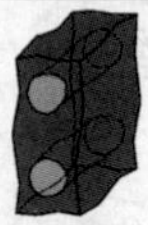 |  |  | |
| | 公称表面模型 | 规范表面模型 | 实际工件 | 认证表面模型 | |
| GPS阶段 | 规范设计 | | 生产制造 | 认证检验 | |

图 5.4　组成要素的图例说明

1)公称组成要素

公称组成要素(Nominal Integral Feature)，即由技术图样或其他方法确定的理想要素。它是基于功能要求所设计的没有任何误差的理想要素。

2)规范组成要素

规范组成要素(Specification Integral Feature)，即按规定的方法，通过一种或几种操作从规范表面模型中分离出来的组成要素。它是设计者根据规范表面模型，基于零件功能要求所确定与制造工艺及检验方法相一致的非理想要素。

3)实际组成要素

实际组成要素(Real Integral Feature)，即实际要素(Real Feature)，是由替代实际工件表面的无穷个连续点所构成的组成要素。实际工件表面是实际存在并将工件与周围介质分割的一组几何要素。在制造过程中，由于加工方法的影响，所制造的工件与理想形状存在着误差，实际工件是完整封闭的非理想要素。

4)提取组成要素

提取组成要素(Extracted Integral Feature)，即通过测量仪器按照规定的方法从实际组成要素上提取有限个的点所形成实际组成要素的替代要素。

工件检验是为了确定已加工出的工件形状与公称几何要素的偏差，通过测量设备(如CMM)扫描检测工件的实际表面，通过测量提取的点表示工件表面，为工件表面的替代体。但是由于存在着测量误差，所记录的点不同于真实表面的点。同时，不同的提取方法，确定替代要素的算法将会不同，所以每个实际组成要素可以有多个替代要素。

5)拟合组成要素

拟合组成要素(Associated Integral Feature)，即按规定的方法由提取组成要素形成的并具有理想形状的组成要素。

为了评定实际工件是否合格，需要依据给定的规则，对提取组成要素中的点用理想要素进行拟合，形成拟合组成要素，与规范设计中的规范组成要素进行一致性比较，判定零件是否合格。

基于不同的拟合操作算法，由一个提取组成要素所得到的拟合组成要素不是唯一的。

### 5.4.1.2 导出要素

导出要素(Derived Feature)是对一个或几个组成要素进行一系列操作得到的中心点、轴线、中心平面或偏移面，如图 5.5 所示。

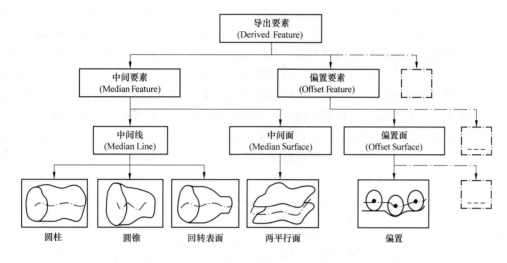

图 5.5 导出要素分类

在不同阶段导出要素分为公称导出要素、规范导出要素、提取导出要素及拟合导出要素四种类型，图 5.6 为导出要素的图例说明。

| 要素类型 | 公称导出要素 | 规范导出要素 | 提取导出要素 | 拟合导出要素 |
|---|---|---|---|---|
| 图例 | | | | |
| 来源图例 | | | | |
| | 公称组成要素 | 规范组成要素 | 提取组成要素 | 拟合组成要素 |
| GPS 阶段 | 规范设计 | | 检验认证 | |

图 5.6 公称、规范、提取、拟合导出要素图例

1)公称导出要素

公称导出要素(Nominal Derived Feature)，即从一个或几个公称组成要素中导出的中心点、轴线、中心平面或偏移面。公称导出要素为理想要素。例如圆柱的公称轴线是公称导出要素。

2)规范导出要素

规范导出要素(Specification Derived Feature)，即从一个或几个规范组成要素中导出的中心点、轴线、中心平面或偏移面。规范导出要素为非理想要素。

3)提取导出要素

提取导出要素(Extracted Derived Feature)，即是从一个或多个提取组成要素中导出的

中心点、中心线、中心平面或偏移面。提取导出要素为非理想要素。

4)拟合导出要素

拟合导出要素(Associated Derived Feature)，即从一个或多个拟合组成要素中导出的中心点、中心线或中心平面及偏移面。拟合导出要素为理想要素。

上述定义的几何要素术语的意义可用图 5.7 所示的圆柱解释。在图样中，圆柱表面是一个公称组成要素，它与设计者的想象一致，没有任何误差。圆柱具有一根轴线——公称导出要素，规定为圆柱的中心线，圆柱表面的所有母线到中心线的距离相同。在制造过程中，由于加工方法的影响，所制造的工件与理想形状存在着误差，通过加工得到工件是完整封闭的实际组成要素。工件检验是为了确定已加工出的工件形状与公称几何要素的误差，通过测量设备扫描检测工件的实际组成要素，但所记录的点不同于真实表面的点，因为存在着测量误差，通过测量提取的点表示工件表面称为提取组成要素。依据给定的规则，利用计算机评估所提取的点，通过提取组成要素计算出的理想圆柱是拟合组成要素，其轴线称为拟合导出要素。

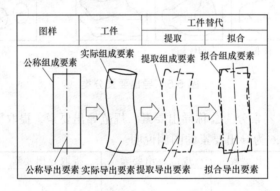

图 5.7　以圆柱为例对几何要素术语的解释

### 5.4.2　几何要素之间的关系

几何要素之间的关系可用图 5.8 说明。在图 5.8 中表示了不同的 GPS 阶段三个领域中几何要素之间的区别与联系。图 5.9 表示几何要素的体系结构。

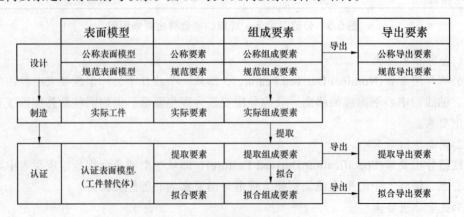

图 5.8　几何要素之间的关系

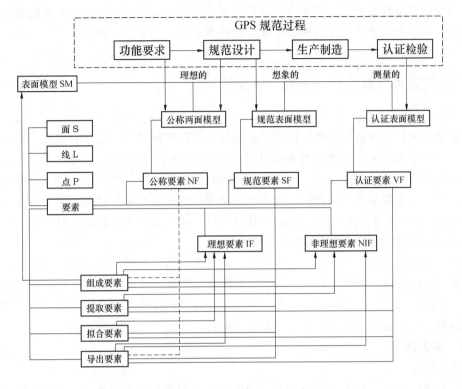

图 5.9　几何要素体系结构

从图 5.8 及图 5.9 可以看出：

(1)规范设计所对应的是通过公称表面模型描述的几何要素理想状态——公称组成要素及公称导出要素；通过规范表面模型描述设计者想象的、模拟真实的几何要素状态——规范组成要素及规范导出要素。在图样上定义和规范与实际工件相对应的几何要素特征值变动范围。

(2)通过生产制造得到的实际工件所对应的实际存在工件的几何要素术语，如果能够在工件上扫描无限个没有任何误差的点，就能够得到实际组成要素，该几何要素确定与周围环境有关的工件边界，与工件的外观相符合。

(3)由于测量设备的误差、环境及工件温度的变化、振动等对测量过程的影响，实际工件只能用有限个点代表已存在的工件表面，同时所有测得点实际上不可能与工件的真实表面完全符合，将该情况考虑进来，形成认证阶段在几何要素术语上的差别。由实际工件表面上有限个点所表示的几何要素，冠以前缀"提取"——提取组成要素与提取导出要素，根据提取要素，通过计算可以确定其他几何要素的形状误差。依据提取要素，通过计算得到的理想几何要素，冠以"拟合"前缀——拟合组成要素与拟合导出要素。

从设计到生产以及认证的不同阶段，可以清楚地看到要素之间的区别。图 5.8 横的方向表示根据从工件实际存在的几何要素到根据工件的表面导出的、不是真正存在的几何要素(如对称面、轴线等)之间的差别。纵的方向表示工件从设计、制造到认证过程中几何要素之间的差别。即对应于不同性质的模型有理想要素和非理想要素；对应于不同阶段的模型有公称要素、规范要素、认证要素；对应于模型的构成描述有组成要素、导出要素；对应于模型的操作有提取要素、拟合要素和导出要素；对应于实际工件的是实际要素；等等。

## 5.5  几何要素获取的数学工具——操作

产品的规范设计是根据零件的功能要求对几何要素特征进行规范,给出适当的公差;制造是对几何要素规范的解释,检验是对实际工件几何要素与所设计的规范一致性的认证。在 5.3 节及 5.4 节中通过对表面模型及几何要素的分类和定义,可以看出表面模型和几何要素为产品"功能描述、规范设计、检验认证"提供了统一表达规范模型和技术手段。GPS 规范要求设计者根据功能要求定义零件的表面模型,对表面模型通过一系列操作(Operation)及其操作链(Operator)等数学工具,获取几何要素的特征值及特征的几何变动范围(极限值),用于零件的制造与检验认证。

在新型轧钢生产中的 GPS 标准中,操作定义为获得几何要素的特征值及特征的几何变动范围(极限值)基本数学工具,操作分为要素操作和评估操作,其中要素包括分离、提取、滤波、拟合、集成、构造六种。评估操作是确定特征或要素的值以及它的公称值与极限值,并判定要素几何特征与规范的一致性。

### 5.5.1  要素操作

#### 5.5.1.1  分离

分离(Partition),即从非理想要素或理想要素中识别几何要素及其边界的操作。依据特定规则,它可以用于从公称表面模型中获得相应的理想要素,从规范表面模型、实际工件及认证表面模型中获得相应的非理想要素,也可用于获得理想要素的一部分或非理想要素的一部分。图 5.10 为在公称表面模型、规范表面模型、认证表面模型中,利用分离操作得到理想要素(图 5.10(a))、规范要素(图 5.10(b))与认证要素(图 5.10(c))的图例。

(a)　　　　　　　　(b)　　　　　　　　(c)

**图 5.10  分离操作**

分离操作包括确定组成工件的每一个几何要素,根据将工件分离为单个几何要素,将几何要素组合成有特定功能要求和边界的有限集合。

要素的分离操作目前还没有标准化的方法,是目前需要研究的课题之一。在 ISO/TC213 第 18 次会议上讨论了由 AG12 提出的"分离"操作算法问题。

#### 5.5.1.2  提取

提取(Extraction),即依据规定的规则从几何要素上获取一系列点的一种操作。在对一个非理想要素进行提取操作时,要依据特定规则,将非理想要素上连续面和线离散化,用离散的点表示,从而可以利用检测设备对要素进行检测,对离散的数据进行计算机处理。用离散点的特征近似地表示该非理想要素的特征。图 5.11 为提取操作的应用举例,其中图 5.11(a)为应用于规范表面模型的提取操作,图 5.11(b)为应用于实际工件表面的提取操作。

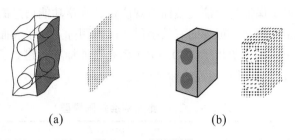

(a)                  (b)

图 5.11　提取操作

目前使用的测量技术一般有三种:功能量规、手工测量方法和三坐标测量机(CMM)。功能量规、手工测量方法和 CMM 分别基于无量值测量、两点测量技术、轮廓和表面测量技术。基于几何学为基础的第一代 GPS 标准只适用于功能量规和两点手工测量技术。由于 CMM 的出现,现行的第一代 GPS 标准中的公差定义不能为 CMM 提供检测的规范方法。新型轧钢生产中的 GPS 标准的提取操作采用检测设备如三坐标测量机(CMM)、光学测量仪器等完成。几何要素提取操作标准化的方法是新型轧钢生产中的 GPS 研究的重点内容。

### 5.5.1.3　滤波

滤波(Filtration)是一种在数值上从其他要素中分离出感兴趣的要素的方法,是通过降低不期望的非理想要素信息获取新的非理想要素的一种操作。非理想要素的信息包括粗糙度、波纹度、结构和形状等。在进行滤波操作过程中,采用特定规则,从非理想要素中获取所需要的特征。图 5.12 以粗糙度为例,将轮廓 $z(x)$ 通过一个低通滤波器 $H_0(\omega)$ 和一个高通滤波器 $H_1(\omega)$ 分成波度成分 $w(x)$ 和粗糙度 $r(x)$ 成分。

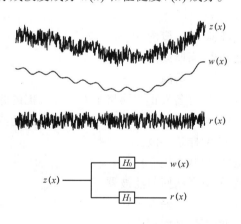

图 5.12　滤波操作的应用举例

公称表面的特性如摩擦、磨损、接触刚度、疲劳强度等,是由表面粗糙度、波度以及表面峰、谷、沟等随机轮廓特征综合确定的,表面形貌直接影响相关系统的运行机理、物理性能和润滑特性等。随着测量、图像分析、数据处理等相关技术的不断发展,表面形貌评定方法已从对单一的二维形状误差、波度、表面粗糙度的分离评估,逐步发展为对三维表面功能的综合评定。滤波技术作为新型轧钢生产中的 GPS 标准体系中一种重要的评定工程表面工具,对于保证高置信度表面微观质量、丰富功能信息的获得以及加工、测量和评估的调控,是一种必不可少的有效手段。随着国际上对于表面滤波技术的研究与应用不断深入,ISO/TC213 提出了 ISO16610 系列滤波标准,建立了表面滤波标准矩阵模型(如表 5.1 所示),正在进行相关的标准研究与制订。

表 5.1  GPS 滤波标准矩阵模型

| | 滤波:ISO16610 系列 | | | | | |
|---|---|---|---|---|---|---|
| 通用 | Part 1 | | | | | |
| | 轮廓滤波器 | | | 表面滤波器 | | |
| 基础 | Part 11 | | | Part 12 | | |
| | 线性 | 稳健 | 形态 | 线性 | 稳健 | 形态 |
| 基本 | Part 20 | Part 30 | Part 40 | Part 60 | 70 | 80 |
| 专用滤波器 | Part 21 | Part 31 | Part 41 | 61 | 71 | 81 |
| | Part 22 | Part 32 | Part 42 | 62 | 72 | 82 |
| | 23～25 | 33～35 | 43～45 | 63～65 | 73～75 | 83～85 |
| 如何滤波 | Part 26 | 36 | 46 | 66 | 76 | 86 |
| | Part 27 | 37 | 47 | 67 | 77 | 87 |
| | 28 | 38 | 48 | 68 | 78 | 88 |
| 多分辨率 | Part 29 | 39 | Part 49 | 69 | 79 | 89 |

表 5.1 中具有 Part 及编号的为已经列入 ISO/TC213 制订的 ISO/TS16610 系列计划的标准编号,没有 Part 只有编号的部分为还没有列入 ISO/TC213 制订计划的标准编号。已经列入计划的各部分标准为:

Part 1: 概述和基本术语;

Part 20:线性轮廓滤波器(基本概念);

Part 21:线性轮廓滤波器(高斯滤波器);

Part 22:线性轮廓滤波器(样条滤波器);

Part 26:线性轮廓滤波器(对名义正交网格平面采样数据的滤波);

Part 27:线性轮廓滤波器(对名义正交网格平面采样数据的滤波);

Part 29:线性轮廓滤波器(样条小波);

Part 30:稳健轮廓滤波器(基本概念);

Part 31:稳健轮廓滤波器(高斯回归滤波器);

Part 32:稳健轮廓滤波器(样条滤波器);

Part 40:形态学轮廓滤波器(基本概念);

Part 41:形态学轮廓滤波器(圆盘和水平线段滤波器);

Part 42:形态学轮廓滤波器(Motif 滤波器);

Part 49:形态学轮廓滤波器(尺度空间技术);

Part 60:线性区域滤波器(基本概念)。

由表 5.1 所示的矩阵模型可见，新型轧钢生产中的 GPS 体系的表面滤波标准 ISO/TS 16610 系列基本涉及两种、三类滤波器，即分别适用于二维轮廓和三维表面的线性、稳健和形态滤波器。

#### 5.5.1.4　拟合

拟合(Association)，即依据特定准则用理想要素逼近非理想要素的一种操作。拟合的目的是对非理想要素的特征进行描述和表达，根据特定的准则完成非理想要素到理想要素的转换。例如一个非理想的线或面不存在长度、角度等特征，通过拟合操作，用一个理想的线或面来近似地表达非理想的线或面的特征。

任何一个非理想要素，都会有理想要素与之对应，但所依据的拟合规则不同，所对应的理想要素也不相同。例如一条非理想直线一定有一条对应的理想直线，一个非理想圆柱面有对应的一个理想圆柱面。对提取表面的拟合，可有不同的拟合目标，如最小二乘拟合、最小区域拟合等，对于不同的拟合目标，有不同的拟合目标函数。例如用一个理想的圆柱拟合一个非理想的圆柱，按最小二乘法准则，即要求拟合圆柱面与被拟合圆柱面上各点距离的平方和最小；按极值法可以用最大内切圆柱面或最小外接圆柱面来拟合(见图 5.13)。

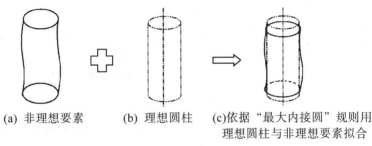

(a) 非理想要素　　　(b) 理想圆柱　　(c)依据"最大内接圆"规则用
　　　　　　　　　　　　　　　　　　　理想圆柱与非理想要素拟合

**图 5.13　拟合操作的应用举例**

拟合可表示为满足一定条件(约束和目标)的要素集：

$$\{XX_i, i = 1, \cdots, n\} \left| \begin{array}{l} C_1 \\ C_2 \\ \vdots \\ C_m \\ \max(\text{or min})O \end{array} \right. \tag{5.1}$$

式中　　$XX_i$——拟合要素；

　　　　$n$——拟合要素的个数；

　　　　$C_j$——约束；

　　　　$m$——约束的个数；

　　　　$O$——目标。

例如，圆柱 $CY$，内接面 $E$，最大直径定义如下：

$$CY \left| \begin{array}{l} d_{c\max}(E, CY) \leqslant 0 \\ \max dia(CY) \end{array} \right.$$

如果圆柱必须垂直于一个平面 $PL$，那么，$CY$ 将表示如下：

$$CY\begin{vmatrix} d_{c\max}(E,CY) \leqslant 0 \\ a[axis(CY),PL] = \pi/2 \\ \max dia(CY) \end{vmatrix}$$

用 $L_p$ 范数定义基于计量数学的各种拟合目标函数，包括最小二乘、最小区域、单边切比雪夫目标函数的统一数学模型。

$L_p$ 范数的定义为

$$L_p\text{-norm} = \left[\frac{1}{n}\left(\sum_{i=1}^{n}|r_i|^p\right)^{1/p}\right]_{n\to\infty} \tag{5.2}$$

式中　$i$——非理想要素上特定点的序号；

　　　$p$——函数的级数；

　　　$n$——所采用的非理想要素点的个数；

　　　$r_i$——对应于从非理想要素到所拟合的理想要素的距离的余量，如图 5.14 所示。

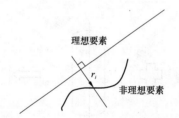

**图 5.14　非理想要素到所拟合的理想要素距离的余量**

各目标函数的原理及数学定义如下。

(1)最小二乘：使余量的平方和为最小，令式(5.1)中的 $p=2$，即

$$\text{MIN}\,[L_2\text{-norm}] = \text{MIN}\left[\left[\frac{1}{n}\sqrt{\sum_{i=1}^{n}|r_i|^2}\right]_{n\to\infty}\right] \tag{5.3}$$

(2)最小区域：使余量绝对值中的最大值为最小，令式(5.2)中的 $p=\infty$，即

$$\text{MIN}\,[L_\infty\text{-norm}] = \text{MIN}\left[\left[\frac{1}{n}\left(\sum_{i=1}^{n}|r_i|^p\right)^{1/p}\right]_{n\to\infty,\,p\to\infty}\right] \tag{5.4}$$

(3)单边切比雪夫：要求余量为正值，且使余量中的最大值为最小，令式(5.2)中的 $p=\infty$，且所有余量为正，即

$$\begin{cases} \forall i, r_i \geqslant 0 \\ \text{MIN}\,[L_\infty\text{-norm}] = \text{MIN}\left[\left[\frac{1}{n}\left(\sum_{i=1}^{n}|r_i|^p\right)^{1/p}\right]_{n\to\infty,\,p\to\infty}\right] \end{cases} \tag{5.5}$$

(4)最大内切：使理想要素的本质特征值最大，即

$$\begin{cases} \forall i, r_i \geqslant 0 \\ \text{MAX}\,[\,\text{MIN}(\,r_i\,)\,] \end{cases} \tag{5.6}$$

(5)最小外接：使理想要素的本质特征值最小，即

$$\begin{cases} \forall i, r_i \geqslant 0 \\ \text{MIN}\,[\,\text{MAX}(\,r_i\,)\,] \end{cases} \tag{5.7}$$

由于各拟合目标函数的特点不同，其适用的范围亦不完全相同，表 5.2 给出了常见表面类型适用的目标函数。

表 5.2　各类型表面适用的目标函数

| 表面类型 | 内/外表面 | 最小二乘 | 最小区域 | 单边切比雪夫 | 最大内切 | 最小外接 |
|---|---|---|---|---|---|---|
| 平面 | | √ | √ | √ | × | × |
| 圆柱 | 孔(内) | √ | √ | √ | √ | × |
| | 轴(外) | √ | √ | √ | × | √ |
| 球 | 孔(内) | √ | √ | √ | √ | × |
| | 轴(外) | √ | √ | √ | × | √ |
| 圆锥 | 孔(内) | √ | √ | √ | × | × |
| | 轴(外) | √ | √ | √ | × | × |
| 复杂面 | | √ | √ | × | × | × |

注：×不可用。

### 5.5.1.5　集成

集成(Collection)，即将功能相一致的多个要素结合在一起的一种操作。集成操作可以用于理想要素，也可以用于非理想要素。例如通过集成操作，可以将同一功能的点组成一条线，如确定圆柱的轴心线时，先将圆柱在轴向分成若干截面，确定了每一个截面的圆心后，对各个圆心进行集成操作，即可获得圆柱的轴线，如图 5.15 所示。也可以利用两个位置要素之间的位置特征集成为一个集成要素的一个本质特征，图 5.16 所示为两个理想平行的圆柱通过集成操作确定两圆柱面之间的距离特征。

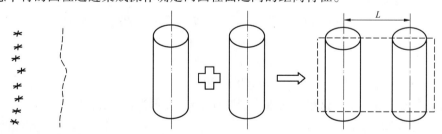

图 5.15　非理想圆柱
轴线的集成操作

图 5.16　两个理想圆柱的集成操作

两个或多个要素的集成可表示为

$$Collect(E, F) = \{E, F\} \tag{5.8}$$

式中　$E$、$F$——独立的要素。

要素的非可数集的集成可简单表示为

$$\{XX_i, \quad i=1,2,3,\ldots,n \ \} \tag{5.9}$$

式中　$XX_i$——独立要素；

　　$n$——独立要素的个数。

#### 5.5.1.6　构造

构造(Construction)，即用于根据给定的约束条件从理想要素中建立新的理想要素的一种操作。构造的实质是对被构造要素进行交集操作，如两个平面的构造形成一条直线(见图 5.17)；三个平面的构造形成一个点；将一个理想的圆柱沿轴线分成若干截面，就是使用若干平面与圆柱进行构造操作实现。

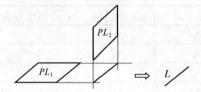

图 5.17　由两个平面相交构造出一条直线的构造操作

构造可表示为满足一系列约束的一个或多个要素。构造操作可表示为满足一定约束的要素集：

$$\{XX_i, i=1,\cdots,n\}\begin{vmatrix} C_1 \\ C_2 \\ \vdots \\ C_m \end{vmatrix} \tag{5.10}$$

式中　$XX_i$——构造要素；

　　$n$——构造要素的个数；

　　$C_j$——约束；

　　$m$——约束的个数。

例如，圆柱直径为 30 mm，轴垂直于平面 $PL$，通过点 $PT$，定义如下：

$$CY\begin{vmatrix} a[axis(CY),PL]=\pi/2 \\ d[axis(CY),PT]=0 \\ dia(CY)=30 \end{vmatrix}$$

如果为无穷解，至于这组平面垂直于圆柱 $CY$，表示为：$\{PL_i\}$。

#### 5.5.2　评估操作

评估(Evaluation)，即确定要素的特征值以及它的公称值及极限值的一种操作。其特征值将满足与极限相对应一个不等式。一个特征的约束评估可表示为

$$\begin{cases} l \leqslant char \\ char \leqslant l \\ l_1 \leqslant char \leqslant l_2 \end{cases} \tag{5.11}$$

式中　$l_1,l_2$——极限；

　　$char$——特征。

例如，两点间距离，使：$PT_1$ 和 $PT_2$ 分别为两点 98.05 mm 和 100.01 mm 的极限距离。则评估规范为

$$98.05 \leqslant d(PT_1, PT_2) \leqslant 100.01$$

例如，三个圆柱轴的位置，使：$\{L_i, i=1,2,3\}$ 为三个圆柱的轴线的集，$\{SL_i, i=1,2,3\}$ 为三个拟合圆柱轴线的集，极限为 0.025 mm，则评估规范为

$$\max d_{\max}(L_i, SL_i) \leqslant 0.025$$

评估操作总是在要素规范操作或认证操作之后进行。

### 5.5.3 公称、规范及认证中表面模型与几何要素关系示例

在实际应用中，产品规范设计阶段和认证阶段是分别利用操作链从表面模型中对几何要素进行分析，进行一致性比较，从而确定实际工件是否达到规范要求。如图 5.18 给出了三个不同领域中表面模型与几何要素关系的示例说明，图中表示在产品设计、规范和认证三个阶段中，通过对表面模型进行不同的操作，获取的几何要素；也可以看出它们之间存在的对偶关系。

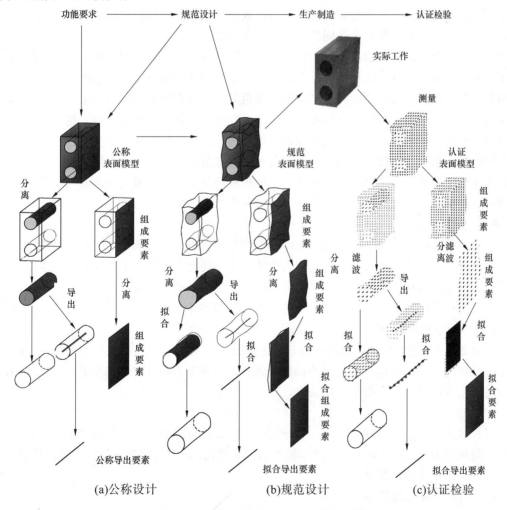

(a)公称设计　　　　　(b)规范设计　　　　　(c)认证检验

**图 5.18　公称、规范与认证过程中的几何要素**

图 5.18(a)是公称设计过程中的几何要素示例，根据零件的功能要求，建立公称表面模型，通过对公称模型实施不同的操作，获取与公称模型对应的几何要素：公称组成要素和公称导出要素。由于公称几何要素是理想几何要素，因此在公称组成要素中不存在公称拟合要素。

图 5.18(b)是规范设计过程中的几何要素示例。在规范过程中通过对模拟真实表面的规范表面模型限定的几何要素进行操作，获取要求的各种几何要素，从而确定在满足功能要求的前提下几何要素的特征值和最大允许偏差及其特征值，确定实际工件的误差大小，最后与规范过程中几何要素的特征值及公差比较，从而确定实际工件是否达到规范要求。

## 5.6  规范操作与认证操作

### 5.6.1  规范

几何规范(Geometrical Specification)是确定组成工件的几何要素特征的允许偏差范围。几何规范包括限制理想要素的本质特征或理想要素之间的位置特征的尺寸允许值，以及理想要素和非理想要素之间的位置特征允许值。

几何规范是设计者根据零件的功能要求，借助于规范表面模型，模拟实际零件的表面，对实际加工零件的几何变化进行限定，确定在保证产品一定功能条件下的要素特征的几何变动范围。按照功能需求，GPS 中规范分为：要素的表面结构规范、要素尺寸规范、要素形状规范、要素方向规范、要素位置规范及整体误差规范六种。这六种几何规范中，要素的几何表面结构、尺寸和形状规范确定的是产品独立时的功能性，确保工件装配的质量水平和连接处的调节性。定向和位置规范确保要素的相对位置，它们是两个连接表面之间的规范。整体误差规范和其他各种规范之间存在很大的依赖性，它考虑了所有全部能考虑到的误差，使更好地表达功能需求成为可能。

### 5.6.2  规范操作

规范操作(Specification Operation)，即运用数学公式、几何表达式、数学算法或综合运用这些方法对几何要素进行公式化表达的操作。规范操作是一个理论概念，多个规范操作有序地组合在一起形成规范操作链，用来描述产品的功能需求。

规范操作包括缺省规范操作、特殊规范操作和实际规范操作。

#### 5.6.2.1  缺省规范操作

缺省规范操作(Default Specification Operation)，即在技术产品文件中使用了一些不带标准修饰符号的规范。缺省规范操作有各种缺省状态，可能是全球缺省(ISO 缺省)，可能是企业缺省，也可能是图样缺省。

例如在一个轴的直径规范中，描述两点直径偏差的缺省规范是 $\phi D \pm t/2$，其中 $D$ 代表直径数值，$t$ 代表直径的偏差。在表面粗糙度 $Ra$ 的规范中，缺省规则给出了缺省滤波器是高斯滤波器，并且规定了滤波器缺省的截止波长，缺省规范操作简化了规范的表达，符合一些图样表达的需要。

#### 5.6.2.2  特殊规范操作

特殊规范操作(Special Specification Operation)，即在技术产品文件中使用了一些带标准修饰符号的规范。特殊规范操作满足工件的特殊功能需求。一个特殊规范操作是一个非缺省规范操作。

例如，在轴的直径规范中，采用最小外接圆直径进行拟合操作时，用修饰符Ⓔ表示包容要求。在表面的 $Ra$ 规范中，如果使用了特殊的截止波长为 2.5mm 的高斯滤波器进行滤波操作，这样的场合则采用特殊规范操作。

### 5.6.2.3　实际规范操作

实际规范操作(Actual Specification Operation)，即在技术产品文件中直接地或间接地采用的规范操作。一个实际规范操作可能被直接采用，或者间接采用，也可能是在各种规范中被隐含采用。

例如，在一个实际规范操作中两点直径的计算，图样上的标注为"Φ$D$±$t$/2"，其中 $D$ 代表直径数值，$t$ 代表直径的偏差。在图样上的"$Ra$1.5 截止波长 2.5 mm"标注，含有两个实际规范操作，即采用一个特殊的截止波长 2.5 mm 的高斯滤波器，以及采用 $Ra$ 算法进行表面粗糙度的计算。

### 5.6.3　规范过程

规范过程对应于规范表面模型，是由设计工程师负责的，是把设计意图转变为特定几何技术规范的过程。规范的具体过程可以描述为：根据零件功能确定的公称表面模型，在满足零件功能的条件下，根据制造工艺要求，模拟产生零件的实际工件表面，建立工件的规范表面模型。根据规范表面模型对要规范几何要素实施分离操作；对提取组成要素进行滤波操作，从中获取所需的几何要素；对滤波所得到的非理想要素，通过拟合操作得到拟合组成要素，作为规范的几何要素的替代。当两个或更多的要素受到一个公差的影响时，采用集成操作以获取合适的要素。当公差的确定是依据两个或更多几何要素时，采用构造操作定义一些其他的理想要素。规范过程包括以下几个步骤：

第一步，确定工件几何要素的功能；

第二步，设计 GPS 规范，该规范包含着一些 GPS 规范单元；

第三步，定义 GPS 规范单元，其中每个规范单元都由一个或多个要素组成；

第四步，定义要素的操作——以一定顺序组合起来形成一个规范操作链；

第五步，规范操作链——与一定范围内的要素或要素功能有关，并定义被测几何量的特征。

在规范过程中，形成的规范操作链根据具体的应用可以分别采用完整、简化、缺省、特殊或实际的规范操作链。

### 5.6.4　认证

认证(Verification)，即检验人员通过对实际工件进行检验，比较工件的实际表面与工件规范中允许的偏差是否相一致，确定工件是否合格。当对一个工件进行认证时，检验人员依据公称表面模型以及在规范设计中根据规范表面模型确定的要素特征值及允许几何偏差——公差，制定认证/检验计划，对于特殊表面和公差需要确定特殊的测量工具。

### 5.6.5　认证操作

认证操作(Verification Operation)，即应用于与实际规范操作相对应的测量或检测的操作。检验认证操作用来评估实际工件与规范操作的一致性。

认证操作包括完整认证操作、简化认证操作和实际认证操作。

### 5.6.5.1 完整认证操作

完整认证操作(Perfect Verification Operation)，指与相应的实际规范操作没有设计偏差的认证操作。一个完整认证操作所包含的唯一测量不确定度是来源于操作中检测设备的偏差。

### 5.6.5.2 简化认证操作

简化认证操作(Simplified Verification Operation)，指与相应的实际规范操作有设计偏差的认证操作。在简化认证操作中，除了在操作执行中检测设备的偏差产生的测量不确定度贡献因子外，设计偏差也导致测量不确定度。

例如，在检验一个轴的尺寸时，如果使用千分尺进行测量，当采用了最小外接圆柱进行拟合时，两点直径的拟合操作会产生计量特性偏差，同时也会产生设计偏差。

### 5.6.5.3 实际认证操作

实际认证操作(Actual Verification Operation)，即在实际测量过程中使用的认证操作。实际认证操作的偏差既取决于测量设备的偏差，也取决于设计偏差。

### 5.6.6 认证过程

认证检验过程对应于实际工件，由计量工程师负责，在规范过程之后实施的，其目的是认证 GPS 规范中所定义的要素或要素特征。认证的具体过程可以描述为根据实际工件表面中要认证的表面实施分离操作；通过测量工具对实际要素进行提取操作，将实际工件表面上连续的点离散化，用有限的离散点近似地表示该实际工件表面要素的特征；对提取组成要素进行滤波操作，从中获取所需要的几何要素；对滤波所得到的非理想要素，通过拟合操作得到拟合组成要素，作为评估的几何要素的替代。当两个或更多的几何要素受到一个公差的影响时，采用集成操作来获取适合的要素。当公差是依据两个或更多几何要素时，采用构造操作定义一些其他的理想要素；通过用公差比较一个理想要素的本质特征的唯一值或两个理想要素之间的位置特征的唯一值来确定一致性。即认证过程包括以下几个步骤：

第一步，设计实际规范操作链，它可以分解为一系列有序的实际规范操作和被测量的特征；

第二步，定义实际规范操作，每一个操作都要和实际认证操作相对应；

第三步，定义实际认证操作，便于有序地组合在一起形成实际认证操作链；

第四步，形成实际认证操作链，它与实际的测量过程相同；

第五步，得到测量值，将测量结果与 GPS 规范进行比对。

在认证过程中，形成的认证操作链根据具体的应用可以分别采用理想、简化或实际认证操作链。

## 5.7 操作链

操作链(Operator)，即一系列要素操作有序的集合。要获取一个几何要素，需要通过对"表面模型"使用一系列操作，针对不同几何要素一系列操作，不同几何要素的操作链，操作采用的顺序和次数不是固定的，它取决于几何要素的类型和功能。通过操作链，得到各种要素特征，实现对各种要素的规范及认证。根据 GPS 的不同阶段，将操作链分为功能操作链、规范操作链和认证操作链。

### 5.7.1　功能操作链

功能操作链(Function Operator)，即设计者描述工件或要素设计功能的操作链。功能操作链只是用做比对的理想化概念，它用来评估一个规范操作链或认证操作链与功能需求的吻合程度。在大多数情况下，当一个功能操作链不能由一系列已定义的操作集合所表述时，它就在概念意义上理解为一系列能完整表达工件功能需求的规范操作或认证操作。

### 5.7.2　规范操作链

规范操作链(Specification Operator)，即描述工件或要素特征一系列有序规范操作的集合，是对技术产品文件中所标注的 GPS 规范综合及完整的解释。在几何产品设计阶段，设计工程师可以用表面模型对实际表面进行模拟，对限定的几何要素进行分离、提取、滤波、拟合、集成、构造和评估等操作，在满足功能要求前提下确定该要素的最大偏差，用来指导公差设计和精度设计。

例如，如图 5.19(a)所示，一个轴直径的规范为$\Phi D \pm t/2$,,确定其最大和最小极限值的规范操作链为：

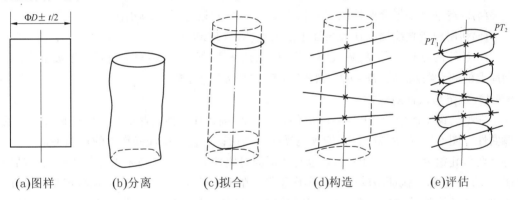

| (a)图样 | (b)分离 | (c)拟合 | (d)构造 | (e)评估 |

**图 5.19　规范操作链图例**

(1)建立规范表面模型，从规范表面模型分离出要求规范的要素(见图 5.19(b))；

(2)采用最小二乘法用理想圆柱与非理想圆柱表面拟合(见图 5.19(c))；

(3)构造垂直于拟合圆柱轴线并相交于轴线的直线(见图 5.19(d))；

(4)利用构造直线确定表面模型上的两点(见图 5.19(e))；

(5)计算两点直径距离，最大距离为直径的上极限值，最小距离为直径的下极限值，即圆周上的两点距离满足 $D - t/2 \leqslant d(PT_1, PT_2) \leqslant D + t/2$ 为合格。

### 5.7.3　认证操作链

认证操作链(Verification Operator)，即在认证检验阶段，计量工程师将实际工件的表面与规范表面模型对应考虑，对组成实际工件表面的几何要素进行分离、提取、滤波、拟合、集成、构造和评估等一系列操作所形成的有序的操作集合。不同几何要素的认证操作链，操作采用的顺序和次数不是固定的。依据认证操作链，确定实际工件的偏差大小，最后对实际工件表面模型与规范表面模型进行一致性比较，从而确定实际工件是否符合规范要求，能否满足零件的功能需要。

例如，如果一个轴直径的规范为Φ30h7，检验认证加工后所得到的工件是否与规范一致，其认证操作链为：

(1)对实际工件表面进行分离操作，确定需要认证的非理想圆柱表面(见图 5.20(a))；

(2)将分离的圆柱表面上离散化，利用检测设备对圆柱表面特征进行提取操作，得到近似表示该圆柱表面的离散点，并对提取圆柱表面的离散点进行滤波(见图 5.20(b))；

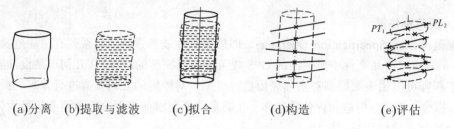

(a)分离　(b)提取与滤波　(c)拟合　(d)构造　(e)评估

图 5.20　认证操作链图例

(3)采用最小二乘法用理想圆柱与非理想圆柱表面拟合(见图 5.20(c))；

(4)构造垂直于拟合圆柱轴线并相交于轴线的直线(见图 5.20(d))；

(5)利用构造直线提取认证表面上的两点(见图 5.20(e))；

(6)计算两点直径距离，最大距离为直径的上极限值，最小距离为直径的下极限值，即圆周上的两点距离满足 $D - t/2 \leq d(PT_1, PT_2) \leq D + t/2$ 为合格。

### 5.7.4　规范与认证对偶性

新型轧钢生产中的 GPS 借用物像对应原理，描述在几何产品的规范和认证过程中的对偶性。图 5.21 表示规范过程的规范操作链和认证过程的认证操作链的对偶关系。

新型轧钢生产中的 GPS 的规范与认证的对偶性为 GPS 从技术上提供了联系产品功能、设计、制造、认证检验的量化操作纽带。在实施过程中，GPS 成功地将产品的设计、制造、认证检验过程与表面模型、几何要素、特征与操作链的规范协调统一。在设计阶段，设计者用规范表面模型对实际表面进行模拟，对限定几何要素进行分离、提取、滤波、拟合、集成、构造和评估等操作，确定在满足功能要求的前提下几何要素的最大偏差，用来指导公差设计。在认证阶段，将实际工件与规范表面模型对应考虑，对认证表面模型的几何要素进行分离、提取、滤波、拟合、集成、构造和评估等操作，以确定实际工件的误差大小，最后对规范表面模型和实际工件进行一致性比较，从而确定实际工件是否达到规范要求。

### 5.7.5　建立基准过程操作链示例

下面利用基准建立的操作过程，给出一个规范与认证操作链的应用示例。如图 5.22 所示，定义在公差框内的基准是一个包括基准目标的单一基准 A，对应于图 5.22 所示的图样，图 5.23 是设计者建立的规范表面模型或者实际工件表面。基准建立的规范或认证操作链为：

(1)分离。从规范表面模型和实际工件上识别出用于建立基准的表面，如图 5.24 所示。

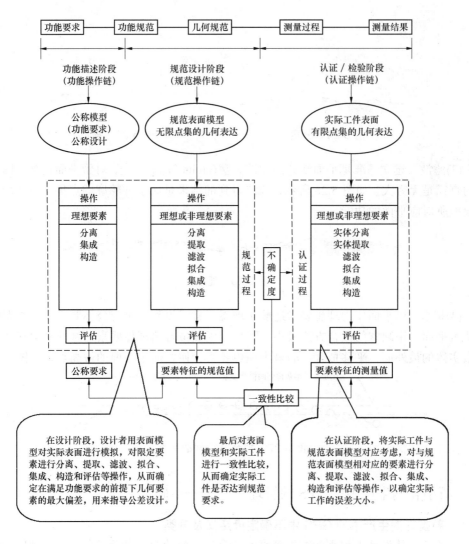

图 5.21 规范操作链和认证操作链的对偶关系

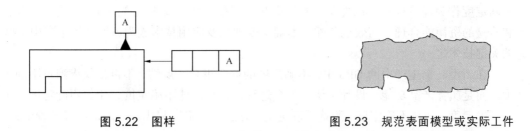

图 5.22 图样　　　　　　　　　图 5.23 规范表面模型或实际工件

(2)提取。提取是获取通过分离操作所得到的表面上的点集。根据缺省规范，基准表面的构造元素是球，其缺省直径为 3 mm，建立基准中缺省的提取方法是 ISO/TS16610—49 中定义的"形态学采样准则"，采样点的布置为每 3 mm 采样 2 个点，如图 5.25 所示。对于 30 mm×30 mm 的表面需要采样 400 个点。

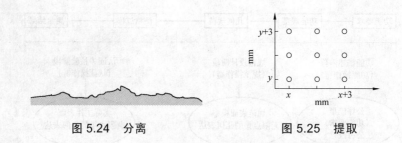

图 5.24　分离　　　　　　　　　　　　图 5.25　提取

(3)滤波。建立基准是平面缺省的滤波方法(alpha 包滤波法)，对于平面基准，构造元素的直径是无穷大。如图 5.26 所示，滤波得到的结果是属于外轮廓的点集，用这个外轮廓模拟所对应平面的功能。

图 5.26　滤波

(4)拟合。用平面作为理想要素适配非理想要素将得到一个与公称要素一致类型的理想要素平面。用缺省的拟合方法最小二乘目标函数拟合出理想要素，基准平面在非理想要素实体的最外面，平移拟合出的最小理想要素，使之通过表面的最高点，见图 5.27。

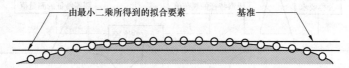

图 5.27　拟合及得到的基准

## 5.8　新型轧钢生产中的 GPS 的管理工具——不确定度

### 5.8.1　新型轧钢生产中的 GPS 中不确定度定义及分类

为了实现从设计工程师的构思到真实产品这一转化过程的经济管理，新型轧钢生产中的 GPS 将不确定度作为一种通用的度量"单位"引入。新型轧钢生产中的 GPS 使用不确定度作为经济杠杆，以控制不同层次和不同精度功能要求的产品规范，使产品制造和检验的资源能合理、高效地分配。不确定度理论及应用技术成为新型轧钢生产中 GPS 的关键技术之一。

在新型轧钢生产中的 GPS 中，不确定度的概念更具一般性，不再仅仅指测量不确定度，而是贯穿产品功能、设计、认证整个过程，包括总体不确定度、相关不确定度、依从不确定度、规范不确定度、测量不确定度、方法不确定度和执行不确定度等多种形式，新型 GPS 中各种不确定度的关系如图 5.28 所示。

#### 5.8.1.1　相关不确定度

相关不确定度(Correlation Uncertainty)，即用于描述一个实际零件的几何规范与实际功能的匹配程度，是指源于实际规范操作链和功能操作链之间偏差的不确定度，它反映规范是否很好地表达了产品的功能要求。相关不确定度不用于考虑工件的特定规范验证，

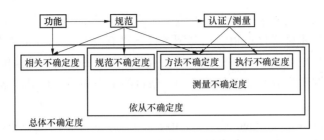

图 5.28　新型 GPS 中各种不确定度的关系

而是用于解释当一些工件规范没有满足时，零件没有实现所需功能的原因，因为一般情况下，相关不确定度和单个几何规范没有关系，描述产品的一个功能往往需要采用一系列单独的几何规范。

例如，若一个零件的功能是在给定条件下连续运转 2 000 小时而不发生故障，规范操作链是规范该零件的轴尺寸为Φ30h7、轴的表面结构为 *Ra*1.5，那么相关不确定度源于规范是否能够保证：符合规范要求的零件能够运转 2 000 小时无故障，而不符合规范要求的零件则不能保证运转 2 000 小时无故障。

### 5.8.1.2　规范不确定度

规范不确定度(Specification Uncertainty)，即一个实际工件或要素的实际规范操作链的内在不确定度，它反映了规范本身存在的不确定性。规范不确定度和测量不确定度有相同的特性，也是目标不确定度的一部分，它量化了规范操作链中的不确定度因素。规范不确定度的大小决定于工件几何特性的实际偏差。规范不确定度用于制订无歧义的标准。不完整的规范定义或一个不准确图样标注将导致规范不确定度。当所有必要的规范操作存在且已知时，不存在规范不确定度。正确的图样标注方法需用正确测量结果所需必要条件的规范来保证，例如，轴的直径是Φ30 ± 0.1 的规范不确定度源于采用不同的拟合规则而获得的不同值，因为规范中没有声明采用何种拟合规则。

### 5.8.1.3　方法不确定度

方法不确定度(Method Uncertainty)，即指源于实际规范操作链和实际认证操作链之间差值的不确定度，而不考虑实际认证操作链的计量特性偏差。当一个不完整的规范操作链成为实际规范操作链时，有必要设计和选择一个完整的规范操作链，如果规范操作链允许在不完整的规范操作链中增加操作或遗失的部分操作，以便于建立相应的理想认证操作链。在这个完整的认证操作链的基础上选出实际的认证操作链。这个完整的认证操作链和被选出实际的认证操作链之间的差值就是测量不确定度。方法不确定度的值表明了从完整认证操作链中选择实际认证操作链的差值大小。即便是使用理想的测量仪器，也不能将测量不确定度的值减小到比方法不确定度的值还小。

例如，如果一个轴的标注规范是Φ30 ± 0.1Ⓔ，并且采用一个理想的千分尺检验规范的上偏差，那么方法不确定度源于千分尺测得值和利用理想仪器测得的最小外接圆直径值之差。

### 5.8.1.4　执行不确定度

执行不确定度(Implementation Uncertainty)，是指实际认证操作链的计量特性与完整认证操作链定义的理想计量特性之间差值引起的不确定度。校准的目的通常是评估由测量仪器引起的执行不确定度的值。而与测量仪器没有直接关系的因素(如环境)也可能导致执行不确定度。例如，如果一个轴的标注规范为Φ30±0.1Ⓔ，检验仪器为千分尺，那么执行不确定度源于千分尺的非理想中轴、砧台的不平和不平行等因素。

### 5.8.1.5 测量不确定度

测量不确定度(Measurement Uncertainty)，即与测量结果有关的一个"参数"，表明测得数值的离散性，取决于测量方法。测量不确定度可以认为是方法不确定度和执行不确定度的总和。如果实际认证操作与规范确定的操作相同，则测量不确定度将相对较小。方法不确定度来源于图样规范和实际检验手段之间的偏差，忽略实际检验手段的计量特性偏差。执行不确定度来源于由理论认证/检验规范上所定义的理想计量学特征与实际认证/检验规范的计量学特征之间的分歧。

新型轧钢生产中的 GPS 中，测量不确定度的概念与 GUM 给出的测量不确定度的概念基本一致，它是说明测量结果的一个参数，用来表示被测量值的分散性。一个测量结果，只有加上测量不确定度指标，才是完整的。

20 世纪 80 年代以来，主要提出了两种评定测量不确定度的模型。

(1)美国机械工程学会(ASME)提出的评定模型：

$$U_{RSS} = \pm \left[ \left( B_R \right)^2 + \left( t_{95} S_{\overline{X},R} \right)^2 \right]^{1/2} \tag{5.12}$$

式中　$U_{RSS}$——测量不确定度；

　　　$B_R$——测量结果的偏离程度，意指系统不确定度；

　　　$S_{\overline{X},R}$——测量结果的精密度指标，意指随机不确定度；

　　　$t_{95}$——在一定自由度下按 95%置信度取的 t 分布的值。

(2)ISO 提出的评定模型：

$$U_{ISO} = \pm K \left[ \left( U_A \right)^2 + \left( U_B \right)^2 \right]^{1/2} \tag{5.13}$$

式中　$U_{ISO}$——测量不确定度；

　　　$U_A$——A 类评定不确定度；

　　　$U_B$——B 类评定不确定度；

　　　$K$——置信因子，常按 t 分布取值。

在 GUM 的基础上，ISO/TC213 又陆续颁布了有关测量不确定度的系列标准 ISO 14255.1、2、3、4，使得测量不确定度的评定更为方便和实用。

### 5.8.1.6 依从不确定度

依从不确定度(Compliance Uncertainty)，即测量不确定度和规范不确定度之和。由于测量不确定度等于方法不确定度和执行不确定度之和。因此，依从不确定度可以表示为方法不确定度、执行不确定度和规范不确定度之和。依从不确定度可以量化实际工件与规范所有可能解释之间的符合程度。

例如，如果一个球的规范是 $s\Phi30 \pm 0.1$，由于可能使用不同的拟合准则，所以这是一个缺省规范操作链。规范不确定度源于在提取实际工件(非理想球体)的数据时采用了不同的拟合原则(如最小外接圆球体，最小两点间直径或最小二乘球体)，因为规范中没有声明采用何种拟合准则。为了得到一个完整规范操作链用来作为完整认证操作链的基础，必须选择一个特定的拟合准则和完整规范操作链中遗失的部分。如果两点拟合准则纳入了完整规范操作链，那么它也成为了完整认证操作链的一部分。如果使用千分尺认证规范，则实际上没有方法不确定度。不过执行不确定度仍然存在，其源于千分尺计量特性的非理想性，如中轴偏差、砧台的不平及不平行等。在该例中，测量不确定度只包含执行不确定度。相应的依从不确定度包含规范不确定度和执行不确定度。

## 5.8.1.7 总体不确定度

总体不确定度(Total Uncertainty)，即相关不确定度、规范不确定度和测量不确定度之和。总体不确定度的大小表明了实际认证操作链和功能操作链之间的差异程度。

在新型轧钢生产中的 GPS 中，相关不确定度、规范不确定度和测量不确定度这三种类型的不确定度可以直接比对。设计工程师仅仅负责相关不确定度和规范不确定度，计量工程师仅对测量不确定度负责。一个产品对设计、制造和计量的最优化资源配置基于对不确定度的合理认识。

## 5.8.2 不确定度之间的关系及影响

### 5.8.2.1 相关不确定度和规范不确定度的关系

当工件或要素所有的设计功能都由 GPS 规范表达和控制的时候，GPS 规范就是完整的。在多数情况下，GPS 规范是不完整的，因为一些功能没有被完整地表达或控制，甚至根本没有表达。因此，工件或要素功能和采用的 GPS 规范之间的相关程度有高有低。相关不确定度强调的是对功能的控制程度，而规范不确定度着重于控制与功能有关的几何要素特征。例如，一个具有小的相关不确定度和规范不确定度的规范能够完整地描述和控制几何特征，而这些几何特征与设计功能紧密相关。表 5.3 归纳了这两种不确定度的影响。

表 5.3　相关不确定度和规范不确定度的影响

| 项目 | 规范不确定度小 | 规范不确定度大 |
|---|---|---|
| 相关不确定度小 | 描述和控制了要素几何特征，紧紧地把握了设计功能 | 已有的几何特征达到了设计功能要求，但是规范是不完整的 |
| 相关不确定度大 | 描述了所有的几何特征，但是没有紧紧把握设计功能 | 既不能描述也不能控制功能所需的几何特征 |

### 5.8.2.2 方法不确定度和执行不确定度的关系

测量不确定度包括方法不确定度和执行不确定度，来源于 GPS 认证的实际应用。如果认证过程与规范过程非常一致，那么测量不确定度会很小。当规范不确定度或相关不确定度很大时，小的测量不确定度是没有价值的。表 5.4 归纳了方法不确定度和执行不确定度的影响。

表 5.4　方法不确定度和执行不确定度的影响

| 项目 | 执行不确定度小 | 执行不确定度大 |
|---|---|---|
| 方法不确定度小 | 测量过程非常符合规范，执行中和理想的计量特性偏差较小 | 测量过程非常符合规范，执行中和理想的计量特性偏差较大 |
| 方法不确定度大 | 测量过程不十分符合规范，但是执行中和理想的计量特性偏差较小 | 测量过程不符合规范，执行中和理想的计量特性偏差较大 |

注：在方法不确定度和执行不确定度中，很难讲哪个是主要的。方法不确定度小而执行不确定度大，通常被认为有较大的测量不确定度，因为执行不确定度对测量不确定度的影响相对明显一些。

### 5.8.3　不确定度的应用

新型轧钢生产中的 GPS 标准体系利用不确定度的传递关系，将标准与计量联系起来，从而使产品的功能、规范和认证集成于一体，利用不确定度的量化特性与经济杠杆作用统筹优化资源的配置。显然，在新型轧钢生产中的 GPS 标准体系中，基于统计优化的不确定度理论是实现 GPS 过程量化统一和规范的重要纽带；利用扩展后不确定度的量化统计特性和经济杠杆调节作用，实现 GPS 量化统一和过程资源优化配置的思想是新型轧钢生产中的 GPS 的核心。例如根据 GPS 规定，为了证明工件或测量设备满足一定的公差要求，计量检验人员所测的结果可以在工件公差加上其本身测量不确定度和规范不确定度。在这种情况下，可能将工件实际公差扩大，因为通常在检测时，可以将一定量的测量不确定度考虑在工件总公差之内，如图 5.29 所示。通过扩大工件公差，在保证产品功能的情况下可以减少不必要的"废品"，从而节约生产成本。

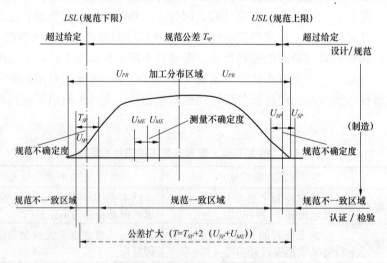

图 5.29　不确定度判别范围

### 5.8.4　新型轧钢生产中的 GPS 不确定度理论存在的问题

新型轧钢生产中的 GPS 不确定度将标准与计量联系起来，从而使产品的功能、规范和认证集成于一体，因此可以利用不确定度的量化特性与经济杠杆作用统筹优化资源的配置。但是目前新型轧钢生产中的 GPS 不确定度理论才刚刚起步，除了传统的测量不确定度以外，ISO 还没有建立关于相关不确定度、规范不确定度等其他类型不确定度的国际标准。GPS 不确定度的优化分配、评定技术尚待进一步研究、开发，目前还没有达到应用的程度。如何将总体不确定度合理高效地分配给规范、加工和计量认证各个阶段，以获得最佳的技术经济效益，是新型轧钢生产中的 GPS 研究的难点。因此，进一步加强新型轧钢生产中的 GPS 不确定度计算、评定以及分配等方面的分析和探讨，是下一步新型轧钢生产中的 GPS 不确定度理论研究的重点，特别是工件的判定原则、GPS 标准链依从不确定度的计算和工件在规范和认证过程中不确定度的传递规律，是新型 GPS 不确定度理论研究中亟待解决的三个关键问题。

(1)工件的判定原则问题：ISO14255-1 给出了测量不确定度的判定原则。根据这一原则，测量不确定度对认证结果的影响是在规范给定的上下限附近引起一个"灰色"区域，只有当测得值在"一致"区域内，方可评定工件合格；只有当测得值在"不一致"区域内，方可评定工件不合格；当测得值在"灰色"区域内时，由供求双方协商确定是否合格。根据这一判定原则，只要将测量不确定度的份额扣除之后，公差的剩余部分就可以供加工过程使用。上述测量不确定度的判定原则，没有考虑相关不确定度和规范不确定度的影响，显然这不符合新型 GPS 不确定度理论的基本要求。因为在一个 GPS 标准链中，相关不确定度和规范不确定度是客观存在的，而且有时规范不确定度的影响要比测量不确定度的影响大得多，这就导致了在规范不确定度不被减小的情况下，花费高昂代价去获取足够小的测量不确定度是毫无价值的。

(2)GPS 标准链依从不确定度的计算问题：新型 GPS 语言把产品的功能、规范、加工和认证作为一个整体来考虑，用不确定度作为经济杠杆，来调节资源在功能、规范、加工和认证过程中的合理分配。在测量不确定度的基础上，新型 GPS 语言对不确定度进行了重新分类和定义，提出了相关不确定度、规范不确定度、依从不确定度和总体不确定度等概念。对于一个具体给定的 GPS 规范，如何确定与之对应的 GPS 标准链的不确定度，对于合理分配系统资源、正确判定要素是否合格是一个非常重要的问题。但是，目前的 GPS 标准仅仅给出了各种不确定度的隶属关系和测量不确定度的计算方法，并没有给出与给定的 GPS 规范相对应的 GPS 标准链的不确定度的计算框架，这是一个必须加以研究和解决的问题。

(3)规范和认证过程中不确定度的传递规律问题：根据新型 GPS 标准，一个操作链往往依次包括分离、提取、滤波、拟合、集成和构造等操作，最后给出被测要素的认证结果及其不确定度，并依据相应的判定原则对被测要素进行合格性判定。其中，不确定度传递规律的研究是一个关键问题。比如拟合，在目前的坐标测量过程中，一般采用最小二乘拟合算法，但是坐标测量往往只是给出被测要素的检验结果，并没有给出检验结果的不确定度，这就导致了无法直接采用相应的判定原则对被测要素进行合格性判定，从而引起工件的误收和误废。为了解决这一问题，必须研究拟合操作的不确定度的计算方法。

## 5.8.5 新型 GPS 不确定度的判定原则

随着 GUM 和 ISO14253 系列国际标准的陆续颁布实施，基本解决了测量不确定度的评定和基于测量不确定度的工件的合格性判定问题。其中，ISO 14253-1 明确给出了测量不确定度的判定原则，简单地说该判定原则为：测量不确定度对认证结果的影响是在规范给定的上下限(规范上限和规范下限)附近引起一个"灰色"区域(不确定度区域)，只有当测得值在"一致"区域内，方可判定工件合格；只有当测得值在"不一致"区域内，方可判定工件不合格；当测得值在"灰色"区域内时，由供求双方协商确定工件是否合格。由此可见，该判定原则虽然在工件的合格性判定过程中考虑了不确定度的影响，但只是考虑了测量不确定度对于认证结果的影响，而没有考虑相关不确定度和规范不确定度对于认证结果的影响，显然该判定原则是不完善的，它不符合新型 GPS 不确定度理论的基本要求。新型 GPS 标准体系对不确定度进行了重新定义和分类，不确定度的概念大大拓展了，传统的测量不确定度只是总体不确定度的一个组成部分，在工件的合格性判定过程中忽略了客观存在的相关不确定度和规范不确定度是不应该的。为了解决这一问题，详细分析了规范不确定度和相关不确定度对于工件的合格性判定的影响，针对单个的 GPS 规范，提出了依从不确定度的判定原则；针对工件，提出了总体不确定度的判定原则。应该说，这两个判定原则是在测量不确定度的判定原则的基础上，根据新型 GPS 不确定度理论的基本要求提出来的，使得判定结果更为合理。

### 5.8.5.1　测量不确定度的判定原则

ISO14253-1 明确给出了测量不确定度的判定原则，如图 5.30 所示。在规范阶段，"一致"区域和"不一致"区域是由规范上限和规范下限共同决定的。在认证阶段，由于测量不确定度的存在，在规范上限和规范下限两侧会产生一个"测量不确定区域"，相应地，"一致"区域和"不一致"区域会有所减小。所以，在认证过程中，必须将测量不确定度的影响考虑在内。在规范阶段给定的规范上限和下限是不变的；但是在认证阶段产生的测量不确定度是变化的，它由在测量过程中产生的测量不确定度分量共同决定。因此，在认证阶段的"一致"区域和"不一致"区域会随着测量不确定度的变化而发生改变。

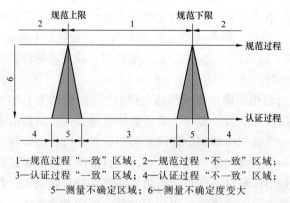

1—规范过程"一致"区域；2—规范过程"不一致"区域；
3—认证过程"一致"区域；4—认证过程"不一致"区域；
5—测量不确定区域；6—测量不确定度变大

**图 5.30　测量不确定度的判定原则**

具体地说，测量不确定度的判定原则可以分为以下三种情况：

(1)判定合格的情况。当测量结果的完整表述($y'$)落在工件特征的规范区域之内，如图 5.31(a)所示；或者测量结果($y$)落在被测量不确定度($U$)减小之后的规范区域之内时，如图 5.31(b)所示，判定工件特征合格。

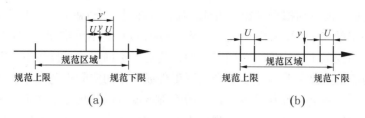

**图 5.31 判定合格**

(2)判定不合格的情况。当测量结果的完整表述($y'$)落在工件特征的规范区域之外，如图 5.32(a)所示；或者测量结果($y$)落在被测量不确定度($U$)扩大之后的规范区域之外时，如图 5.32(b)所示，判定工件特征不合格。

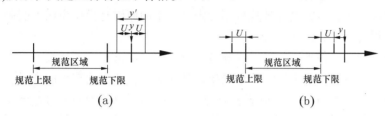

**图 5.32 判定不合格**

(3)既不能判定合格也不能判定不合格的情况。当测量结果的完整表述($y'$)包含规范极限，如图 5.33(a)所示；或者测量结果($y$)落在测量不确定区域之内时，如图 5.33(b)所示，既不能判定工件特征合格也不能判定不合格，工件特征是否合格，要由供求双方共同协商确定。

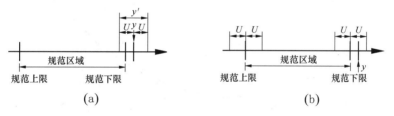

**图 5.33 既不能判定合格也不能判定不合格**

从上述测量不确定度的判定原则可以看出，该判定原则只是考虑了测量不确定度对于认证结果的影响，而没有考虑相关不确定度和规范不确定度的影响，显然这不符合新型 GPS 不确定度理论的基本要求，因为在一个工件的规范和认证过程中，相关不确定度和规范不确定度是客观存在的，而且有时相关不确定度和规范不确定度的影响要比测量不确定度的影响大得多，这就导致了在相关不确定度和规范不确定度不被减小的情况下，花费高昂代价去获取足够小的测量不确定度是毫无价值的。

### 5.8.5.2 依从不确定度的判定原则

根据 ISO 17450-1，一个 GPS 规范是指工件的某个要素特征的允许偏差的变化范围。对于一个给定的 GPS 规范，总有一个相应的 GPS 标准链与之对应，这个标准链贯穿于该规范的整个 GPS 过程，这个过程包括规范操作链和认证操作链，而每一个操作链又分别由分离、提取、滤波和拟合等操作组成。所以，在对一个 GPS 规范所限定的要素特征进行合格性判定的时候，要考虑该规范的整个 GPS 过程的不确定度，这不仅包括测量不确定度，也包括规范不确定度。在图 5.1 中，建立了不确定度与操作链和各种操作之间的关系。规范不确定度是指应用于一个实际工件或要素的实际规范操作链的内在的不确定度，它反映了实际规范操作链本身存在的不确定度。虽然规范不确定度和测量不确定度都是总体不确定度的一部分，但是规范不确定度量化的是实际规范操作链中的不确定度因素。实际规范操作链可能是一个完整的规范操作链，也可能是一个不完整的规范操作链。一个完整的规范操作链是明确的，所以它不存在规范不确定度。一个不完整的规范操作链是不明确的，所以它存在规范不确定度。不完整的规范操作链主要包括以下三种情况：一个或多个规范操作的缺少；规范操作说明不完整；规范操作之间的顺序错误。在实际应用过程中，最容易导致规范不确定度产生的原因是操作说明不明确，下面对于滤波操作和拟合操作分别加以说明。

例如对于滤波操作来说，如果在规范中没有明确给出相应的滤波方法，那么采用的滤波方法不同，就会产生不同的测量结果，从而导致规范不确定度的产生。首先分析二维滤波的情况，图 5.34 所示为珩磨表面的一个真实轮廓（采样间距 12 μm），用正交多项式拟合去除形状误差后，对图 5.35 实线所示的残余信号分别进行开环高斯滤波和稳健高斯滤波。从图 5.35 可以明显地发现，点画线所示的开环高斯滤波基准线被拉向特征异常信号，受其影响严重畸变；而细实线所示的稳健高斯滤波基准线保持平稳，异常信号的影响和扩散被有效地抑制。

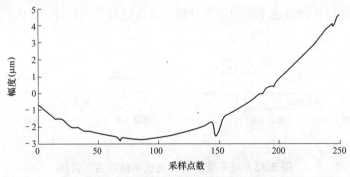

图 5.34　二维珩磨表面实测轮廓

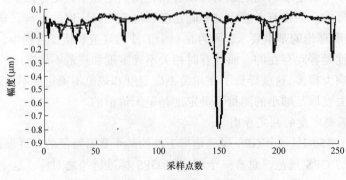

图 5.35　滤波基准比较

从表面粗糙度参数上来看，如表 5.5 所示，开环高斯滤波和稳健高斯滤波所获得的参数结果显著不同，相对于开环高斯滤波，稳健高斯滤波将负值异常特征信号有效地保留在高频粗糙度信号中。

表 5.5　表面粗糙度参数对比　　　　　　　　　　　　　　（单位：μm）

| 滤波方法 | $R_a$ | $R_p$ | $R_v$ | $R_z$ | $R_q$ | $R_{sk}$ | $R_{ku}$ |
|---|---|---|---|---|---|---|---|
| 开环高斯滤波 | 0.044 2 | 0.139 0 | 0.306 9 | 0.445 9 | 0.081 3 | −4.595 7 | 36.778 8 |
| 稳健高斯滤波 | 0.042 2 | 0.032 5 | 0.434 9 | 0.467 4 | 0.102 6 | −10.195 1 | 75.588 0 |

再来分析三维滤波的情况，图 5.36 所示为三维真实工程表面（横向和纵向采样间距均为 12 μm），图 5.37 为经三维开环高斯滤波后得到的滤波基准，图 5.38 为经三维稳健高斯滤波后得到的滤波基准。从二者对比来看，三维开环高斯滤波基准在异常特征附近严重畸变，而三维稳健高斯滤波基准则相对平滑，异常特征影响几乎完全消除。从上述分析可以看出，滤波方法的不同是导致规范不确定度产生的一个重要原因。

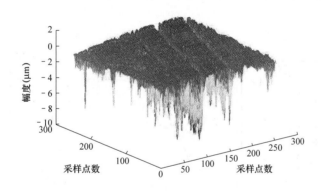

图 5.36　三维真实工程表面

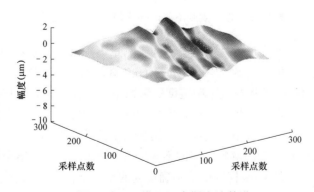

图 5.37　三维开环高斯滤波基准

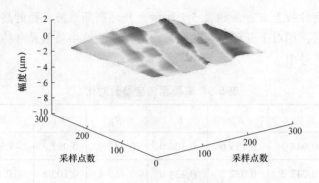

图 5.38 三维稳健高斯滤波基准

对于拟合操作来说，如果在规范中没有明确说明拟合方法，那么因为采用的拟合方法不同，同样会产生不同的测量结果，从而导致规范不确定度的产生。如图 5.39（a）所示，尺寸规范Φ30 ± 0.2没有明确给出拟合方法，在拟合过程中可以采用最大内切法、最小二乘法或最小内接法等不同的拟合方法，如图 5.39（b）所示。显而易见，由不同的拟合方法得到的测量结果是不一样的，这就导致了由于拟合方法不明确而引起的规范不确定度。

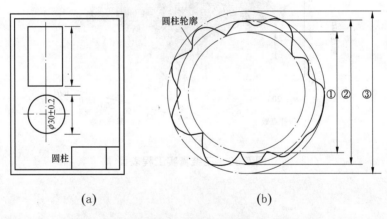

(a)                    (b)

图 5.39    拟合规则不明确导致的规范不确定度

由此可见，规范不确定度的性质完全不同于测量不确定度，它对判定结果产生的影响是测量不确定度所不能代替的，所以在一个 GPS 规范的判定原则中，不仅要考虑测量不确定度的影响，而且必须将规范不确定度的影响也考虑在内。根据 ISO 17450-2，依从不确定度正是测量不确定度和规范不确定度之和(对应于 GUM 中"和"的意义)，它可以用来衡量测量不确定度和规范不确定度对于测量结果的综合影响，从而量化一个给定的 GPS 规范与该规范所有可能的解释之间的不确定度。既然对于一个给定的 GPS 规范，依从不确定度是与之对应的 GPS 标准链的不确定度的量化指标，那么就应该依据依从不确定度对该规范所限定的要素特征进行合格性判定，这就是依从不确定度的判定原则，如图 5.40 所示。

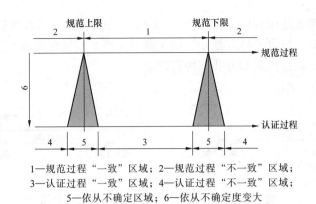

1—规范过程"一致"区域；2—规范过程"不一致"区域；
3—认证过程"一致"区域；4—认证过程"不一致"区域；
5—依从不确定区域；6—依从不确定度变大

图 5.40　依从不确定度的判定原则

根据这一判定原则，规范阶段的"一致"区域和"不一致"区域是由规范上限和规范下限共同决定的，是不变的。在认证阶段，由于依从不确定度的存在，规范上限和规范下限两侧会产生一个"依从不确定区域"，相应地，"一致"区域和"不一致"区域会有所减小。

与测量不确定度的判定原则相同点在于，依从不确定度的判定原则也可以分为以下三种情况：

(1)判定合格的情况。当测量结果的完整表述($y'$)落在要素特征的规范区域之内，如图 5.41(a)所示；或者测量结果($y$)落在被依从不确定度($U$)减小之后的规范区域之内时，如图 5.41(b)所示，判定要素特征合格。

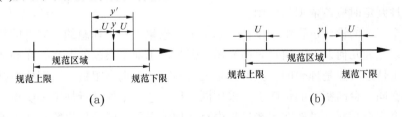

（a）　　　　　　　　　　　　　　　　（b）

图 5.41　判定合格

(2)判定不合格的情况。当测量结果的完整表述($y'$)落在要素特征的规范区域之外，如图 5.42(a)所示；或者测量结果($y$)落在被依从不确定度($U$)扩大之后的规范区域之外时，如图 5.42(b)所示，判定要素特征不合格。

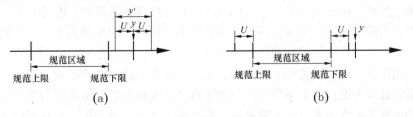

（a）　　　　　　　　　　　　　　　　（b）

图 5.42　判定不合格

(3)既不能判定合格也不能判定不合格的情况。

当测量结果的完整表述(y′)包含规范极限，如图 5.43(a)所示；或者测量结果(y)落在依从不确定区域之内时，如图 5.43(b)所示，既不能判定要素特征合格也不能判定不合格，要素特征是否合格，要由供求双方共同协商确定。

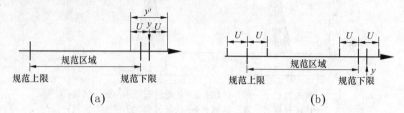

图 5.43　既不能判定合格也不能判定不合格

依从不确定度的判定原则与测量不确定度的判定原则相比较，最大区别在于依从不确定度的判定原则不仅考虑了测量不确定度对于认证结果的影响，而且考虑了规范不确定度对于认证结果的影响，从而导致"不确定度区域"有所扩大，这是因为依从不确定度的数值一要大于测量不确定度的数值。"不确定度区域"有所扩大的直接后果就是导致依从不确定度的判定原则比测量不确定度的判定原则要求更严格一些。对于一个给定的 GPS 规范，一般而言，规范不确定度是客观存在的。所以，对于一个给定的 GPS 规范所限定的要素特征，依从不确定度的判定原则相比较测量不确定度的判定原则更为合理，而且与新型 GPS 不确定度理论相一致。

### 5.8.5.3　总体不确定度的判定原则

上述依从不确定度的判定原则是针对单个的 GPS 规范而言的。下面来分析对于工件进行合格性判定时应该依据的原则。

在一个工件的设计过程中，设计者总是把它想象成一个理想的、完美的物体，没有任何尺寸误差和几何误差，而且表面光滑。但是由于加工误差的存在，在制造过程所得到的实际工件不可能是理想的，其形状是失真的，表面也是粗糙的。即使根据同一张设计图纸，在同一台高精度的机床上，采用同一种工艺对工件进行加工，所得到的每一个工件也不会完全相同。虽然在制造过程中存在加工误差，但是如果能够适当地对其加以控制，只要工件能够满足功能要求，则认为该工件是合格的。对于一个工件来说，为了使其满足功能要求，需要一系列的 GPS 规范来控制相应的要素特征，它包括了工件的尺寸公差、几何公差和表面形貌公差等方面，共同用来描述同一个工件的一系列的 GPS 规范组成一个"GPS 规范集"。

虽然工件的"GPS 规范集"和它的功能要求之间是相联系的，但是对于工件相同的功能要求，不同的设计人员可能将它"翻译"成不同的"GPS 规范集"。不同的"GPS 规范集"对于工件功能的控制和影响显然是不一样的，也就是说，"GPS 规范集"和功能要求之间存在一个"相关性"的问题，这就是相关不确定度的影响，在工件的合格性判定时应该加以考虑。相关不确定度是源于由"GPS 规范集"所决定的多个实际规范操作链和功能操作链之间差值的不确定度，它反映了"GPS 规范集"是否很好地表达了工件的功能要求。一般情况下，相关不确定度和单个的 GPS 规范并没有直接关系，因为对于工件功能的控制需要一系列的 GPS 规范的共同作用，即"GPS 规范集"的作用。

当工件所有的设计功能都能够由"GPS 规范集"表达和控制的时候，"GPS 规范集"就是完整的。在有些情况下，"GPS 规范集"是不完整的，因为一些功能没有被完整地表达或控制，甚至根本没有被表达或控制。因此，相关不确定度强调的就是对功能的控制是否理想，这反映在工件功能和采用的"GPS 规范集"之间的相关程度上。如果相关程度较高，则相关不确定度较小，说明"GPS 规范集"对于工件功能的描述和控制得力；反之，如果相关程度较低，则相关不确定度较大，说明"GPS 规范集"对于工件功能的描述和控制不力。如图 5.44 所示，工件的功能要求有一个合理的区域，在"GPS 规范集"的控制下，随着相关不确定度的逐渐增大，满足功能要求的区域会逐渐变小，也就是"GPS 规范集"和工件功能的相关性逐渐变小，从而导致"GPS 规范集"对于工件功能的控制越来越不力。由此可见，相关不确定度是一个定性指标，它定性地反映了"GPS 规范集"对于工件功能的控制是否得力。

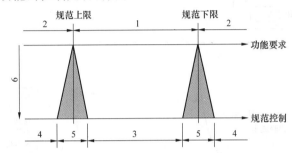

1—设计满足功能要求区域；2—设计不满足功能要求区域；
3—在"规范集"下满足功能要求区域；
4—在"规范集"下不满足功能要求区域；
5—相关不确定区域；6—相关不确定度变大

**图 5.44　相关不确定度对于工件功能的影响**

从上述分析可知，相关不确定度是判定工件是否合格的过程中不可忽视的一个因素。所以，对于一个给定的工件，在采用依从不确定度的判定原则对"GPS 规范集"中的每一个 GPS 规范进行合格性判定的基础上，还要考虑相关不确定度是否满足要求，即"GPS 规范集"对于工件功能的控制是否得力。由此看来，在工件的合格性判定中，考虑的是总体不确定度是否满足要求，因为依从不确定度和相关不确定度之和正是总体不确定度。既然总体不确定度是工件是否合格的衡量指标，那么就应该依据总体不确定度对该工件进行合格性判定，这就是总体不确定度的判定原则。具体地讲，总体不确定度的判定原则可以分为以下三步进行：

第一步，对于"GPS 规范集"中的每一个给定的 GPS 规范，按照依从不确定度的判定原则对相应的要素特征依次进行合格性判定；

第二步，确定工件是否达到设计功能，即相关不确定度是否定性地满足要求；

第三步，在工件的规范、加工和认证之间建立一个相对的平衡，保证总体成本最小。

归纳起来，总体不确定度的判定原则可以用图 5.45 表示。

总体不确定度的判定原则与依从不确定度的判定原则相比较，区别主要表现在三个方面：一是适用对象不同，总体不确定度的判定原则适用于工件，而依从不确定度的判

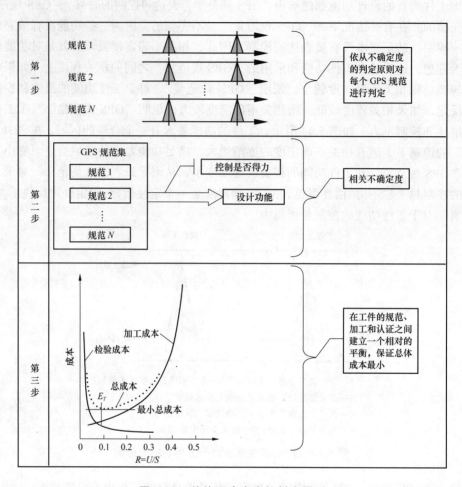

图 5.45　总体不确定度的判定原则

定原则适用于工件的某一个要素特征；二是总体不确定度的判定原则考虑了测量不确定度、规范不确定度和相关不确定度对于工件认证结果的影响，而依从不确定度的判定原则只是考虑了测量不确定度和规范不确定度对于工件的某一个要素特征的认证结果的影响；三是与总体不确定度的判定原则相对应的是工件的"GPS规范集"，需要考虑多条GPS标准链，而与依从不确定度的判定原则相对应的是工件的"GPS规范集"的某一个GPS规范，只需要考虑与给定GPS规范相对应的一条GPS标准链。

## 5.9　基于新型GPS理论的应用实例

为了研究新型GPS标准的理论及关键技术的应用模式，本节用实例分析说明。

### 5.9.1　规范操作实例

以位置度公差规范为例，分析GPS规范操作方法。图5.46是根据ISO1101制定的一个位置度公差的规范。

几何要素的获取如下。

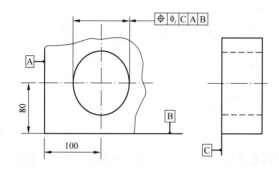

图 5.46　孔的位置度公差规范举例 （单位：mm）

### 5.9.1.1　圆柱轴线

(1)建立规范表面模型，从规范表面模型中分离出非理想圆柱面，见图 5.47(a)、(b)；

(2)依据最大内接圆的算法用一个理想圆柱面与所分离出的非理想圆柱拟合，得到一个理想拟合圆柱，见图 5.48(a)、(b)；

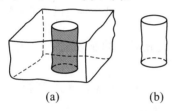

(a)　　　　(b)

图 5.47　分离得到非理想圆柱面

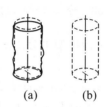

(a)　　(b)

图 5.48　拟合得到理想圆柱面

(3)构造一组垂直于拟合圆柱轴线的平面，见图 5.49(a)、(b)；

(4)用构造的平面从非理想圆柱面中分离出非理想圆的轮廓线，见图 5.50(a)、(b)；

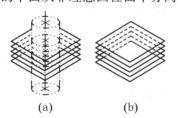

(a)　　　　(b)

图 5.49　构造出垂直理想圆柱轴线的平面

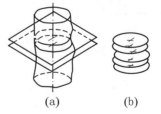

(a)　　(b)

图 5.50　分离得到非理想圆

(5)用理想圆与分离出的非理想圆的轮廓线依据最大内接圆的规则拟合出理想圆，见图 5.51(a)、(b)；

(6)将所有拟合理想圆的圆心集成为非理想圆柱的轴线 $L$，见图 5.52(a)、(b)。

### 5.9.1.2　基准表面 $A$、$B$、$C$

(1)从规范表面模型中分离出一个与表面 $S_C$ 相对应的非理想平面 $P_C$，见图 5.53(a)、(b)；

(2)用一个理想平面与非理想平面 $P_C$ 拟合，得到一个理想的拟合平面，该平面即为基准 C，见图 5.54(a)、(b)；

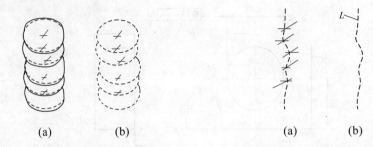

(a)      (b)            (a)      (b)

图 5.51　与非理想圆拟合得到理想圆　图 5.52　将拟合圆的圆心集成为非理想圆柱的轴线

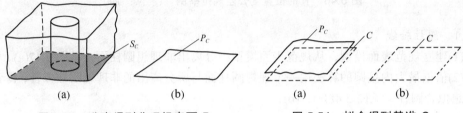

(a)      (b)            (a)      (b)

图 5.53　分离得到非理想表面 $P_C$　　图 5.54　拟合得到基准 $C$

(3)从规范表面模型中分离出一个与表面 $S_A$ 相对应的非理想平面 $P_A$，见图 5.55(a)、(b)；

(4)用一个理想平面(垂直于基准 $C$ 的拟合平面)与分离平面 $P_A$ 拟合，得到一个理想的拟合平面，该平面即为基准 $A$，见图 5.56(a)、(b)；

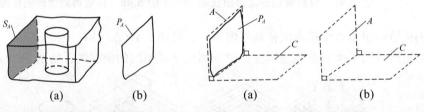

(a)      (b)            (a)      (b)

图 5.55　分离得到非理想表面 $P_A$　　图 5.56　拟合得到基准 $A$

(5)从规范表面模型中分离出一个与表面 $S_B$ 相对应的非理想平面 $P_B$，见图 5.57(a)、(b)；

(6)用一个同时垂直于基准 $A$ 和基准 $C$ 的理想平面与分离平面 $P_B$ 拟合，得到一个理想的拟合平面，该平面即为基准 $B$，见图 5.58(a)、(b)。

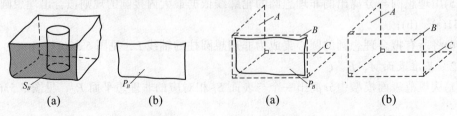

(a)      (b)            (a)      (b)

图 5.57　分离得到非理想表面 $P_B$　　图 5.58　拟合得到基准 $B$

### 5.9.2 几何产品功能、设计、制造与检验一致性表达规范

#### 5.9.2.1 功能、设计、制造与检验规范之间关系模型

几何规范是对工件一组几何特征进行精度设计，定义一个与工件的生产工艺相一致的质量标准，满足工件的功能需求。

设计者首先从产品零件功能入手，定义一个在尺寸和形状上都是完美的"工件"。这个完美形状的"工件"被称做公称表面模型；利用公称表面模型的公称值对该零件的几何尺寸进行表述。由于生产或测量过程的可变性和不确定性，零件的公称值不可能用来制造或检验。设计者根据公称几何量，在满足功能要求的情况下，考虑零件制造工艺和经济成本要求，建立一个模拟实际工件的表面模型，即规范表面模型，在概念上估计表面的变化，由模拟表面代替了可能被估计到的工件真实表面的变化。依据规范表面模型，设计者可以优化零件几何要素的最大允许限定值，定义工件每一几何要素的公差。

制造过程是由制造人员负责对 GPS 规范的解释和实施，完成产品的加工和装配的过程。设计规范定义的几何误差将被用于控制制造过程。

认证过程是检测人员确定工件的实际表面与所规范的可允许误差是否一致。检测人员依据工件的实际表面，根据测量设备确定检验的每一个步骤，然后用测量结果与规范表面模型确定几何要素的特征进行一致性分析，判定产品是否合格。

产品功能、设计、制造与检验规范之间关系模型如图 5.59 所示。

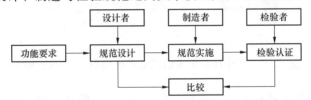

**图 5.59　产品功能、设计、制造与检验规范之间关系模型**

#### 5.9.2.2 产品功能、设计、制造与检验的表达规范应用实例研究

为了分析新型 GPS 中的表面模型、几何要素及操作之间的相互关系和应用模式，以及基于新型 GPS 的功能、设计、制造与检验的一致性表达规范应用方法，本节用一个简单的机构来说明。如图 5.60 所示，该机构由一个机座、两根轴和一对齿轮组成。图 5.61为机座的公称几何形状，与该机构功能要求有关的是孔 A、B。利用新型 GPS 语言的规范模型，根据设计、制造与检验不同的要求，给出关于孔 A、B 与功能有关的规范，设计、制造及检验几何信息的传递关系。

1)功能要求规范

对于功能要求规范，首先利用如图 5.62 所示的模拟模型给出功能要求的表达，然后将它们转化为标准化规范。

要保证在两根轴上的一对齿轮能够良好啮合运行，需要保证两根轴之间的距离。它的关系是取决于传动链中每一个零件的误差，特别是安装齿轮轴的两个孔的误差。将机座的功能要求转换为两个轴之间距离的变化，即两个孔的直径和位置误差。分析机座与两根理想形状轴的配合，在啮合的区域，给出第二根轴的理想位置，分析轴线上起作用两点极限位置。

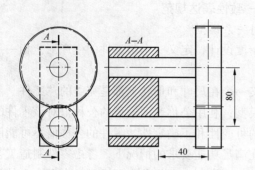

图 5.60 机构 （单位：mm）

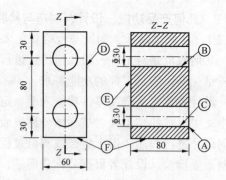

图 5.61 公称几何模型（单位：mm）

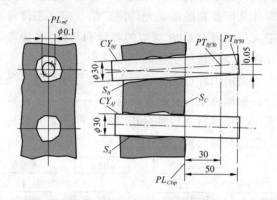

图 5.62 基于功能要求的功能模拟模型 （单位：mm）

通过对限定的几何要素进行一系列操作获得由两个圆柱、两个平面和两个点的所组成理想几何形状的真实表面的偏差，如图 5.63 所示。通过操作所获得的几何要素的结果为

面： $PL_{Clsq} \left| \min square \left[ d(S_C, PL_{Csq}) \right] \right.$

圆柱： $CY_{Af} \left| \begin{array}{l} \max d(S_A, CY_{Af}) \leqslant 0 \\ dia(CY_{Af}) = 30 \end{array} \right.$   $CY_{Bf} \left| \begin{array}{l} \max d(S_B, CY_{Bf}) \leqslant 0 \\ dia(CY_{Bf}) = 30 \end{array} \right.$

点： $PT_{Bf30} \left| \begin{array}{l} d[PT_{Bf30}, axis(CY_{Bf})] = 0 \\ d(PT_{Bf30}, PL_{Clsq}) = 30 \end{array} \right.$   $PT_{Bf50} \left| \begin{array}{l} d[PT_{Bf50}, axis(CY_{Bf})] = 0 \\ d(PT_{Bf50}, PL_{Blsq}) = 50 \end{array} \right.$

直线： $ST_{Mf} \left| \begin{array}{l} a[SL_{Mf}, axis(CY_{Af})] = 0° \\ d[SL_{Mf}, axis(CY_{Bf})] = 80 \\ a(SL_{Mf}, SL'_{Mf}) = 0° \\ d(PL_{Mf}, SL_{Mn}) = 0 \end{array} \right.$

基于功能要求的轴的偏差规范表示为

$$\max\left\{d(PT_{Bf30}, SL_{Mf})\text{或}d(PT_{Bf}, SL_{bf})\right\}\leqslant 0.1$$

2)设计规范

机座功能要求是通过两个孔尺寸和位置规范实现的。两个孔 A、B 的直径尺寸规范是最简单的公差带规范，直径规范由局部尺寸定义。根据 ISO 标准，这些尺寸由相反两点的距离表达。

根据如图 5.63 所示的规范表面模型，通过操作获得几何要素的规范。

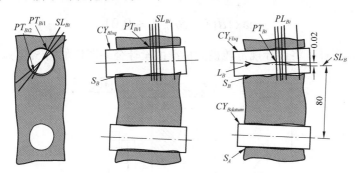

**图 5.63　规范设计阶段的规范表面模型** （单位：mm）

(1)孔 A 及 B 的直径尺寸规范。

圆柱：$CY_{Alsq}\left|\max d(S_A, CY_{Aslq})\right|$；$CY_{Blsq}\left|\max d(S_B, CY_{Bslq})\right|$

直线：$SL_{Ai}\begin{vmatrix}a[axis(CY_{Alsq}), SL_{Al}]=90° \\ d[axis(CY_{Alsq}), SL_{Al}]=0\end{vmatrix}$；$SL_{Ai}\begin{vmatrix}a[axis(CY_{Blsq}), SL_{Bl}]=90° \\ d[axis(CY_{Blsq}), SL_{Bl}]=0\end{vmatrix}$

点：$PT_{Ai1}\left|d(S_A, S_{Ai1})\right|=0$；$PT_{Bi1}\left|d(S_B, S_{Bi1})\right|=0$

$PT_{Ai2}\left|d(S_A, SL_{Ai1})\right|=0$；$PT_{Bi2}\left|d(S_B, SL_{Bi2})\right|=0$

孔 A 及 B 的直径尺寸规范表达为

$$30\leqslant d(PT_{Ai1}, PT_{Ai2})\leqslant 30.02 \text{ 及 } 30\leqslant d(PT_{Bi1}, PT_{Bi2})\leqslant 30.02$$

(2)孔 B 的位置规范。孔 B 的位置规范要求确定机座实际表面 $S_B$ 的轴线 $L_B$ 的公差。获得孔 B 轴线的操作为

平面：$PL_{Bi}\left|a\left[aixs(CY_{Blsq}), PL_{Bi}\right]=90°\right.$；线：$L_{Bi}\left|d(S_B, PL_{Bi})=0\right.$

圆：$CR_{Bi}\begin{vmatrix}d(CR_{Bi}, PL_{Bi})=0 \\ \min suire[d(L_{B1}, CR_{Bi})]\end{vmatrix}$；线：$L_B\left|colloection[center(CR_{Bi})]\right.$

孔 B 的位置规范由两个操作实现，其中一个是定义基准，另一个是定义条件。

圆柱：$CY_{Adatum} \begin{vmatrix} d_{C\max}(CY_{Adatum} - S_A) \leqslant 0 \\ \max dia(CY_{Adatum}) \end{vmatrix}$

直线：$SL_B \begin{vmatrix} a[axis(CY_{Adatum}), SL_B] = 0° \\ a[axis(CY_{Adatum}), SL_B] = 80 \\ \min(\max d(L_B, SL_B)) \end{vmatrix}$

圆柱 B 轴线的位置规范表示为

$$\max\{d(L_B, SL_B)\} \leqslant 0.01$$

(3)规范设计图样。将设计规范转换为标准的设计公差图样如图 5.64 所示。

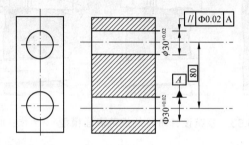

图 5.64　设计的标准公差图样

3)制造规范

在制造过程中，公差表达直接依据制造工艺。对于制造规范，需要考虑根据位置规范确定所允许的制造误差。根据如图 5.65 所示的制造过程几何规范模型，在制造过程中，制造的定位基准平面为 $PL_{Fdatum}$、$PL_{Cdatum}$ 和 $PL_{Ddatum}$。将孔 A 和 B 的轴线规范转换为对应基准平面 $PL_{Fdatum}$、$PL_{Cdatum}$ 和 $PL_{Ddatum}$ 的位置规范。

实际表面 $S_C$ 对应于公称表面 $C$，实际表面 $S_D$ 对应于公称表面 $D$，实际表面 $S_F$ 对应于公称表面 $F$。在基座的制造中，基准面分别为 $F$、$C$ 和 $D$。基准平面 $PL_{Fdatum}$、$PL_{Cdatum}$ 和 $PL_{Ddatum}$ 通过分离操作和拟合操作获得。

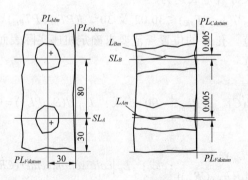

图 5.65　基于制造的几何规范模型 （单位：mm）

首先，通过分离操作，从实际表面获得面 $S_F$、$S_C$ 和 $S_D$，然后用理想的平面，按照它们之间的约束与其拟合得到基准平面 $PL_{Fdatum}$、$PL_{Cdatum}$ 和 $PL_{Ddatum}$。

平面：$PL_{Fdatum}\begin{vmatrix} \min d(S_F, PL_{Fdatum}) \geqslant 0 \\ \min\{\max d(S_F, PL_{Fdatum})\} \end{vmatrix}$

$$PL_{Cdatum}\begin{vmatrix} a(PL_{Fdatum}, PL_{Cdatum}) = 90° \\ \min d(S_C, PL_{Fdatum}) \geqslant 0 \\ \min\{\max d(S_F, PL_{Fdatum})\} \end{vmatrix}$$

$$PL_{Ddatum}\begin{vmatrix} a(PL_{Fdatum}, PL_{Ddatum}) = 90° \\ a(PL_{Cdatum}, PL_{Ddatum}) = 90° \\ \min d(S_C, PL_{Fdatum}) \geqslant 0 \\ \min\{\max d(S_F, PL_{Fdatum})\} \end{vmatrix}$$

对实际表面 $S_B$ 的提取轴线 $L_B$，对实际表面 $S_A$ 的提取轴线 $L_A$ 的操作与规范相同。位置规范可表达为实际表面的轴线与拟合基准圆柱轴线之间的偏差。其操作为

平面：$PL_{Ai}\begin{vmatrix} a[aixs(CY_{Alsq}), PL_{Fi}] = 90° \end{vmatrix}$

线：$L_{Ai}\begin{vmatrix} d(S_A, PL_{Ai}) = 0 \end{vmatrix}$

圆：$CR_{Ai}\begin{vmatrix} d(CR_{Ai}, PL_{Ai}) = 0 \\ \min\{squire[d(L_{A1}, CR_{Ai})]\} \end{vmatrix}$

线：$L_A\begin{vmatrix} colloectio\ n[center(CR_{Ai})] \end{vmatrix}$

位置规范可通过在理想位置所构造的两条直线 $SL_{Aman}$ 和 $SL_{Bman}$ 进行转换。

直线：$SL_{Aman}\begin{vmatrix} a(SL_{Aman}, PL_{Ddatum}) = 0° \\ d(SL_{Aman}, PL_{Ddatum}) = 30 \\ a(SL_{Aman}, PL_{Cdatum}) = 0° \\ d(SL_{Aman}, PL_{Cdatum}) = 30 \end{vmatrix}$

$$SL_{Bman}\begin{vmatrix} a(SL_{Bman}, PL_{Ddatum}) = 0° \\ d(SL_{Bman}, PL_{Ddatum}) = 30 \\ a(SL_{Bman}, PL_{Cdatum}) = 0° \\ d(SL_{Bman}, PL_{Cdatum}) = 80 \end{vmatrix}$$

孔 $S_A$、$S_B$ 的导出轴线与构造直线之间的位置规范表示为
$$\max d(L_A, SL_{Aman}) \leqslant 0.005\ \text{及}\ \max d(L_B, SL_{Bman}) \leqslant 0.005$$
如图 5.66 所示是将位置规范转换为制造的标准公差。

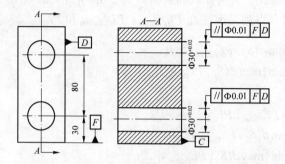

**图 5.66　基于制造的标准公差图样**　(单位：mm)

4)认证检验规范

认证过程中，功能状态的解释依据测量设备和测量方法。基于几何功能要求，根据设计的标准化公差定义认证(检验)规范。在本例中以孔 A 为基准，确定孔 B 的轴线的认证(检验)规范。

根据规范设计中所定义平面 $PL_{Clsq}$ 和圆柱 $CY_{Alsq}$、$CY_{Blsq}$，在孔的轴线上与平面 $PL_{Clsq}$ 和 $PL_{Dlsq}$ 所构造两个点 $PT_{BE}$ 和 $PT_{BE}$，见图 5.67。获得拟合平面与两个构造点的操作为

平面：$PL_{Elsq}\big|\min\{squiresd(S_E,PL_{Elsq})\}$

点：$PT_{AE}\begin{vmatrix} d(PT_{AE},PL_{Eslq})=0 \\ d[PT_{AE},axis(CY_{Alsq})]=0 \end{vmatrix}$ ; $\quad PT_{BE}\begin{vmatrix} d(PT_{BE},PL_{Eslq})=0 \\ d[PT_{BE},axis(CY_{Blsq})]=0 \end{vmatrix}$

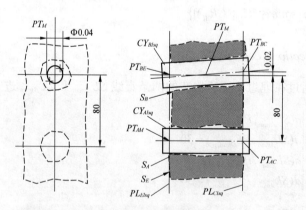

**图 5.67　检验阶段的几何规范模型**　(单位：mm)

位置规范可由平行于圆柱 $CY_{Alsq}$ 的轴线且距离为 80 mm 的一条构造直线 $SL_M$ 与点 $PT_{BC}$ 及 $PT_{BE}$ 相配合来转换。直线 $SL_M$ 构造操作为

点：$PT_M\begin{vmatrix} d[PT_M,axis(CY_{Blsq})]=0 \\ d(PT_M,PT_{BC})=d(PT_M,PT_{BE}) \end{vmatrix}$

平面：$PL_M$ $\begin{vmatrix} a(PL_M, axis(CY_{Alsq})) = 0° \\ d(PL_M, axis(CY_{Alsq})) = 0 \\ d(PL_M, PT_M) = 0 \end{vmatrix}$

直线：$SL_M$ $\begin{vmatrix} a(SL_M, axis(CY_{Alsq})) = 0° \\ d(SL_M, axis(CY_{Alsq})) = 80 \\ a(SL_M, PL_M) = 0° \\ d(SL_M, PL_M) = 0 \end{vmatrix}$

认证检验规范表示为

$$\max\{d(SL_M, PT_{BF}), d(SL_M, PT_{BD})\} \leqslant 0.02$$

## 5.10　小结

本章基于新型 GPS 标准的综合模型建模思想，给出了新型 GPS 标准的理论框架体系和应用模式。主要内容如下：

(1)建立了新型 GPS 标准的理论框架体系，分析给出了表面模型、几何要素、规范与认证、操作与操作链、不确定概念及理论之间的关系。

(2)研究分析了表面模型的定义、分类及应用。根据 GPS 的"功能描述、规范设计、检验评定"不同阶段，将表面模型分为公称表面模型、规范表面模型、认证表面模型，有效地解决了产品在"功能描述、规范设计、检验评定"中规范表达统一的问题。

(3)研究分析了几何要素，基于几何要素存在于"设计"、"物理"与"认证"三个领域的思想，对几何要素进行了分类和定义，探讨了几何要素之间的关系和应用，并给出在公称设计、规范设计与认证检验中几何要素的应用模式。

(4)系统地研究了几何要素获取的数学工具——"操作"与"操作链"的原理、方法及规范。

(5)分析研究了 GPS 的规范与认证操作，归纳出了规范过程和认证过程的步骤。

(6)研究了新型 GPS 中的不确定度分类和定义，根据不确定度与 GPS 标准的综合模型的关系，分析了产品功能、规范设计及认证检测之间不确定度传递关系及相互影响关系及应用，讨论了不确定度的判定原则。

(7)给出了新型 GPS 的功能、设计、制造与检验一致性规范表达的应用实例。

# 第6章 基于轧钢生产中的新型GPS的数据库系统设计研究

## 6.1 引言

新型 GPS 语言强调经济管理，优化资源，标准与标准之间的衔接相当严谨。涉及到的定义精确、数学算法严格；大量的新测量技术及现代校准、量值溯源方法，使得新型 GPS 标准与计量成为一个非常庞大、复杂的系统。因而，新型 GPS 要求设计、制造和计量工程师具有全面的设计、标准和计量学科的知识背景，能理解与应用交叉学科的技术，要求更高。如果采用常规的贯标方法来实现新型 GPS 的应用，将耗费巨大的经费来训练专门的技术人才，特别对中小型企业来说，由于专门技术人才缺乏，新型 GPS 将非常难以实现。

现代钢铁工业朝着数字化、信息化、智能化的方向快速发展，越来越多的 CAD/CAM/CAT 软件成功地用于钢铁产品制造，但是保证产品功能和质量的几何公差设计主要还是依据设计人员的多年设计经验，而且设计与检验缺少统一的评判标准，难以满足新型 GPS 标准体系的明晰、无歧义的信息交流语言的要求，也难以满足钢铁生产技术发展的要求。因此，为了加速贯彻实施新型 GPS 技术标准体系，采用知识工程技术搭建能与 CAX 系统相结合的 GPS 知识库势在必行。GPS 知识库为设计人员、制造人员和计量检验人员搭建一个从设计、加工到检测的整个生产过程信息一致的交流平台，帮助设计人员、制造人员、计量检验人员更快地了解和掌握新型 GPS 标准体系的具体规范要求，以达到规范产品设计、生产、检验行为的目的。GPS 知识库还提供一系列测量认证模块，把产品开发过程中涉及到的多学科知识有机地集成在一起，更好地支持了设计跟测量认证一致性的规范要求、并行工程和协同设计要求。

该系统是基于 CAD 的表面/实体的几何造型技术，在产品设计的信息中包含产品几何要素技术规范要求的数据信息，并将该技术规范信息传递到制造、认证检验中，实现功能描述、规范设计、图样表达和认证评定全过程的数学表达和规范统一，有利于 GPS 标准内各环节之间信息的传递，实现 GPS 与 CAX 之间的信息集成与共享。

本章提出新型 GPS 标准与计量的数据库系统的总体方案，用 UML 软件分析了 GPS 知识库与 CAX 软件集成的业务流程，界定了 GPS 知识库的边界。选用 Visual C++6.0 和数据库管理软件 SQL2000 构建 GPS 知识库——新型 GPS 标准体系的应用平台，并在 AutoCAD 中进行 GPS 知识库的测试。但是，由于整个 GPS 知识库系统所涉及的范围广、内容多，工作量非常大，不是一个或几个人能够完成的，本章只在数据库系统的总体方案上做了一些探索性的研究，其目的是为整个系统的设计探索一个可行的方案。

## 6.2 GPS 知识库系统的基本框架

新型 GPS 标准数据库系统是以 GPS 矩阵模型为基础的，以不确定度和操作链为联系纽带的，集要素的设计、加工和检验于一体的公差方法和不确定度的优化分配原则的一个智能化 GPS 应用平台，使用清晰易懂的多媒体人机交互界面，将研究、设计、生产、计量、管理集成在一体，为设计工程师、产品工程师、计量测试工程师和技术管理工程师提供一个便利的工具。根据 GPS 标准的综合模型、体系框架结构以及应用模式，将新型 GPS 标准体系按其总体结构转化为一个大型的标准与计量数据库系统，其总体框架如图 6.1 所示。

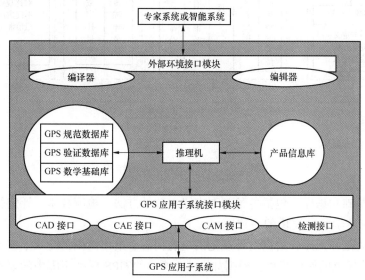

图 6.1　GPS 知识库的基本框架

GPS 知识库主要由外部环境接口模块、GPS 规范数据库、GPS 验证数据库、GPS 数学基础库、推理机构、产品信息库和对子系统的接口模块七部分组成。

### 6.2.1　外部环境接口模块

外部环境包括专家系统或其他智能软件系统，GPS 知识库具有开放性结构，通过外部环境接口既可以与专家系统对话，将新型的数学算法、检测技术、评定算法等相关计量知识分别存放到相应的 GPS 知识库模块中；也可以与其他外部智能系统对话，以便于扩展，在更大规模上实现与其他智能软件系统的集成。

### 6.2.2　元知识库

元知识库包括编辑器、编译器、GPS 规范数据库和 GPS 验证数据库。使用编辑器将GPS 规范按一定格式和接近自然语言的方式表达，使产品设计、制造与检验技术人员便于理解知识库中的知识。编译器是将编辑器中的知识变为推理机可以利用的内部形式或将数据结构标准化。GPS 知识库主要由知识库框架、基础库框架、GPS 规范知识库、GPS 验证知识库、对比与溯源知识库五部分组成，如图 6.2 所示。

(1)GPS 框架与指南：将新型 GPS 标准体系中的 100 多个标准与技术文件转换成结构化的数学模块，建立它们之间的逻辑、有序关系，给出通用 GPS 矩阵中 18 个标准链之间不同的作用和相互关系。

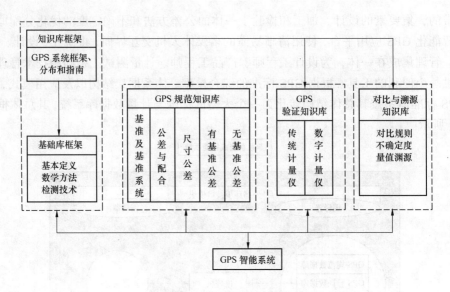

图 6.2 GPS 元知识库的结构

(2)GPS 基础知识库：包括各种基本定义、数学方法、检测技术、评定算法和量值溯源，保证所有数学基础模块的一致性。

(3)GPS 规范知识库：给出设计规范的所有内容，给出清晰的定义、基准的选择，与计量相关设计规范的使用指南。根据如图 6.2 所示的 GPS 标准矩阵中的要素几何特征的类型：基准及基准系统、公差与配合、尺寸公差、有基准的公差和无基准的公差，分为5 个不同的知识数据库。在每一种类型中，根据标准链环结构特征，设计出各自的虚拟功能控件。整个规范知识库可直接与 CAD 系统接轨，成为 CAD 系统的精度设计部分。

(4)GPS 验证知识库：给出 GPS 测量的过程，仪器的选择、定标及量值传递方法，以及与设计规范相关联的评定技术。该知识库将被分为两个数据模块来处理两种不同类型的仪器：一类是数据仪器类，包括表面测量仪器、三坐标测量机(CMM)、圆度仪等能够直接测量出工件几何要素特征数据的测量仪器；另一类是量规类。这个知识库模块可独立地嵌入新的 CAM/CAT 系统，也可供计量测试人员单独使用，或嵌入测量仪器系统。

(5)对比与溯源知识库：给计量测试人员提供比对原则方法测量置信度，及给出适用工业界的不确定度算法和使用指南。

### 6.2.3 产品信息库

为 CAD/CAM/CAT 系统之间进行数据交换和传递，设置 GPS 规范数据格式和数据存储数据区，以便于数据信息的全局共享。由于建立 GPS 知识库是在 AutoCAD 上进行测试，数据来源于 AutoCAD，对其实体的扩展类的相关信息数据暂时选用 AutoCAD 的DXF 文件格式存放方式和自定义的产品信息数据库存放方式。

### 6.2.4 推理机构

推理机构包含多种推理方法，对相应的知识做相应的操作和处理，并且依据产生的结论执行和实施一定的行为。例如，在检测过程中，根据所需的被测量的基本信息，通过检测接口、推理机读取 GPS 规范数据库和 GPS 验证数据库中相应的规范标准信息，对检测行为和步骤进行严格、统一的标准规范。

### 6.2.5 GPS 应用系统接口

GPS 知识库通过与子系统的接口与子系统(如 CAD、CAT)相连接，这个接口保证子系统的非标准数据格式可以转化为 GPS 知识库所规定的 GPS 语言标准格式。

为了实现 GPS 知识库能与 CAX 集成，考虑采用以下三种方案。

方案一：若 CAX 的各个子系统仍是独立的"孤岛"，同一产品的数据在各子系统中是独立存放的，而且各子系统的数据之间没有直接交换和共享通道，则可以考虑以 GPS 标准为底层知识库，利用较成熟的信息交换 STEP 标准技术作为中间层，以实现 CAX 的各个子系统与 GPS 知识库的集成，如图 6.3 所示。

方案二：以 GPS 知识库和产品信息数据库为底层库，利用 CAX 软件开发包对 CAX 软件直接进行二次开发工作，CAX 软件一般都具有开放的体系结构和二次开发接口，以 CAD 为例，软件模型如图 6.4 所示。

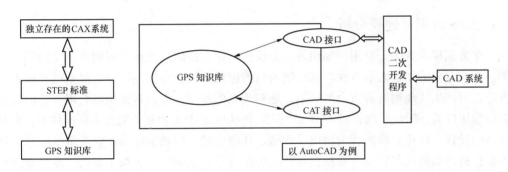

图 6.3　GPS 知识库与
CAX 系统的集成方案一

图 6.4　GPS 知识库与 CAX 系统的集成方案二

这个方案技术能够较容易和较快地实现 GPS 知识库和某一 CAX 软件的集成。但是，CAD 软件的选型很重要，例如，AutoCAD 系列的二次开发包软件中，没有提供几何要素的拓扑结构的接口，而且 CAD、CAM 或 CAT 检测是从不同应用角度来描述几何实体类，这就要求 GPS 知识库在与 CAX 系统交互时，需扩展、更新或生成新的几何类或数据结构来描述，并存储成新的文件格式，而且由于对不同的 CAX 软件，都需开发出相应的接口，工作量相对较大。但是，可以利用软件二次开发包对 CAX 软件进行二次开发，通过相应的接口和产品信息库，即可实现 CAX 软件与 GPS 知识库的数据交流，充分利用 GPS 知识库对产品设计、制造到检测过程的统一的技术规范和指导，以满足用户的需求。

方案三：以 GPS 规范知识库为底层库，直接基于三维造型核心平台、公差设计等技术开发 CAD 与 CAT 检测集成系统平台，如图 6.5 所示。这个框架不涉及到数据交换过程中丢失图元信息或在 CAX 系统传输中产生信息传递的不对称性，而且具有自主的知识产权。从长远来看，这也是个可行的、前景颇好的新型 GPS 数据库系统方案。

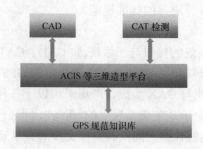

图 6.5　GPS 规范知识库与 CAX 系统的集成方案三

从上述三种方案探讨中可知，较快的实施方式为第二种方案，但是第三种方案是具有自主版权的软件开发和 GPS 实施方案。鉴于此，可采用将后两种方案综合的方式，利用面向对象的组件可重用技术将 GPS 标准体系按适当原则划分成可重用的组件，CAX系统的开发商可直接使用 GPS 标准组件来规范 CAX 的设计、制造和检测操作。

## 6.3　GPS 数据库建模分析

在数据库系统中，常用的知识表示方法包括谓词逻辑、产生式规则、语义网络、框架、面向对象的知识表示方法。在传统的数据库设计中，常采用产生式规则的知识表示方法，但产生式规则有着致命的缺陷，随着规则的增多，易出现知识组合爆炸，而且知识的模块性差，知识库维护较为困难。而新型 GPS 是个庞大复杂的技术标准体系，它对产品的设计、制造、检测行为给出了严格、详细、统一的规范标准。它规范的产品信息不仅包括产品的几何特征，而且包括产品公差特征、表面质量、加工方法、测量方法等大量信息，这些复杂的信息难以用传统的实体造型模型或常规的数据结构完整地描述出来。但是，当今较流行的新型面向对象的智能数据库结构能将表达对象的数据与处理数据的知识作为一个有机整体对待，使知识的模块化更强、冗余度更小，并且极大地改善了知识库的可读性、可维护性。因此，GPS 数据库选用基于要素几何特征的编码方式和面向对象的知识表示方法。

下面以分项的形式分析 GPS 数据库的业务框架、业务流程、业务实体关系、具体功能需求，作为测试用例编写的依据。

### 6.3.1　UML 建模语言简介和统一建模方法

#### 6.3.1.1　UML 建模语言简介

自从 20 世纪 80 年代提出面向对象的概念以后，面向对象技术作为一种全新的软件开发方法，在软件工程领域被越来越广泛地使用。近几年来，在综合了三种具有代表性的面向对象方法——Booch 方法、OMT 方法和 OOSE 方法的基础上，又提出了标准建模语言 UML(Unified Modelling Language)和统一建模方法，并产生了相应的建模工具。

UML 是一种定义良好、易于表达、功能强大且普遍适用的建模语言，其目标是以面向对象图的方式来描述任何类型的系统，可以对任何具有静态结构和动态结构的系统进行建模，具有很宽的应用领域，主要用于建立软件系统的模型，也可以用于描述不带任何软件的机械系统、企业机构、企业过程、复杂的数据信息系统、具有实时要求的工业系统或工业过程、嵌入式实时系统、分布式系统、系统软件、商业系统等。

UML 定义了以下 5 类模型图：

(1)业务用例：从用户角度描述系统功能，并指出各个功能的操作者，用于对系统或机构建模。业务用例表示整个系统所提供的功能，用于设置系统情境和形成创建使用案例的基础，表示机构执行的过程和业务要交互的角色。

(2)静态图：包括类图、对象图和包图，其中类图用于定义系统中的类，描述类之间的关系及类的内部结构；对象图所使用的符号与类图几乎完全相同，它们是类的实例；包图由包或类组成，主要表示包与包之间的关系、包与类之间的关系。

(3)行为图：描述系统的动态模型和组成对象之间的交互关系。一种是状态图，它描述一类对象所有可能的状态及时间发生时状态的转移条件；另一种称为活动图，它描述为满足用例要求所进行的活动及活动之间的关系。

(4)交互图：描述对象之间的交互关系。一种称为顺序图，用以显示对象之间的动态合作关系；另一种是协作图，它侧重描述对象之间的协作关系。

(5)实现图：包括构件图和配置图。构件图描述代码部件的物理结构以及各部件之间的依赖关系；配置图定义系统中软硬件的物理体系结构。

UML 不是编程语言，主要是通过捕捉系统的有关信息，构建或规划系统模型,借助相关的工具软件(如 Rational Rose 2002)，可提供由 UML 至有关编程语言(如 VC、Java 等)的代码生成。

### 6.3.1.2 统一建模方法

利用 UML 统一建模方法由用例驱动整个开发过程，分为捕获需求、分析、设计、实现和测试等阶段，每个阶段都是在前一阶段基础上的进一步细化，呈增量迭代式发展。

具体的方法步骤如下：

(1)捕获需求阶段。先由用户、分析人员和开发者积极交流，分析、提炼用户对系统的需求，并描述出来。然后在此基础上建立业务用例模型、业务对象模型，用模型来完整地表达和细化用户需求。

(2)分析阶段。在前一阶段基础上进行功能抽象和数据抽象，功能抽象得到系统分析包，数据抽象得到分析类及其相互之间的关系。

(3)设计阶段。对分析阶段的成果进一步细化，细化分析类的方法和相互间关系，细化各个子系统的接口和相互间交互，得到实现时可以使用的设计模型。

(4)实现阶段。编码实现设计，并进行单元测试、集成测试。

统一建模方法的分析设计成果通过建模工具的一系列视图表示，包括用例图、活动图、顺序图、类图等，易于开发人员与用户交流和开发人员之间的交流、改进。

### 6.3.2 GPS 数据库平台业务用例

对于一般的数据库，通常是在一个通用的数据库系统支持下，对于一个给定的应用环境，构造最优的数据库模式，建立数据库及其应用系统，使之能够有效地存储数据，以满足各种用户的应用需求(信息要求、处理要求等)。

GPS 数据库设计是一个复杂的系统过程，它包含庞大复杂的 GPS 标准，产品的几何特征：公差特征、表面质量、加工方法、测量方法等大量信息，涉及产品的设计、制造与检验人员，以及检测仪器的开发人员。这些复杂的信息难以用传统的实体造型模型或常规的数据结构完整地描述出来，采用面向对象的智能数据库结构能将表达对象的数据与处理数据的知识作为一个有机整体对待，使知识的模块化更强、冗余度更小，并且极大地改善了知识库的可读性、可维护性。

基于 UML 的 GPS 数据库模型设计如下。

### 6.3.2.1 根据用户的需求描述建立业务模型

业务模型利用业务用例和业务角色来描述一个几何产品的整个生产流程的业务功能概况。在 GPS 数据库系统中业务角色为绘图人员、工程分析人员、工艺设计人员、制造人员、计量人员和 GPS 标准化人员。产品的整个生产流程的业务用例如图 6.6 所示。

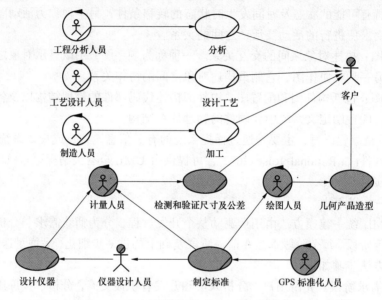

图 6.6　几何产品的整个生产流程的业务用例

### 6.3.2.2 系统分析

对系统分包，划分相关功能用例集；从用例中分析得到分析对象、分析类的交互关系和系统包之间的联系。在 GPS 数据库系统中功能用例如下：

几何产品造型，根据功能要求绘制产品的公称表面模型，比如圆柱体、长方体等。

根据功能与产品加工工艺要求，完成设计规范：标注尺寸、几何公差、基准、表面形貌符号、加工方法、评定算法等属性。

基于产品的认证规范，检测产品的几何公差和表面形貌特征。

GPS 知识库与 CAD、CAT 检测集成系统基本用例如图 6.7 所示。

## 6.4　GPS 数据库系统的设计初探

GPS 数据库是由基于新型 GPS 技术标准体系的矩阵模型和对偶性原理设计的知识推理机构组成的系统。选用微软公司的编程工具 Visual C++6.0 和数据库管理软件 SQL2000 构建 GPS 知识库——新型 GPS 标准体系的应用平台。

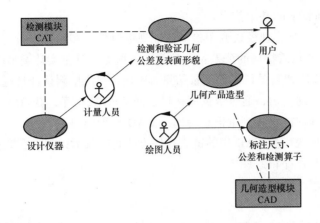

图 6.7　GPS 知识库与 CAD、CAT 检测集成系统基本用例

### 6.4.1　GPS 数据库框架逻辑视图

以通用 GPS 矩阵中的尺寸行数据库设计为例,来探索 GPS 数据库设计。从通用 GPS 矩阵模型可知,第一行"尺寸"几何特征又细分为 "距离"(第二行)、"半径"(第三行)和"角度"(第四行),而且尺寸这一行的标准并不涉及具体几何特征的规范和认证过程,为了便于对 GPS 知识库进行几何特征实例测试,将以轴的直径(对应第三行的"半径")公差标注为例(见图 6.7),在 AutoCAD 中进行 GPS 知识库的测试。

以轴的直径公差标注为例,分析 GPS 知识库的逻辑结构。GPS 知识库主要由 CAD 管理模块(CAD Mgr)、数据库接口(Query Feature GPS)、GPS 数据库(database GPS)、检测认证规范组件(Feature CAT)和 CAT 检测管理模块(CAT Mgr)五部分组成,如图 6.8 所示。

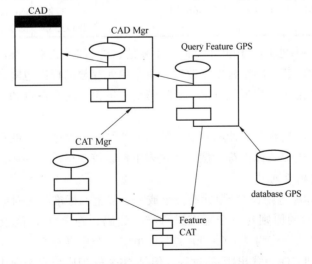

图 6.8　GPS 知识库的框架逻辑视图

基本设计思路如下:

(1)利用 AutoCAD 绘图软件绘制一个要素的几何特征。

(2)用户通过鼠标拾取该几何特征后,CAD 管理模块通过 AutoCAD 中提供的相应函数接口获取此几何特征的基本信息。

(3)通过 CAT 检测管理模块调用检测认证规范组件，和用户进行交互，给出满足新型 GPS 规范要求的几何特征的公差：上偏差、下偏差、计量实体类型(例如轴或孔的外径或内径)，评定算法和测量仪器等测量信息。比如，利用检测认证规范组件的知识推理生成相应的 SQL 查询语句，通过数据库接口访问 GPS 数据库，获得默认的测量仪器。

(4)CAT 检测管理模块将测量信息传递给 CAD 管理模块。

(5)CAD 管理模块借鉴 CAD 中的链表存储方式将扩展后的尺寸公差信息存储到后缀名为.DXF 文件中和产品信息库中。

### 6.4.2　数据库设计

#### 6.4.2.1　数据分析

从通用 GPS 矩阵来看，GPS 标准链之间、列与列之间、行与行之间既是相互独立的，又是相互关联的，例如，尺寸与距离、半径和角度四者之间就是整体与部分的关系；每个单元有一个或一个以上的标准与之对应，如表 6.1 所示。

表 6.1　通用 GPS 矩阵部分示例

| 链环号 | | 1 | 2 | 3 | 4 | 5 | 6 | 7 |
|---|---|---|---|---|---|---|---|---|
| 要素几何特性 | 第二几何特性 | 图样表达——符号代号 | 公差定义——理论定义和数值 | 提取要素特征值的定义——规范链 | 误差的评定——与极限值比较 | 提取要素特征值的测量——检验链 | 计量器具的计量特性要求 | 计量器具计量特性的校准 |
| 尺寸 | —— | ISO129<br>ISO286-1<br>ISO1101 | ISO286-1<br>ISO286-2<br>ISO1101 | ISO286-1<br>ISO8015<br>ISO14660 | ISO14253 | ISO463<br>ISO9121<br>ISO9493<br>ISO3225<br>ISO3385 | ISO13225<br>ISO10360-1<br>ISO10360-2<br>ISO10360-5<br>ISO10360-6 | ISO650<br>ISO14253 |

通用 GPS 矩阵模型的结构并不是固定不变的，随着对 GPS 标准的认识，矩阵的结构也可能发生变化。若矩阵结构发生改变，每个单元存放的标准也随之发生改变，用一个二维表很难完整地表示出通用 GPS 矩阵模型所包含的所有信息和行与行之间的关联信息。

为了保证数据库具有开放性和容易调整的框架结构，每个单元的存放位置通过程序依据一定的规则生成唯一标识符，然后在主表中标识符与标准号一一对应。

#### 6.4.2.2　单元的编码原则

在通用 GPS 标准链中，每个单元有一个或一个以上的标准与之对应，为了便于查找，选用如表 6.1 所示的原则对每个标准进行唯一编码，在表 6.1 位于第二列第一行的"ISO286-1"对应的码值为"0100000402"。虽然一个标准在正式出版发行前，还需经历从 FDIS、DIS 到 CD(正式出版)的过程，但是 GPS 知识库旨在企业中贯彻并实施已经发布的 ISO 标准，因此其他几个版本的 ISO 标准在数据库 General GPS 的架构中暂不予考虑。

在数据库 General GPS 的主表 Matrix 中，如表 6.2 所示，根据"0100000402"、"286"、"1"依据一定的规则分别生成八位字符串"0100000402"、六位字符串"000286"、三位字符串"001"，并且将这三个字符串连接生成"0100000402000286001"作为通用矩阵模型里的单元的唯一标识符。依据上述的编码规则生成标识符统一设定为17位，由于位数较多，直接选用 SQL 数据库管理软件进行人工编码，容易出错，应设计一个单元编码和单元数据管理程序，以便生成单元的唯一标识符，而且实现对数据库 GeneralGPS 的插入，更新和删除数据等操作。依据表6.2的编码规则得到的表6.3可知，ISO286-1对应0100000402和0100000501两个码值。

表 6.2　位于第二列第一行 ISO 286-1 的编码规则

| 链环号 | | | 图样标注 | | 公差定义 | 实际要素特征 | 比较认证 | 特征值的测量 | 测量仪器 | 标定校准 |
|---|---|---|---|---|---|---|---|---|---|---|
| 要素几何特征 | | | | | | | | | | |
| 第一 | 第二 | 第三 | | | | | | | | |
| 列 | | | | | | | | | | |
| 1 | 2 | 3 | 4 | | 5 | 6 | 7 | 8 | 9 | 10 |
| 尺寸 | | | 标准号 | 编码 | | | | | | |
| | | | 129 | 01 | | | | | | |
| | | | 286-1 | 02 | | | | | | |
| | | | 1101 | 03 | | | | | | |
| 编码 01 | 00 | 00 | 0402 | | | | | | | |
| 含义 第一行 | 第0行 | 第0行 | 第4列第2行 | | | | | | | |

在通用 GPS 矩阵模型的数据库存储方法中，将矩阵模型分为了 10 列×18 大行，每一大行并且对应相应的列又分为多个小行。依据这种划分方式，对每个 ISO 标准给出了一个或一个以上的码值(码值不唯一)，然后将标准的码值和标准号连接，生成单元的唯一标识符。

#### 6.4.2.3　数据库的存储方式

数据库 GeneralGPS 由主表 Matrix、几何特征表 GeometricFeature 组成。主表 Matrix 的数据库存储格式如表6.3所示，字段 Code 表示单元的唯一编码，字段 Stardand 和字段 Serial 一起组成标准号，字段 Count 做自动计数用。

表 6.3　主表 Matrix

| Code | Stardand | Count | Serial |
|---|---|---|---|
| 0100000401 | 129 | 1 | \<NULL\> |
| 0100000402 | 286 | 2 | 1 |
| 0100000403 | 406 | 3 | 1 |
| 0100000501 | 286 | 4 | 1 |
| 0100000502 | 286 | 5 | 2 |
| 0100000503 | 1829 | 6 | \<NULL\> |
| 0100000601 | 286 | 7 | 1 |
| 0100000602 | 1938 | 8 | \<NULL\> |
| 0100000603 | 8015 | 9 | \<NULL\> |
| 0100000604 | 14660 | 10 | 1 |

要素的几何特征表 GeometricFeature 的数据库存储格式如表 6.4 所示，字段 Name

表示几何特征，字段 Xrow 表示矩阵的行数，而且按照一定的编码规则给出唯一的标识符，字段 Yrow 表示矩阵的列数，字段 Count 做自动计数用，字段 ParantRow 表示几何特征的父类，通过 ParantRow 建立了几何特征的关联关系。对于半径 Radius 这一行来说，半径 Radius 和角度 Angle 的 ParantRow 值都为"01"，表示半径 Radius 和角度 Angle 从属于尺寸 Size；半径 Radius 的 Xrow 值为"03"，Yrow 值为"01"，表示半径 Radius 位于通用 GPS 矩阵中的第三行第一列。对于 AngleRealFeature 这一行来说，它的 Xrow 值为"041"，需要相应的解码操作，前两位"04"表示位于通用 GPS 矩阵中的第四行，最后一位"1"表示是对角度的进一步细分。

表 6.4　要素几何特征表 GeometricFeature

| Name | Xrow | Yrow | Count | ParantRow |
|---|---|---|---|---|
| Size | 01 | 01 | 1 | <NULL> |
| Distance | 02 | 01 | 2 | |
| height | 021 | 02 | 3 | |
| DistanceOther | 022 | 02 | 4 | |
| Radius | 03 | 01 | 5 | 01 |
| Angle | 04 | 01 | 6 | 01 |
| AngleRealFeature | 041 | 02 | 7 | <NULL> |

### 6.4.3　知识推理

在通用 GPS 矩阵模型中，根据计量特征，被测要素的几何特征分为了 7 列 18 大行，而且每一大行在同一列处又根据要素的第二几何特征细分成若干小行。因此，针对具体的几何特征设计的检测认证规范组件，不仅需要设计成独立的可复用型的模块，而且在知识推理过程中需保证按照一定的次序动态加载，以保证数据流的正确性。为了保证多个检测认证规范组件之间的数据流正确，借鉴液压回路中的"单向阀和压力阀"的特性选用如图 6.9 所示的控制方案，每个检测认证规范组件都保持独立，组件之间没有包含或聚合的关系，仅通过一条认证数据控制流与组件进行数据交换，而且在数据控制流设立了"控制阀"，比如，通过阀门 A 的相应数据验证，才能加载组件 A 进行相应数据规范和推理操作，阀门 B 对组件 A 中的数据进行验证，若满足阀门 B 的开启条件，则进一步加载组件 B，依次类推，选用层层设关卡验证的方式，保证数据流在传递过程中的正确和完整性。

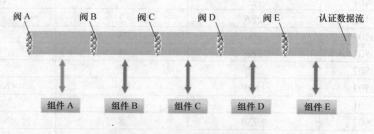

图 6.9　检测认证控制数据流

下面以轴的直径公差设计为例，在 AutoCAD2002 中进行 GPS 知识库的测试。按照检测评定方法的不同，尺寸还可分为局部尺寸、计算尺寸、全局尺寸、统计尺寸四种类型，如图 6.10 所示。

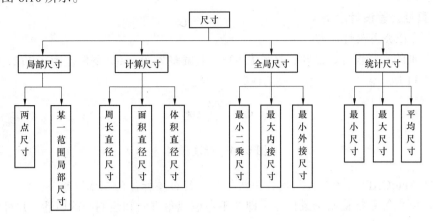

图 6.10　尺寸类型

## 6.4.4　数据流分析

在新型 GPS 标准中，尺寸公差的图样标注不仅给出对尺寸的上偏差和下偏差的要求，而且制定出满足公差要求的滤波算法、评定算法以及测量仪器的规范要求。

以被测工件的轴为例，根据 GPS 规范要求，确定出计量仪器，并在 AutoCAD2002 中给出新的图样标注。

(1)根据基本偏差代号推出上偏差和下偏差。根据设计零件的功能要求确定 GPS 规范、图样基本偏差代号，需要根据基本偏差代号推出上偏差和下偏差。这些数据在 GPS 已经根据专家经验或多次试验制订了标准，标准给出了相应的数学公式或表格。选用查表和公式计算两者相结合的方式，根据基本偏差代号来计算孔或轴的直径的上偏差和下偏差。

(2)测量仪器的选择。根据与 GPS 规范相对应的 GPS 认证规范要求，选择认证/检验的测量仪器。若为完整认证操作，测量不确定度唯一来源于测量仪器的测量不确定度。轴的测量仪器中可供选择的有千分尺、游标卡尺和比较仪、CMM 等类型，而且以完整认证操作为前提。

(3)评定算法。对于零件的 GPS 规范中给出的图样标注，确定零件的评定算法。在新型 GPS 中评定算法种类较多，例如，对于轴类或孔类直径尺寸的评定算法在最新的标准 ISO14405 有 11 种评定算法，如表 6.5 所示。

表 6.5　直径评定算法规范符号

| 直径评定算法类型 | 符号 | 直径评定算法类型 | 符号 |
|---|---|---|---|
| 两点直径法 | LP | 面积直径 | CA |
| 三点球法 | LS | 体积直径 | CV |
| 最小二乘圆法 | GG | 最小直径统计法 | SN |
| 最大内接圆法 | GX | 最大直径统计法 | SX |
| 最小外接圆法 | GN | 平均直径统计法 | SA |
| 周长直径 | CC | | |

对 CMM 三坐标测量机之类的提供了多种评定算法的测量仪器来说，还需给出评定算法的规范要求。

### 6.4.5　直径公差设计示例

#### 6.4.5.1　直径公差设计流程

对于轴的直径设计，已知：直径为Φ35，上偏差为–0.050，下偏差为–0.112，标注样例如图 6.11 所示。

$$\Phi 35 {\,}^{-0.050}_{-0.112} \text{ (LP)}$$

图 6.11　标注样例

1)以 AutoCAD 绘图软件为例，分析轴的直径公差标注的基本流程

假定颜色等系统初始场景恒定，即先不考虑视角方向和绘制线的属性、尺寸线标注等操作，仅实现在绘图区标注出如图 6.12 所示的场景分析。

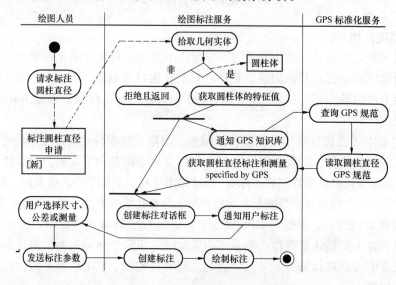

图 6.12　标注圆柱直径的活动框图

圆直径标注的基本场景：

用户向系统(绘图标注服务)发送标注直径的请求，系统响应，并提示用户拾取圆实体；

系统读取用户拾取实体属性，若不是圆实体，则拒绝并返回操作；反之，系统获取圆实体属性值后，向 GPS 知识库发送查询请求，并从中读取相应的 GPS 直径规范和测量算法；

绘图标注服务根据这些规范创建标注对话框，并通知用户标注；

用户根据产品功能要求对尺寸、公差和测量算法作出适当的选择；

绘图标注服务创建标注，并在绘图区绘制标注。

根据上述的场景分析，标注圆柱直径的活动框图如图 6.12 所示。

2)轴的直径公差的数据结构

对于直径设计，已知：直径为 Φ35，上偏差为–0.050，下偏差为–0.112，若实际认证检测过程遵循新型 GPS 的完整认证操作规范，而且由于不考虑形位公差与尺寸公差之间的相互影响，即不考虑独立原则、包容要求、最大实体要求、最小实体要求、可逆要求下给出的公差补偿值，则直径公差的数据结构采用链表的形式，尺寸公差的数据结构如表 6.6 所示。

表 6.6　尺寸公差的数据结构

| 属性 | 直径符号 | 计量类型 | 基准面 | 直径 | 上偏差 | 下偏差 | 提取算法 | 评定算法 | 测量仪器 | | | | | | 公差补偿 |
|---|---|---|---|---|---|---|---|---|---|---|---|---|---|---|---|
| | | | | | | | | | ID | 名称 | 测量温度 | 分度值 | 测量范围 | 不确定度 | |
| 参数值 | Φ | 外径 | | 35 mm | –0.05 mm | –0.112 mm | LP | | | 外径千分尺 | 20 ℃ | 0.01 mm | 0 ~ 50 mm | 0.005 6 mm | 0 |

尺寸公差由直径符号、计量类型、基准面 ID、直径、上偏差、下偏差、提取算法 ID、滤波算法 ID、评定算法 ID、测量仪器 ID 和公差补偿值组成。不同的测量仪器根据评定算法的不同，依据一定的编码规则生成测量仪器的标识符 ID。

上述的实例公差要求提高一个数量级，已知：直径为Φ35，上偏差为–0.005 0，下偏差为–0.011 2，并且要求以最小二乘法 GG 作为评定算法，则以 CMM 三坐标测量机的计量过程为例，测量仪器的数据结构和相应参数值如表 6.7 所示。

在 AutoCAD2002 绘图软件中，公差是以文本类的形式存在，依据上述分析的数据结构来看，文本类不能满足要求，需对其进一步的扩展，重新设计一个以多文本类作为父类的直径公差类。

表 6.7　测量仪器的数据结构和相应参数值

| ID | 类型 | 测量条件 | | | | | | | | | | | | | | | | | 滤波算法 | 评定算法 |
|---|---|---|---|---|---|---|---|---|---|---|---|---|---|---|---|---|---|---|---|---|---|
| | | 测量温度 | 相对湿度 | 测量方式 | 测量速度 | 采样 | | | 测头 | | | | | | | | | 测量重复次数 | | |
| | | | | | | 测量范围 | 测量点数 | 采样间隔 | ID | 类型 | 测针 | | | | | | 最大允许示值误差 | 测量不确定度 | | | |
| | | | | | | | | | | | ID | 类型 | 测针参数 | | | | | | | | |
| | | | | | | | | | | | | | 测头直径 | 总长 | 有效长度 | 探测误差 | 补偿值 | | | | |
| | CMM | (20 ± 1) ℃ | 小于 75% | 自动、接触 | 30 | 360º | 6 | 60º | | 球形 | | | | | | | 3 μm | 0 | 1 | 高斯 | GG |

3)直径公差类的程序设计

(1)公差属性信息的数据结构：

```
class AttInfo
{
```

```
public：
    char* pInfoTag;            //信息标识
    char* pDisplay;            //说明信息
};
```

(2)定义公差评定算法的类型：

```
enum TolVerificationType
{
    TolVerificationType1 = 1;         //两点直径法        LP
    TolVerificationType2 = 2;         //三点球法          LS
    TolVerificationType3 = 3;         //最小二乘圆法      GG
    TolVerificationType4 = 4;         //最小外接圆法      GN
TolVerificationType1 = 5;             //最大内接圆法      GX
    TolVerificationType2 = 6;         //周长直径          CC
    TolVerificationType3 = 7;         //面积直径          CA
    TolVerificationType4 = 8;         //体积直径          CV
TolVerificationType1 = 9;             //最小直径统计法    SN
    TolVerificationType2 = 10;        //最大直径统计法    SX
    TolVerificationType3 = 11;        //平均直径统计法    SA
    TolVerificationType4 = 12;        //待扩充用

};
```

(3) 从 AcDbMText 派生直径公差类，添加以下数据信息：

```
    AcDbHardPointerId m_RefObjectID;      //和公差关联的圆的对象 ID
    AttInfo m_attribute;                  //与公差关联的属性信息
    TolVerificationType m_VerificationType;  //公差算法类型
    long        m_nAttCount;              //公差所关联的属性个数，最大为 10
    double      m_dbDiameter;             //公差关联的圆/直径
    double      m_dbUpperDeviation;       //直径的上偏差
    double      m_dbLowerDeviation;       //直径的下偏差
    double      m_dbSize;                 //字体尺寸
    double      m_dbToleranceBonus;       //公差补偿值
CString    strInstrumentID;              //测量仪器 ID
```

重载和添加公差类的函数，具体如下：

```
//设置公差关联的圆
    Acad：: ErrorStatus setRefCircle(const AcDbObjectId& tsId);
//设置公差关联的属性
    Acad：: ErrorStatus setAttribute(int nIndex,AttInfo att);
//获取公差关联的属性
    Acad：: ErrorStatus getAttribute(int nIndex,AttInfo &att);
```

//设置公差的标注位置

    Acad：：ErrorStatus    setPosition(const AcGePoint3d& cen);

//获取文字的大小

    double getTextSize()const;

//设置文字的大小

    void setTextSize(double dbTxtSize);

//获取圆的直径值

    Acad：：ErrorStatus getDimData();

//设置圆的直径值

    Acad：：ErrorStatus setDimData();

//获取圆的上偏差

    double getUpperDeviation();

//设置圆的上偏差

    void setUpperDeviation(double dbUpperDeviation);

//获取圆的下偏差

    double getLowerDeviation();

//设置圆的下偏差

    void setLowerDeviation(double dbLowerDeviation);

//获取公差评定算法类型

    long getVerificationType();

//设置公差评定算法类型

    void setVerificationType(TolVerificationType verificationType);

//设置公差提取算法 ID

    void setExtractType(CString strExtractType);

//获取公差提取算法 ID

    CString getExtractType();

//设置检测仪器 ID

    void setInstrumentID(CString strInstrumentID);

//获取检测仪器 ID

    CString getInstrumentID();

//设置公差补偿值

    void setToleranceBonus(double dbToleranceBonus);

//获取公差补偿值

    double getToleranceBonus ();

### 6.4.5.2 直径的评定算法

选择合适的直径测量操作策略，是个较复杂的过程(如采样点的个数，采样点间距的选择；优化测量点；测量条件的选择，安装误差以及测量仪器的放大倍数等)。在新型GPS 中，通过目标不确定度的迭代验证给出了合理的测量操作规范。关于每个测量影响因素带来的不确定度的计算,ISO14255-2 标准中的相应规范以及样例给出了目标不确定度的推理过程。

直径的测量根据不同的公差设计精度和目标不确定度的要求,有相应的测量评定算法。根据 ISO14405 标准中的规定,分为两点法、球直径法、最小二乘圆法 LSC(least squares mean circle)、最大内接圆法 MIC(maximum inscribed circle)、最小外接圆法 MCC (minimum circumscribed circle)、周长直径法、面积直径法、体积直径法、最小直径统计法、最大直径统计法和平均直径统计法,如图 6.13 所示。

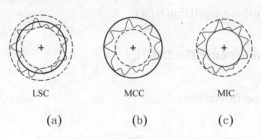

LSC       MCC       MIC

(a)       (b)       (c)

图 6.13 直径的评定算法

在新型 GPS 的 ISO14405 标准中规范了缺省的评定方法,在实际的仪器研发中,还有许多的改进优化算法,如在求解最小外接圆时,利用计算几何里的凸壳优化测量点,利用遗传算法或单纯形算法提高计算收敛速度。

## 6.5 GPS 知识库运行实例

由于 AutoCAD 软件的二次开发程序具有自主知识产权,GPS 知识库最初界定为在 AutoCAD2002 中测试。

设计思路:利用 COM 机制封装 CAT 检测模块,然后利用 AutoCAD 的二次开发程序,实现 COM 组件的连接。

初始条件:轴的直径设计,已知:直径为 Φ35,上偏差为-0.050,下偏差为-0.112,供选择的测量仪器有外径千分尺、游标卡尺和比较仪,并且假设测量操作为完整认证操作。

要求:根据新型 GPS 标准的规范要求,推导出评定算法和选择测量仪器。

(1)在 AutoCAD2002 软件中绘制一直径为 35 mm 的圆,通过鼠标拾取该圆后,利用 ARX 二次开发包中的相应接口函数获取选中实体的相应参数值,然后将读取的参数值写入如图 6.14 所示的对话框中。其中,评定方法列表框中给出的是默认的评定方法"LP"。

图 6.14 圆的初始参数信息

(2)通过基本偏差代号查询上偏差和下偏差的值，点击图 6.14 中的"公差"按钮，弹出如图 6.15 所示的界面，提供"查表"和"插值"两种方式，对 GPS 知识库分别进行相应的查表操作和知识推理，获得上偏差和下偏差的对话框。

图 6.15　公差设置

(3)查看或设置测量仪器的参数，点击图 6.14 中的"测量仪器"按钮，通过查询 GPS 数据库，获得通用测量仪器的参数——分度值、测量范围和不确定度的对话框，如图 6.16 所示。

图 6.16　通用测量仪器参数设置

说明：此对话框为通用测量仪器的参数设置对话框，若为其他测量仪器，如 CMM 三坐标测量机，由于新型 GPS 标准中没有给出详细的推理过程，目前只能由用户根据多年的加工经验设置相应的 CMM 参数。

(4)点击图 6.15 中的"确定"按钮，通过 GPS 知识库的相应知识推理，获得公差补偿值 Bonus=0，如图 6.17 所示。

说明：暂不考虑尺寸公差和形位公差之间存在的相关关系，默认选项为独立原则 RFS，即公差补偿值为 0。若需要通过评定方法查询 LP 的相关定义以及数学模型，点击图 6.17 中的"评定方法"按钮，可看到 ISO 标准中的相应信息。

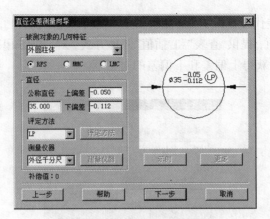

图 6.17　直径公差规范测量向导

(5)在 AutoCAD2002 软件中绘制出如图 6.18 所示的直径标注样例。

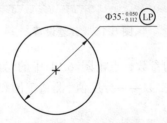

图 6.18　直径标注样例

(6)在 AutoCAD2002 软件中通过鼠标获取如图 6.18 所示的直径标注样例，单击鼠标右键弹出的快捷菜单中的"属性"，弹出属性对话框，通过查看属性对话框，可以获得新扩展的测量评定符号"LP"的详细规范信息。

## 6.6　小结

本章依据第 4 章和第 5 章对新型 GPS 标准体系及关键技术的分析，基于新型 GPS 标准矩阵模型和通用 GPS 标准的标准链，对新型 GPS 数据库系统设计进行了初探，提出了基于新型 GPS 标准与计量的数据库系统的总体方案，初步建立了新型 GPS 标准的应用软件平台，为我国新型 GPS 标准的实施探索了一条可行的途径。本章的主要内容如下：

(1)提出了基于新型轧钢生产中的 GPS 标准与计量的数据库系统的总体方案。用 UML 软件分析了 GPS 知识库与 CAX 软件集成的业务流程，界定了 GPS 知识库的边界，设计了 GPS 知识库的基本框架，初步建立了新型 GPS 标准的应用软件平台。

(2)选用微软公司的编程工具 Visual C++6.0 和数据库管理软件 SQL2000 构建 GPS 知识库，以通用 GPS 标准链中尺寸标准链为例，设计了尺寸公差的数据结构；并以 Autodesk 公司的 AutoCAD2002 软件作为原型系统，对 GPS 知识库进行了测试。

由于整个 GPS 知识库系统所涉及的范围广、内容多，工作量非常大，不是一个或几个人能够完成的，本章只在数据库系统的总体方案上做了一些探索性的研究，其目的是为整个钢铁生产测量系统的设计探索一个可行的方案。

# 第7章 钢铁生产中实施新型 GPS 标准体系管理的策略

## 7.1 引言

通过对新型 GPS 标准的综合模型和新型 GPS 标准的理论体系框架分析，对照现行的产品几何规范标准体系(见图 6.1)，可以看出新型 GPS 标准体系的构成具有非常强的系统性、规律性、应用性和可操作性。面对新型 GPS 标准的发展，我国已将新型 GPS 标准的研究工作纳入国家重点研究规划，但重点要解决如何实施的问题。本章分析新型 GPS 标准体系的特点和我国实施新型 GPS 的必要性和意义，提出了我国钢铁工业界实施新型 GPS 标准的建议，以加快其在我国的实施，促进我国钢铁工业的发展。

## 7.2 新型 GPS 标准体系特点分析

根据新型 GPS 标准的综合模型及其理论体系框架，可以看出新型 GPS 构成条理清楚、概念明确、系统规范、操作统一、理论基础与应用技术结合有重大突破，具有系统性强、理论性强、操作性强及与 CAX 的信息集成性强等特点。

### 7.2.1 系统性强

新型 GPS 标准体系从产品功能要求、规范设计到认证，整个系统过程的各主要链环统筹考虑、协调统一，实现整个过程的规范化。

新型 GPS 标准体系理论与技术两个层面的联系相辅相成，以"规范"为主线、"不确定度"、"操作链"为纽带，其理论基础和共性技术协调统一，充分体现出先进性和系统性。如：通过"不确定度"理论的拓展将产品功能、规范、认证评定统筹优化，实现了 GPS 体系在理论层面上的量化统一、规范；基于对偶性建立起了"操作"技术和操作链，将功能描述阶段、规范设计阶段与加工的认证评定阶段有机联系起来，实现并行工程在 GPS 领域中的应用。

从设计的图样表达上，新型 GPS 标准已不再是仅仅给出公差要求，必须同时给出认证的规范要求，而且在执行检验认证规范或要求时，又必然地会涉及到零件的功能要求和加工工艺状况等因素(精度、配合、工艺能力指数等)。这对设计人员的要求提高了，要求其具备设计、工艺、检测的综合知识，当然，规范制定也必须基于设计、工艺、检测综合的理论及应用技术基础之上。

### 7.2.2 理论性强

新型 GPS 从要素几何特征的定义到规范设计、直至到生产过程中为认证测量结果而进行的各项操作，整个 GPS 标准中数学的描述、定义、建模及信息传递"无所不在"，数学的系统化应用是前所未有的。例如：理想要素的定义、参数化几何模型、规范设计时需涉及到基于并行工程的虚拟仿真模型、认证操作时将涉及计量数学工具。

新型 GPS 基于对偶性操作："分离、提取、滤波、拟合、集成、构造和评估"是系列工程数学与 CAD/CAM/CAT 中的实体建模、几何造型以及信号分析与数据处理中的误差分离、滤波算法、拟合的目标优化、采样原理及应用技术等现代技术有机结合的综合体现。

"不确定度"理论及其拓展应用以实现 GPS 标准体系的系统优化、量化统一。新型 GPS 标准基于 GUM 及系统量化统一的新思路，进一步完善了"测量不确定度"的概念和含义，规范了"测量不确定度"的评定程序，并在此基础上，将"测量不确定度"的概念拓展，利用扩展后"不确定度"的统计、量化特性，将产品的功能、规范与测量评定量化集成，通过"不确定度"的杠杆调节作用，实现过程资源配置的统筹优化，提高产品的综合效益。

### 7.2.3　操作性强

新型 GPS 标准体系由原来的基于"几何学"发展为基于"计量学"，使得在产品设计、制造与检验方面体现更强的科学、规范、统一、操作性。过去，"理想要素"的定义是"几何学意义上的点、线、面"，由于没有统一的规范，实际测量时无法体现，新型 GPS 中承认"误差"的存在，基于计量学、运用现代技术，以"拟合理想要素"体现评定基准，进一步将测量过程的系列操作规范化。

新型 GPS 标准中有关对图样标注要求的清晰化、系统化和规范化，也使得在实际加工中的认证检验评定操作规范统一，减少随意性。新型 GPS 标准体系规范统一、可操作性强，在实际加工中的认证阶段体现得比较明显，执行 GPS 认证操作规范，可以减少随意性、提高综合技术经济效益；但在规范设计阶段和功能描述阶段的"可操作性"将涉及到信息技术、特征技术及系列先进的设计技术，只能说"操作"的原则有，而"操作"的理论和方法还有待进一步研究开发、充实规范。

### 7.2.4　集成性强

新型 GPS 标准体系中从系统的综合模型的规划、要素描述的方法到规范、检测过程的对偶性"操作"，充分考虑与 CAX 集成的需要，基于应用数学，借鉴 CAD 及 CAD/CAM 中表面/实体的几何造型技术概念与思路，实现功能描述、规范设计、图样表达和评定操作全过程的数学表达和统一规范，这不仅有利于 GPS 标准内各环节之间信息的传递，而且对进一步实现 GPS 与 CAX 之间的信息集成与共享具有重要的意义。

## 7.3　我国建立新型 GPS 标准体系的意义

标准是钢铁工业经验、科技成果和专家智慧的集合，标准水平需要与产业水平相协调，标准水平的提高需要长期的积累和努力。在高新技术领域，国际标准已经成为专利技术追求的最高形式。可以说，专利只会影响一个企业的成败，标准将影响一个行业的生存甚至一个国家的经济竞争实力。现在流行的说法是："三流企业卖劳力(产品的技术含量低)，二流企业卖技术(产品技术含量高)，一流企业卖专利(对技术的垄断)，超一流企业卖标准(对市场的垄断)"，这是符合现实情况和发展趋势的。

新中国成立以来，特别是改革开发以来，中国钢铁工业虽然取得了有目共睹的成就，但是中国加入 WTO 以后，技术标准与国际标准的差距等，是我国钢铁产品难以走向世界的根本症结。随着钢铁生产技术的发展，轧钢标准化问题越来越显示出它的重要性。

标准化促进钢铁企业间的技术交流和合作，增强企业的竞争力。中国钢铁业的根本发展出路就是利用现代技术改造传统的设备和工艺，按照国际技术标准实施产品的设计与制造，一定要站在国际标准的高度来改造传统钢铁业。

GPS贯穿几何产品的研究、开发、设计、生产和检验到销售、使用和维护整个过程。新型GPS标准将是国际经济运作大环境中产品质量、国际贸易及安全等法规在世界范围内保持一致的重要支撑工具，是国际公认的重要基础标准。新型GPS标准是所有几何产品标准的基础，其技术水平的高低，影响的不是一个产品、一个企业或一个行业，而是整个国家工业化的水平，是国家钢铁业的竞争力。根据国外的估计：新型GPS将节约10%设计中的几何规范修订成本；减少20%制造过程中的材料浪费；节约20%检测过程中的仪器、测量与评估成本；缩短30%产品开发的周期。

新型GPS标准将融合最新的研究成果，是实现几何精度从设计、制造到检验评定过程的自动化、智能化、集成化的基础。我国在几何产品标准理论及几何量测量仪器的研究和标准的制定方面已大大落后于国际先进水平。面对国际上新型GPS不断加快的研究及建标速度，我国与ISO的差距将会越拉越远，这绝不仅仅是采标率的问题，它将严重制约我国先进技术向实用化的进展和企业采用先进制造技术的步伐。

在全球经济一体化的快速进程中，今天的差距，明天所造成的不只是由于读不懂图纸而无法在国际上进行技术交流，而是直接影响我国钢产品的先进性和在世界范围的竞争能力，由此带来的经济损失将是无法估计的。实际上，我国已花费大量的人力和物力来应对中国进入WTO出现的问题，可以想象，如果在最近几年内不从根本上去研究和解决有关标准及其应用技术的问题，还会有层出不穷的后患产生。

当今信息技术已经成为推动科学技术和国民经济高速发展的关键技术。新型GPS标准体系的建立，将解决钢铁业信息化中几何公差信息模型的自动建立、传输与共享问题。对实现用先进的信息技术来提升、改造我国的传统钢铁业，实现生产力跨越式发展的战略结构调整具有重要的实际意义。

## 7.4 对我国实施新型GPS标准体系管理策略的建议

按照我国加入世界贸易组织的技术标准战略（"三大战略"之一），面对新型GPS标准体系的快速发展，我国对新型GPS标准的研究工作已经纳入科技部"十五"国家重点研究规划。该研究项目将为建立我国的新型GPS标准体系进行理论研究，并研究制定一批适合于我国的GPS标准，同时参与多项ISO标准的制定，使我国在国际GPS的领域占有一席之地，为国际标准的发展做出与我国国际地位相称的贡献。

通过对国际上新型GPS标准的发展研究，提出了我国新型GPS标准的综合模型及我国的新型GPS标准体系框架模型。我国要真正与国际接轨，必须建立我国自己的新型GPS标准体系。为了加快新型GPS标准实施，特提出我国实施新型GPS标准体系的管理策略建议。

### 7.4.1 加强新型GPS标准的宣传贯彻

新型GPS标准体系是钢铁业的基础技术标准，虽然涉及到所有的钢铁业和机电产品，但从表面上看不像具体的产品技术标准那样直接关系到企业利益，所以企业参与的积极性不高。要在我国实施新型 GPS 标准体系，首先要从各方面加强宣传，强化标准化意识，针对钢铁业的特点，通过各种形式的讲座、培训班、各种媒体等，向各方面人员，特别是企业技术人员和高级管理人员宣传新型 GPS 标准工作的重要性，提高认识，调动相关单位和人员实施新型 GPS 标准的积极性。

### 7.4.2 加强新型 GPS 标准研究与实施经费投入力度

标准化工作经费投入不足，严重制约了我国技术标准竞争力的提高。虽然国家已经开展标准化专项研究，明显地加大了标准的投入，但仍然满足不了标准化工作的长远需要。为了加快我国新型 GPS 标准的研究与实施，国家应该制订政策，加大对新型 GPS 标准研究和实施投入力度。同时要建立标准制定、发行、合格评定资金共享机制，谁受益、谁出资，用标准发行和使用收益支持标准工作。

### 7.4.3 遵循 GPS 标准的规律全面协调发展

我国 GPS 标准体系的建立将以新型 GPS 标准体系框架中主要矩阵展开，包括基础、综合和通用三大类 100 多项国家标准、国家标准指导性技术文件。基础类标准用于确定公差的基本原则；综合类标准给出通用原则和定义标准；通用类标准包括不同特性几何产品关于功能、规范与认证(检验)形成的标准链，提供从功能、设计、加工、测量及仪器标定的完整的标准内容。

GPS 标准体系的全面协调发展应遵循新型 GPS 标准的构成规律，优先制定基础、综合 GPS 标准，协调发展通用 GPS 标准，要避免造成因标准不配套而出现的标准空白。首先制定一批以计量数学为基础用于检测和评估的标准，它涉及到数据建模、提取、分离、构成和评定。这些综合新技术应用的标准将是实现产品精度信息的设计、制造、认证(检验)和质量控制一体化的基础，也是协调统一通用 GPS 标准矩阵的基础。

### 7.4.4 注意新旧 GPS 标准衔接，实现平稳过渡

与 ISO 同步建立起一个既符合市场经济和国际贸易基本规则，又能促进我国经济发展，保护我国企业利益，增强国际竞争能力，同时还能积极应对经济全球化和信息化挑战的新型 GPS 国家标准体系，是提高我国钢铁业竞争力的迫切需要，也是维护国家经济利益的需要。

新型 GPS 标准是与现代技术相结合，是对传统几何精度设计和控制思想的一次革命性的大变革。它涉及到产品设计、制造、检验的各个环节，以及技术人员观念的更新、管理方式方法的改变，新体系将对我国钢铁业产生重大影响。但在应用中这个进程是连续的，更是系统和科学的。因此，必须统筹安排，强化配套，分步实施。

建立新的 GPS 体系的过程也是新旧体系逐步过渡的过程，应加强贯彻措施的研究，采取积极稳妥的推进方式，先作试点，总结经验，然后全面展开。在现行产品几何标准向新型 GPS 标准体系过渡过程中，既要避免出现因标准不配套而出现的规范空白，更要避免新旧标准衔接交插而出现矛盾。这就需要解决因共存和过渡而产生的新旧体系的碰撞与融合问题，要兼顾新兴技术和传统技术，兼顾新旧技术设备，有机地结合现行标准和新制定的标准，以实现平稳过渡。

### 7.4.5 积极参与新型 GPS 国际标准的研究与制定

由于历史上的原因，我国在传统公差领域已经失去了左右国际标准的机会。高新技

术和先进实用技术的应用，提供了重新洗牌的机会。在新型 GPS 国际标准体系领域，尚有许多需要研究的课题和标准的空白地。应在第一时间积极有效参与新型 GPS 国际标准体系的建立，通过对标准的发言权争取标准的制定权，通过标准的制定权实现该科技领域的领先权。

我国要实现与 ISO 基本同步建立新型 GPS 标准体系，就要实质参与新型 GPS 标准体系的关键技术及其重要标准的研究，更多地承担 ISO/TC213 重要标准的制修订工作，提高 ISO/TC213 采用我国提案的比率，从根本上把握新型 GPS 标准体系的本质内涵及发展规律，促进相关理论及应用技术基础研究的深度和力度，并在此基础上建立我国科学、先进、操作性强的新型 GPS 标准体系，为标准的进一步推广应用奠定扎实的理论基础、提供可靠的技术保证。

### 7.4.6 建立我国新型 GPS 标准应用平台

新型 GPS 强调经济管理，优化资源，据此标准与标准之间的衔接相当严谨，涉及到种类繁多的精确技术规范定义、大量的严格数学算法、全面的新型测量技术及现代校准、量值溯源方法，其结果使得新型 GPS 标准与计量体系成为新世纪最先进、庞大、复杂的知识库之一，要求设计、制造和计量工程师具有设计、标准和计量知识背景，能理解与应用交叉学科的技术。在我国，如果采用常规的方法来贯彻实施新型 GPS 标准体系，那将需要耗费巨大的经费来训练专门的技术人才。特别对中小型企业，由于专门技术人才缺乏，新型 GPS 将难以在那里实现。基于这种状况，需要全面完整地研究标准计量的基础理论与方法，建立一个宽范围的、以计量学为基础的标准信息工程库。它将使用新型范畴论来实现智能知识结构，将新型 GPS 标准转化为一个大型的集成智能知识库和应用技术系统，为企业的应用提供一个方便灵活的平台。通过该应用平台引导设计工程师、产品工程师、计量测试工程师及技术管理工程师尽快进入 GPS 运作轨道。

贯彻实施新型 GPS 标准体系，需要开辟中英文 GPS 信息网站，开发可商品化的中英文 GPS 标准与计量体系软件工具箱，编辑出版以新型 GPS 为基础的专著、译著及系列教材，满足大学生、研究生以及企业和标准、计量领域的工程技术人员学习和使用需求。

### 7.4.7 加快高素质复合型标准化人才的培养

钢铁工业的发展中，高新技术的不断渗入，对 GPS 标准的研究人员在专业水平上提出更高要求，要求其熟悉国际标准规则，懂得技术专业知识，具有较高的外语水平及语言表达能力。新型的 GPS 标准研究工作队伍的建设迫在眉睫。培养新型 GPS 标准化人才的措施如下：

(1)建设 GPS 标准化人才培养基地。国家主管部门应制定 GPS 标准化人才的培养计划，建设 GPS 标准化人才培养基地，为企业、高等院校定向培养、培训 GPS 标准化的高级人才。

(2)多种渠道培养 GPS 标准化人才。如利用高等院校开设各种标准化研修班，吸引及培养人才；或者在高等院校开设标准化硕士以至博士课程，直接培养 GPS 标准化人才。

## 7.5 小结

(1)本章根据新型 GPS 标准的综合模型和新型 GPS 标准的理论体系框架，总结了新型 GPS 标准的系统性强、理论性强、可操作性强及与 CAX 的信息集成性强等特点。

(2)分析了钢铁工业实施新型 GPS 的意义，提出了我国钢铁业实施新型 GPS 标准的建议，以加快其在我国的实施，促进我国钢铁工业的发展。我国实施新型 GPS 标准的策略是：加强新型 GPS 标准宣传贯彻以及加大研究和实施的经费投入，遵循 GPS 标准体系规律重点全面协调发展，等同采用 GPS 国际标准并实现新旧标准的平稳过渡，积极参与新型 GPS 国际标准体系的研究及标准制定，建立我国的新型 GPS 标准应用平台。

# 第8章 不确定度理论概述

自从 GUM 颁布以来，测量不确定度在中厚板轧钢生产中得到了越来越广泛的应用。但是，传统的 GUM 方法比较烦琐，特别是在工业企业中，有时并不经济实用。为了解决这一问题，ISO 和美国分别颁布了一系列的辅助标准(ISO14253 系列标准和美国B89.7.3 系列标准)，对测量不确定度的评定进行简化。特别是 ISO14253-2 在 GUM 的基础上首先提出了不确定度管理程序 PUMA,这是一种能经济地进行自我调节的迭代程序，能够使得测量不确定度的评定变得简单实用，从而在工业企业的计量活动中，保证以最小的成本获得最大的经济效益。在此基础上，新型 GPS 标准体系对不确定度进行了重新定义和分类，使得不确定度的概念大大地拓展了。拓展后的不确定度如何计算、如何评定、如何分配是新型 GPS 标准体系下一步要解决的关键问题之一。本章首先介绍基于GUM 的测量不确定度的概念和评定方法，然后分析不确定度管理程序 PUMA 对于测量不确定度评定的简化，接着讨论新型 GPS 标准体系对于不确定度拓展后的定义和分类，最后指出新型 GPS 不确定度理论目前存在的主要问题。

## 8.1 测量不确定度的基本理论

### 8.1.1 测量不确定度的概念

测量不确定度是指测量结果变化的不肯定，是表征被测量的真值在某个量值范围的一个估计，是测量结果含有的一个参数，用以表示被测量值的分散性。

根据测量不确定度的定义，在测量实践中如何对测量不确定度进行合理的评定，这是必须解决的基本问题。对于一个实际测量过程，影响测量结果精度的因素很多，因此测量不确定度一般包含若干个分量，各不确定度分量不论其性质如何，都可以用两类方法进行评定，即 A 类评定和 B 类评定。其中一些分量由一系列观测数据的统计分析来评定，称为 A 类评定；另一些分量不是用一系列分量的统计分析法，而是基于经验或其他信息所认定的概率分布来评定，称为 B 类评定。所有的不确定度分量均用标准差表征，它们或是由随机误差而引起，或是由系统误差而引起，都对测量结果的分散性产生相应的影响。

### 8.1.2 标准不确定度的评定

用标准差表征的不确定度，称为标准不确定度，一般用 $u$ 表示。测量不确定度所包含的若干个不确定度分量，均是标准不确定度分量，用 $u_i$ 表示，其评定方法如下：

A 类评定是用统计分析法评定，其标准不确定度 $u$ 等同于由系列观测值获得的标准差 $\sigma$，即 $u=\sigma$。标准差 $\sigma$ 的基本求法有贝塞尔法、别捷尔斯法、极差法和最大误差法等。当被测量 $Y$ 取决于其他 $N$ 个量 $X_1$, $X_2$, $\cdots$, $X_N$ 时，则 $Y$ 的估计值 $y$ 的标准不确定度 $u_y$ 将取决于 $X_i$ 的估计值 $x_i$ 的标准不确定度 $u_{xi}$，为此要首先评定 $x_i$ 的标准不确定度 $u_{xi}$。其方法是在其他 $X_j(j \neq i)$ 保持不变的条件下，仅对 $X_i$ 进行 $n$ 次等精度独立测量，用统计法由 $n$ 个观测值求得单次测量标准差 $\sigma_i$，则 $x_i$ 的标准不确定度 $u_{xi}$ 的数值按下列情况分别确定：如果用单次测量值作为 $X_i$ 的估计值 $x_i$，则 $u_{xi} = \sigma_i$；如果用次测量的平均值作为 $X_i$ 的估计值 $x_i$，则 $u_{xi} = \sigma_i / \sqrt{n}$。

B 类评定不用统计分析法，而是基于其他方法估计概率分布或分布假设来评定标准差并得到标准不确定度。B 类评定在不确定度评定中占有重要地位，因为有的不确定度无法用统计方法来评定，或者虽可用统计法，但不经济可行，所以在实际工作中，采用 B 类评定方法居多。

设被测量 $X$ 的估计值为 $x$，其标准不确定度的 B 类评定是借助于影响 $x$ 可能变化的全部信息进行科学判定的。这些信息可能是：以前的测量数据、经验或资料；有关仪器和装置的一般知识；制造说明书和检定证书或其他报告所提供的数据；由手册提供的参考数据等。为了合理使用信息，正确进行标准不确定度的 B 类评定，要求有一定的经验和对一般知识的透彻了解。采用 B 类评定法，需要先根据实际情况分析，对于测量值进行一定的分布假设，可假设为正态分布，也可假设为其他分布，常见的有以下几种情况：

(1)当测量估计值 $x$ 受到多个独立因素影响，且影响大致相近，则假设为正态分布，由所取置信概率 $P$ 的分布区间半宽 $a$ 与包含因子 $k_p$ 来估计标准不确定度，即

$$u_x = \frac{a}{k_p} \tag{8.1}$$

(2)当测量估计值 $x$ 取自有关资料，所给出的测量不确定度 $U_x$ 为标准差的 $k$ 倍时，则其标准不确定度为

$$u_x = \frac{U_x}{k} \tag{8.2}$$

(3)若根据信息，已知估计值 $x$ 落在区间$(x-a，x+a)$内的概率为 1，且在区间内各处出现的机会相等，则 $x$ 服从均匀分布，其标准不确定度为

$$u_x = \frac{a}{\sqrt{3}} \tag{8.3}$$

(4)当估计值 $x$ 受到两个独立且皆具有均匀分布的因素影响，则 $x$ 服从在区间$(x-a，x+a)$内的三角分布，其标准不确定度为

$$u_x = \frac{a}{\sqrt{6}} \tag{8.4}$$

(5)当估计值 $x$ 服从在区间$(x-a，x+a)$内的反正弦分布，其标准不确定度为

$$u_x = \frac{a}{\sqrt{2}} \tag{8.5}$$

### 8.1.3  测量不确定度与误差

测量不确定度和误差是误差理论中两个重要的概念，它们具有相同点，都是评价测量结果质量高低的重要指标，都可以作为测量结果的精度的评定参数，但两者又有明显的差别。

从定义上讲，误差是测量结果和真值之差，它以真值和约定真值为中心，而测量不确定度是以被测量的估计值为中心，因此误差是一个理想的概念，一般不能准确知道，

难以定量；而测量不确定度是反映人们对测量认识不足的程度，是可以定量评定的。

在分类上，误差按照自身特征的性质分为系统误差、随机误差和粗大误差，并可采取不同的措施来减小或消除各类误差对测量的影响。但由于各类误差之间并不存在绝对界限，故在分类判别和误差计算时不易准确掌握；测量不确定度不按性质分类，而是按照评定方法分为 A 类评定和 B 类评定，两类评定方法不分优劣，按实际情况的可能性加以选用。由于不确定度的评定不论不确定度因素的来源和性质，只考虑其影响结果的影响，从而简化了分类，便于评定和计算。

测量不确定度与误差既有区别，也有联系。误差是不确定度的基础，研究测量不确定度首先需研究误差，只有对误差的性质、分布规律、相互联系及对测量结果的误差传递关系等有了充分的认识和了解，才能更好地估计各测量不确定度分量，正确得到测量结果的测量不确定度。用测量不确定度代替误差表示测量结果，易于理解、便于评定，具有合理性和实用性。但测量不确定度的内容不能包罗更不能取代误差理论的所有内容，如传统的误差分析与数据处理等均不能被取代。

### 8.1.4  测量不确定度的合成

当测量结果受多种因素影响形成了若干个不确定度分量时，测量结果的标准不确定度用各标准不确定度分量合成后所得的合成标准不确定度 $u_c$ 表示。为了求得 $u_c$，首先需要分析各种影响因素与测量结果的关系，以便准确评定各不确定度分量，然后才能进行合成标准不确定度计算，如在间接测量中，被测量 $Y$ 的估计值 $y$ 是由 $N$ 个其他量的测得值 $x_1$，$x_2$，$\cdots$，$x_N$ 的函数求得，即

$$y = f(x_1, x_2, \cdots, x_N) \tag{8.6}$$

且各直接测得值 $x_i$ 的测量标准不确定度为 $u_{xi}$，它对被测量估计值影响的传播系数为 $\partial f / \partial x_i$，则由 $x_i$ 引起被测量 $Y$ 的标准不确定度分量为

$$u_i = \left| \frac{\partial f}{\partial x_i} \right| u_{xi} \tag{8.7}$$

而测量结果 $y$ 的不确定度 $u_y$ 应是所有不确定度分量的合成，用合成标准不确定度 $u_c$ 来表征，计算公式为

$$u_c = \sqrt{\sum_{i=1}^{N} \left( \frac{\partial f}{\partial x_i} \right)^2 (u_{xi})^2 + 2 \sum_{1 \leqslant i \leqslant j}^{N} \frac{\partial f}{\partial x_i} \frac{\partial f}{\partial x_j} \rho_{ij} u_{xi} u_{xj}} \tag{8.8}$$

式中    $\rho_{ij}$——任意两个直接测量值 $x_i$ 与 $x_j$ 不确定度的相关系数。

若 $x_i$ 与 $x_j$ 的不确定度相互独立，即 $\rho_{ij} = 0$，则合成标准不确定度计算公式可表示为

$$u_c = \sqrt{\sum_{i=1}^{N} \left( \frac{\partial f}{\partial x_i} \right)^2 (u_{xi})^2} \tag{8.9}$$

当各 $\rho_{ij} = 1$，且 $\partial f / \partial x_i$、$\partial f / \partial x_j$ 同号，或各 $\rho_{ij} = -1$，且 $\partial f / \partial x_i$、$\partial f / \partial x_j$ 异号，则合成标准不确定度计算公式可以表示为

$$u_c = \sum_{i=1}^{N} \left| \frac{\partial f}{\partial x_i} \right| u_{xi} \tag{8.10}$$

若引起不确定度分量的各种因素与测量结果没有确定的函数关系，则应根据具体情况按 A 类评定或 B 类评定方法来确定各个不确定度分量 $u_i$ 的值，然后按上述不确定度合成方法求得合成不确定度为

$$u_c = \sqrt{\sum_{i=1}^{N}(u_i)^2 + 2\sum_{1\leqslant i \leqslant j}^{N} \rho_{ij}u_iu_j} \tag{8.11}$$

用合成标准不确定度 $Y$ 作为被测量估计值 $y$ 的测量不确定度，其测量结果可以表示为

$$Y = y \pm u_c \tag{8.12}$$

为了正确给出测量结果的不确定度，还应全面分析影响测量结果的各种因素，从而列出测量结果的所有不确定度来源，做到不遗漏、不重复。因为遗漏会使测量结果的合成不确定度减小，而重复则会使测量的合成不确定度增大，都会影响不确定度的评定质量。

### 8.1.5　测量不确定度报告

对测量不确定度进行分析和评定后，应给出测量不确定度的最后报告。当测量不确定度用合成标准不确定度表示时，应给出合成标准不确定度 $u_c$ 的自由度 $\nu$；当测量不确定度用扩展不确定度 $U$ 表示时，除了给出扩展不确定度外，还应该说明它计算时所依据的合成标准不确定度 $u_c$、自由度 $\nu$、置信概率 $P$ 和包含因子 $k$。为了提高测量结果的使用价值，在不确定度报告中，应该尽可能提供更详细的信息。如：给出原始测量数据；描述被测量估计值及其不确定度的评定方法；列出所有的不确定度分量、自由度及相关系数，并说明它们是如何获得的，等等。

## 8.2　测量不确定度评定的简化

### 8.2.1　用迭代法评定测量不确定度

在生产实践中，完整地采用 GUM 法进行测量不确定度的评定是不现实的，也是不经济的。ISO/TC213/WG4 在 GUM 的基础上对测量不确定度进行了进一步的研究和探讨，制订了符合 GUM 要求的简化的不确定度评定方法和相关的国际标准，即 ISO14253 "产品几何规范(GPS)——工件与测量设备的测量检验"系列国际标准。该标准采用简化的迭代 GUM 法，通过过量估计有影响的不确定度分量，从而得到测量不确定度的估计值。过量估计的过程为每一个已知的或能预期的不确定度分量提供了在最坏情况下可能出现的上界，从而确保了评定结果的安全可靠，即没有低估测量不确定度。简化迭代法必须基于下述条件：

——所有的不确定度贡献因素均已被识别。

——已经决定哪些可能的修正值需要进行修正。

——每一个贡献因素对测量结果不确定度的影响，均以标准不确定度 $u_{xi}$ 给出，称为测量不确定度分量。

——采用 PUMA(测量不确定度管理程序)迭代过程。

——每一个测量不确定度分量(标准不确定度)$u_{xi}$，既可以用 A 类方法评定，也可以用 B 类方法评定。

——为了得到测量不确定度的粗略估计值，并且为了节约成本，在进行不确定度的

首次迭代评估时，如有可能应该优先采用 B 类评定。

—— 所有测量不确定度贡献因素影响的总和(称为合成标准不确定度)用下式计算:

$$u_c = \sqrt{u_{x1}^2 + u_{x2}^2 + u_{x3}^2 + \cdots + u_{xn}^2}$$ (8.13)

—— 仅在采用黑箱模型评定测量不确定度，并且所有测量不确定度分量 $u_{xi}$ 均不相关时，式(8.13)才成立;

—— 为简单起见，各不确定度分量之间的相关系数仅取下列数值:

$$\rho = 1, 0, -1$$

如果不知道各测量不确定度分量之间是否相关，则假定它们是完全相关的，即 $\rho$ 等于 1 或 – 1。

—— 扩展不确定度 $U$ 用下式计算:

$$U = k \times u_c$$ (8.14)

式中，$k = 2$，$k$ 是包含因子。

简化的迭代法一般至少包括两次测量不确定度分量的重复评估。第一次评估是十分粗略、快速和低成本的，其目的是识别最大的几个不确定度分量;第二次评估如果有的话，则仅将最大几个分量的上界重新进行更精确的评定，以将不确定度的估计值减小到能被接受的程度。简化的迭代法可用于下述两种情况:①对给定测量过程的测量结果进行不确定度管理(可用于已知测量过程的结果，或对两个或两个以上的测量结果进行比较);②测量过程的不确定度管理，以寻求满足条件 $U_E$(测量不确定度的估计值)$\leqslant U_T$(不确定度的目标值) 的合适的测量过程。下面就这两种情况，分别给出相应的不确定度管理程序。

### 8.2.2 不确定度管理程序 PUMA

测量不确定度概算和管理的先决条件是清楚地识别和明确测量任务，即要定量地确定被测量(工件的 GPS 特征量或测量设备的计量特征量)。测量不确定度是按照工件 GPS 特征量的定义或 GPS 标准中给定的 GPS 测量设备计量特征量的定义所得到的关于测量结果质量的度量指标。GPS 的全局标准和通用标准规定了被测特征量的约定真值。在许多情况下，GPS 标准也规定了理想的或约定真值的测量原理、测量方法、测量程序和标准参考条件。

#### 8.2.2.1 给定测量过程的不确定度管理程序

图 8.1 给出了给定测量任务(框 2)和现有测量过程(框 1)的不确定度管理流程。测量原理(框 3)、测量方法(框 4)、测量程序(框 5)和测量条件(框 6)是给定的，或是在此情况下已经确定的，它们是不能改变的。唯一的任务是要估计其测量不确定度。要求的测量不确定度 $U_R$ 可以是给定的，也可以是待定的。

采用迭代 GUM 法时，第一次评估是方向性的，目的是为了找到起主导作用的不确定度贡献因素。如果可以的话，在此情况下的管理过程要做的仅是改进对起主导作用的不确定度贡献因素的评定，使其更接近于不确定度分量的实际情况，从而避免过高估计这些不确定度分量。给定测量过程的不确定度管理程序的步骤如下:

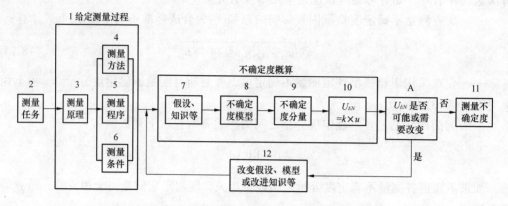

图 8.1　给定测量过程的测量结果不确定度管理程序

(1)最好采用不确定度评定过程的黑箱模型进行首次评估,建立初步的不确定度概算(框 7～9),得到扩展不确定度的首次粗略估计值 $U_{E1}$(框 10)。每次迭代评估得到的不确定度 $U_{E1}$ 都是通过对它们的上界进行评估而完成的。

(2)将首次评估得到的不确定度 $U_{E1}$ 与实际测量任务所要求的不确定度 $U_R$ 进行比较(框 A):

── 如果 $U_{E1} \le U_R$,即 $U_{E1}$ 可以接受,则首次评估的不确定度概算证明了给定的测量过程对于测量任务来说是合适的(框 11);

── 如果 $U_{E1} > U_R$,即 $U_{E1}$ 不可接受,或者不存在所要求的不确定度 $U_R$,但是希望 $U_E$ 更小一些,并更接近于真值,则继续进行迭代过程。

(3)在进行新的迭代评估之前,对全部不确定度贡献因素的相对大小进行分析。在许多情况下,只有很少几个不确定度分量在合成标准不确定度和扩展不确定度中占优势。

(4)改变假设或改进有关不确定度分量的知识(框 12),以得到最大的(占优势)不确定度分量的更准确的不确定度上界估计值;改用更详细的不确定度评定模型,或更高分辨力的测量过程(框 12)。

(5)作第二次迭代评估的不确定度概算(框 7～9),再次得到更小和更准确的测量不确定度上界估计值 $U_{E2}$(框 10)。

(6)将第二次评估得到的不确定度 $U_{E2}$(框 A)与实际测量任务所要求的不确定度 $U_R$ 进行比较:

── 如果 $U_{E2} \le U_R$,即 $U_{E2}$ 可以接受,则第二次评估的不确定度概算证明了给定的测量过程对于测量任务来说是合适的(框 11);

── 如果 $U_{E2} > U_R$,即 $U_{E2}$ 不可接受,或不存在所要求的不确定度 $U_R$,但是希望其更小和更接近于真值,则需要再次进行迭代过程。对不确定度分量的大小,特别是此时最大的不确定度分量,重新进行评估,同时改变假设、改进知识和改变模型等(框 12)。

(7)为得到更准确的(更低的)测量不确定度上界的估计值,当所有能改进的可能性都已考虑过,但仍没有得到可以接受的测量不确定度 $U_{EN} \le U_R$ 时,这就证明不可能满足所要求的测量不确定度 $U_R$。

## 8.2.2.2 用于测量过程设计和开发的测量不确定度管理程序

在这种情况下,测量不确定度管理程序是用来开发合适的用于工件 GPS 特征量测量或测量设备计量特征量校准的测量程序。测量不确定度管理是对于明确的测量任务(图 8.2 中框 1)和给定的目标不确定度 $U_T$ 而完成的(框 2)。测量任务和目标不确定度的确定是公司管理层的政策性决定的。一个合适的测量过程,评定得到的测量不确定度应小于或等于目标不确定度。如果评定得到的不确定度远小于目标不确定度,则对于完成测量任务来说,该测量过程在经济上并不是最佳的。也就是说,该测量过程成本太高。给定测量任务(框 1)和给定目标不确定度 $U_T$(框 2)的不确定度管理程序包括下述内容:

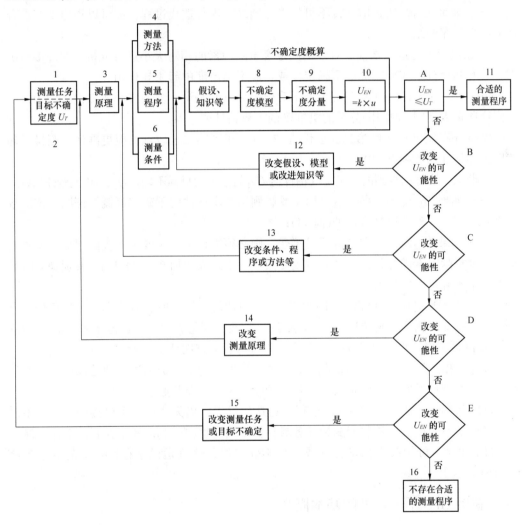

图 8.2　测量过程开发的测量不确定度管理程序

(1)根据经验和本部门内可能得到的现有测量仪器,选择测量原理(框 3)。

(2)根据经验和可能确定初步的测量方法(框 4)、测量程序(框 5)和测量条件(框 6)。

(3)最好采用不确定度评定过程的黑箱模型进行首次评估,建立初步的不确定度概算

(框7～9)，得到扩展不确定度的粗略估计值 $U_{E1}$(框10)。对全部不确定度 $U_{EN}$ 的评估是通过对不确定度的上界进行评估而完成的。

(4)将首次评估得到的不确定度 $U_{E1}$ 与给定的目标不确定度 $U_T$ 进行比较(框A)：

—— 如果 $U_{E1} \leqslant U_T$，即 $U_{E1}$ 可以接受，则首次评估的不确定度概算证明了该测量过程对于测量任务来说是合适的(框11)；

—— 如果 $U_{E1} \ll U_T$，则测量程序在技术上是可以接受的，但此时通过改变测量方法或测量程序(框13)而增大测量不确定度，也许能建立更经济有效的测量过程，此时需要再次进行迭代并得到测量不确定度 $U_{E2}$(框10)；

—— 如果 $U_{E1} > U_T$，即 $U_{E1}$ 不可接受，则继续进行迭代过程，或可以得出不存在合适的测量程序的结论。

(5)在继续进行迭代之前，对各不确定度贡献因素的相对大小进行分析。在许多情况下，总有几个分量在合成标准不确定度或扩展不确定度中起主导作用。

(6)如果 $U_{E1} > U_T$，则改变关于各不确定度分量的假设、模型或增加知识(框12)，以得到这些最大(起主导作用)分量的更准确的上界估计值。

(7)对不确定度概算作第二次迭代(框7～9)，得到第二个较低的但更准确的测量不确定度上界估计值 $U_{E2}$(框10)。

(8)将第二次评估得到的不确定度估计值 $U_{E2}$ 与给定的目标不确定度 $U_T$ 相比较(框A)：

—— 如果 $U_{E2} \leqslant U_T$，即 $U_{E2}$ 可以接受，则第二次评估的不确定度概算证明了该测量程序对于测量任务来说是合适的(框11)；

—— 如果 $U_{E2} > U_T$，即 $U_{E2}$ 不可接受，则必须进行第三次或更多次的评估。反复对不确定度贡献因素进行分析，并同时改变假设、模型或增加知识(框12)，特别是当时最大的几个不确定度贡献因素。

(9)为得到更准确的(更低的)不确定度上界估计值，如果所有方法都使用过后仍没有得到可以接受的测量不确定度 $U_{EN} \leqslant U_T$，则必须改变测量方法、测量程序或测量条件(框13)，以降低不确定度估计值 $U_{EN}$。迭代过程将重新从首次评估开始。

(10)如果改变测量方法、测量程序或测量条件(框13)后仍无法得到可以接受的测量不确定度，则最后的可能性是改变测量原理(框14)并重新开始上述程序。

(11)如果改变测量原理和重新进行上述迭代过程后仍无法得到可以接受的测量不确定度，则最终的可能性是改变测量任务或目标不确定度(框15)，并重新开始上述程序。

(12)如果不可能改变测量任务或目标不确定度，这就是说不存在合适的测量程序(框16)。

## 8.3 新型 GPS 不确定度的基本概念

### 8.3.1 新型 GPS 标准体系的总体框架

新型 GPS 即产品几何(尺寸、几何特征和表面质量)规范与认证，涉及到产品的设计、制造和检验三个过程，其基本框架如图 8.3 所示。设计过程主要是对产品的尺寸、几何特征和表面质量进行规范，保证实现产品的最佳功能；钢铁生产过程主要是完成产品的加工和装配；认证过程主要是对实际产品的要素进行合格性判定，确定产品是否满足规范要求。新型 GPS 采用物像对应原理,通过不确定度的桥梁和纽带作用,把产品的设计、制造和检验集成一体。

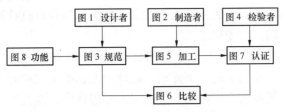

图 8.3 新型 GPS 的基本框架

ISO/TR14638:1995(GPS 的总体规划)将新型 GPS 标准分为基础的 GPS 标准(Fundamental GPS standards)、全局的 GPS 标准(Global GPS standards)、通用的 GPS 标准(General GPS standards)和补充的 GPS 标准(Complementary GPS standards)四大类。

基础的 GPS 标准是关于建立尺寸和公差的基本原则的标准。一共有两个文件:ISO 8015:1985(基本的公差原则)和 ISO/TR 14638:1995(GPS 的总体规划)。

全局的 GPS 标准直接影响到通用的 GPS 标准,一般作为缺省文件。重要的全局标准有 ISO 1:1975(工业长度测量的参考温度标准)和 ISO 14660-1:1999(几何要素的基本术语和定义)。另外两个计量文件:VIM(计量学基本和通用术语的国际词汇)和 GUM(测量不确定度表达指南),尽管名义上不是标准,但由于它们在 GPS 标准体系中起着重要作用,也把它们列入全局的 GPS 标准中。

补充的 GPS 标准包含图纸标注、要素或零件定义和认证的规则。这些规则中,有的与加工工艺类型(如切削加工、铸造、焊接等)有关,还有的与机械零件(如螺纹、键、齿轮等)的几何特征有关。绝大部分补充的 GPS 标准已由不同的 ISO 技术委员会完成,只有极少部分由 ISO/TC213 完成。

通用的 GPS 标准是 GPS 总体规划的核心部分,表示为一个通用 GPS 矩阵模型。

在通用 GPS 标准矩阵中,矩阵的每一行组成一个标准链,矩阵的每一列表示几何要素的不同特征。通过矩阵的形式将所有的标准链有序地排列组合,使得每个标准在体系中的作用及与其他标准的关系一目了然。在理解和应用每一个标准时,可以了解同一标准链中的其他标准,对正确、深入的贯标提供了方便。同时,当标准链中的某一标准进行修改或制订新的标准时,也便于协调,避免矛盾。GPS 标准链是所有影响同一基本几何特性的一系列相关标准,一个标准链通常由七个环组成。每个环至少包含一个标准,它们之间相互关联,并影响着其他环中的标准。通用 GPS 标准矩阵中七个环的内容和意义分别为:

环 1 产品文件标注:表达工件特征图样标注的有关标准。图样标注时经常使用一些代表几何特征的代号。这部分标准定义了代号的表示和使用及相关语法规则。这些代号之间的微小差异,会造成含义上的较大变化。

环 2 公差定义:用相关代号表示公差及其规范值的有关标准。这部分标准定义了代号转换规则,即如何将公差代号转化为人们能够理解的和计算机能够理解的数值表达,反之亦然。该环中还包括关联公差中理论正确要素及特征的定义。

环 3 实际要素的特征、参数及定义：这部分标准的目的是补充、扩展理想要素的含义，以便与图样中公差标注对应的非理想要素也能够清楚地定义。该环中的实际要素的定义是基于一系列离散点。为帮助人们对定义的理解和计算机计算，实际要素应该以语言描述和数学表达的方式予以定义。

环 4 工件偏差判定：用于比较认证的有关标准。这些标准在兼顾环 2 和环 3 定义的同时，定义了工件偏差判定的详细要求。该环中的标准规定如何比较测量结果和公差极限的详细规则，将测量或认证过程的不确定度考虑在内，检验工件是否符合标注的几何特征及相关公差要求。

环 5 几何要素检验与认证：有关认证过程和检验方法的标准，用于描述提取要素的计量和数学处理方法。

环 6 计量器具要求：描述特定计量器具的标准，定义了计量器具的特性，这些特性影响计量过程和计量器具本身的不确定度。标准中还包括计量器具已定义特性的最大允许误差值。

环 7 计量器具计量特性的定标和校准：对环 6 中描述的计量器具进行定标和校准，规定计量标准的特性。

分析通用 GPS 标准矩阵可以看出，矩阵行、列的布局清楚地表明了新型 GPS 标准中研究对象(几何特征)与标准链之间的关系。矩阵列是对其相应的几何特征进行分析归纳，给出 18 种要素的几何特征，如尺寸、形状、位置及表面特征等。矩阵行从系统的角度统筹考虑，给出了从产品功能要求的描述、几何特征规范的设计到对实际工件的认证整个 GPS 过程的各主要链环的规范，所形成的标准链分别由术语定义、图样标注、规范操作、比较评定、认证操作、测量仪器、标定校准等七个环节组成。由此可见，新型 GPS 以工件/要素的几何特征为研究对象，将产品功能要求、规范设计、检验认证系统地联系起来，并对全过程实施全方位的规范化。

## 8.3.2 新型 GPS 不确定度的定义及其分类

从上述新型 GPS 的基本框架可以看出，借助于标准链和操作链的前后连接，新型 GPS 对于产品功能的描述能力较之传统的 GD&T 公差体系大大提高了。特别是通过新型 GPS 不确定度的纽带作用，使得产品的功能、规范、加工和认证集成一体，不确定度的评定也从单纯的测量不确定度评定向从功能要求、规范一直到认证整个 GPS 过程的不确定度评定方向发展。下面对新型 GPS 标准体系给出的各种类型的不确定度及其隶属关系进行详细的说明。

### 8.3.2.1 新型 GPS 不确定度的定义

新型 GPS 不确定度是一个与某一既定值或关系有关的参数，该参数反映了既定值或关系的分散性。GPS 领域的"既定值"是指测量结果或规范极限，"关系"是指针对同一要素的两个不同的操作链所产生的不同结果之间的差值。新型 GPS 标准体系中，不确定度的概念更具一般性，不再仅指测量不确定度，而是包括总体不确定度，相关不确定度，依从不确定度，规范不确定度，测量不确定度，方法不确定度和执行不确定度等多种形式。

### 8.3.2.2 相关不确定度

相关不确定度是指源于实际规范操作链和功能操作链之间差值的不确定度，它反映了规范是否很好地表达了产品的功能要求。因此，相关不确定度实际上定性地反映了功能要求和规范表达之间的相关性。一般情况下，相关不确定度和单个的 GPS 规范没有直接关系，描述产品的功能往往需要采用一系列的 GPS 规范。

### 8.3.2.3　规范不确定度

规范不确定度是指应用于一个实际工件或要素的实际规范操作链的内在的不确定度，它反映了规范本身存在的不确定性。规范不确定度和测量不确定度有相同的特性，也是目标不确定度的一部分，它量化了规范操作链中的不确定度因素。在实际工作中，规范不确定度往往来源于技术文件中对拟合规则、滤波器类型等规范说明的不明确。

例如，直径尺寸 $\Phi30 \pm 0.1$ 的规范不确定度源于采用不同的拟合规则而获得的不同值，因为规范中没有声明采用何种拟合规则。

### 8.3.2.4　测量不确定度

新型 GPS 标准体系中，测量不确定度的概念与 GUM 给出的测量不确定度的概念基本一致，它是说明测量结果的一个参数，用来表示被测量值的分散性。一个测量结果，只有加上测量不确定度指标，才是完整的。

### 8.3.2.5　方法不确定度

方法不确定度是指源于实际规范操作链和实际认证操作链之间的差值的不确定度，而不考虑实际认证操作链的计量特性偏差。当一个实际规范操作链是一个不完整的规范操作链时，如果可以在不完整的规范操作链中增加遗失的部分操作的话，有必要首先设计和选择一个完整的规范操作链，以便建立相应的理想的认证操作链，然后在这个理想认证操作链的基础上选出实际的认证操作链。这个理想的认证操作链和被选出实际的认证操作链之间的差值就是方法不确定度。即便是使用理想的测量仪器，也不能将测量不确定度的值减小到比方法不确定度的值还小。

例如，如果一个轴的标注规范是 $\Phi30 \pm 0.1$Ⓔ，并且要求采用一个理想的千分尺检验规范的上偏差，那么方法不确定度源于千分尺测得值和利用理想仪器测得的最小外接圆直径值之差。

### 8.3.2.6　执行不确定度

执行不确定度是指实际认证操作链的计量特性与理想认证操作链定义的理想计量特性之间差值引起的不确定度。校准的目的通常是评估由测量仪器引起的执行不确定度的值。而与测量仪器没有直接关系的因素(如环境)也可能导致执行不确定度。

例如，如果一个轴的标注规范为 $\Phi30 \pm 0.1$Ⓔ，检验仪器为千分尺，那么执行不确定度源于千分尺的非理想中轴、砧台的不平和不平行等因素。

### 8.3.2.7　依从不确定度

依从不确定度是测量不确定度和规范不确定度之和(对应于 GUM 给出的和的概念)。由于测量不确定度等于方法不确定度和执行不确定度之和。因此，依从不确定度可以表示为方法不确定度、执行不确定度和规范不确定度之和。依从不确定度可以量化工件与规范所有可能的解释之间的符合程度。

例如，如果一个球的尺寸规范是 $s\Phi30 \pm 0.1$，因为没有明确说明采用何种拟合规则，所以这是一个不完整的规范操作链。规范不确定度源于在提取实际工件(非理想球体)的数据时采用了不同的拟合规则(如最小外接球体，最小两点间直径或最小二乘球体)。为了得到一个完整的规范操作链用来作为理想的认证操作链的基础，必须选择一个特定的拟合规则。如果两点拟合规则纳入了完整的规范操作链，那么它也就成了理想的认证操作链的一部分。如果使用千分尺进行测量，则实际上没有方法不确定度。不过，执行不确定度仍然存在，其源于千分尺计量特性的非理想性，如中轴偏差、砧台的不平等。在本例中，测量不确定度只包含执行不确定度。相应地，依从不确定度只包含规范不确定度和执行不确定度，而没有方法不确定度。

### 8.3.2.8 总体不确定度

总体不确定度是相关不确定度、规范不确定度和测量不确定之和。总体不确定度的大小表明了实际认证操作链和功能操作链之间的差异程度。

例如，若一个轴的功能操作链是在密封条件下连续旋转 2 000 小时而不发生泄漏，规范操作链是轴的尺寸为Φ30h7、轴的表面结构为$Ra$1.5，那么总体不确定度源于在测量基础上能否保证：经检验与规范一致的被测轴能够无泄漏地运转 2 000 小时，而经检验与规范不一致的被测轴不能够无泄漏地运转 2 000 小时。

### 8.3.3 新型 GPS 标准体系的基本规则

新型 GPS 标准体系的基本规则包括以下四点：

(1)在技术产品文件中采用一个或多个 GPS 规范能够有效地控制工件或要素的功能。工件或要素的功能与采用的 GPS 规范吻合得有好有坏。换言之，相关不确定度或小或大。

(2)一个 GPS 特征的 GPS 规范应在产品技术文件中予以声明。当规范满足要求时，就认为工件或要素是合格的。一个产品技术文件中 GPS 规范可能是完整的，也可能是不完整的。换言之，规范不确定度或小或大。

(3)GPS 规范的实现与 GPS 规范本身无关。一个 GPS 规范在认证操作链中具体实施，但是 GPS 规范并没有规定什么样的认证操作链是可以接受的。一个认证操作链的准确性一般用测量不确定度来评估，有些情况下也用规范不确定度评估。

(4)标准的 GPS 认证规则和定义提供了理论上理想的途径来证明工件或要素是否符合一个 GPS 规范，然而，认证过程在具体运用上都是有误差的。

## 8.4 小结

(1)本章分析了基于 GUM 的测量不确定度的基本原理；讨论了 ISO14253 系列国际标准对于测量不确定度评定的简化；重点探讨了新型 GPS 标准体系对于测量不确定度的拓展，以及拓展后的总体不确定度、相关不确定度、依从不确定度、规范不确定度、测量不确定度、方法不确定度和执行不确定度等一系列新的概念及理论。

(2)指出了新型 GPS 不确定度理论还很不成熟，缺少有关的国际标准，其中工件的判定原则、GPS 标准链依从不确定度的计算、轧件在规范与认证过程中不确定度的传递规律，是目前新型 GPS 不确定度理论研究中亟待解决的三个关键问题。

# 第9章 GPS 标准链依从不确定度的计算框架

从第 5 章给出的新型 GPS 不确定度的判定原则可以看出,对于一个单独给定的 GPS 规范,重要的是确定与之对应的 GPS 标准链的依从不确定度,因为依从不确定度是要素特征合格性判定的依据。依从不确定度由测量不确定度和规范不确定度共同组成,GUM 和 ISO/TS14253-2 已经给出了测量不确定度的计算方法,但是迄今为止还没有关于规范不确定度和依从不确定度如何计算的国际标准。由于引起规范不确定度和测量不确定度的因素很多,并且在 GPS 过程中还存在一个不确定度的传递问题,所以依从不确定度的计算是一个非常复杂的问题。根据 ISO17450-2,GPS 过程可以分为缺省状态和特殊状态两种情况,这两种情况的最大区别在于规范操作链和认证操作链是否一致,即方法不确定度是否存在。本章首先基于对偶性原理对 GPS 标准链进行建模,然后针对 GPS 过程的缺省状态和特殊状态的两种情况,分别对于状态条件和不确定度的来源进行了详细分析,提出了 GPS 标准链依从不确定度的计算框架,从而为 GPS 标准链依从不确定度的计算提供初步的理论支持。

## 9.1 GPS 标准链依从不确定度计算的相关技术

GPS 标准链的建模以及 GPS 标准链依从不确定的计算都涉及到新型 GPS 标准体系提出的几何要素、对偶性原理和操作链等关键技术。通过公称表面模型、规范表面模型和认证表面模型以及恒定类、恒定度和本质特征等概念的引入和应用,新型 GPS 标准实现了几何要素从定义、描述、规范到认证过程的数字化控制,有效地解决了几何要素在功能描述、规范设计、检验认证过程中数学统一表达的难题。新型 GPS 标准体系根据规范操作链与认证操作链的对偶性原理,将规范与认证看做一个物像对应系统,并把整个 GPS 过程通过不确定度的传递联系起来,从而将彻底解决基于几何学标准的烦琐,以及由于测量方法不统一使测量评估失控引起的纠纷。下面对这些与 GPS 标准链依从不确定的计算有关的关键技术分析如下。

### 9.1.1 几何要素

几何要素是指构成工件几何特征的点、线和面,在工件的规范、加工和认证过程中扮演着重要的角色。工件的规范,表现为对具体要素的要求;工件的加工,表现为具体要素的形成;而工件的认证,表现为对具体要素的检验。相应地,新型 GPS 标准将要素划分为三个层次,设计阶段由设计者想象的要素存在于规范层次,实际工件的要素存在于物理层次,认证阶段由认证者提取的要素存在于认证层次。传统的 GPS 标准对要素的分类和描述相对简单,与计算机辅助设计技术和坐标测量技术不相适应,不能满足新型 GPS 标准体系的要求。为了更好地描述要素,新型 GPS 对要素进行了重新分类和说明,具体的分类和它们的内在联系如图 9.1 所示。几何要素的重新分类和定义,有利于与表面模型技术的有机结合,实现表面模型和几何要素在 GPS 过程各个阶段的协调一致,从而为 GPS 标准链模型的建立提供了可靠的保障。

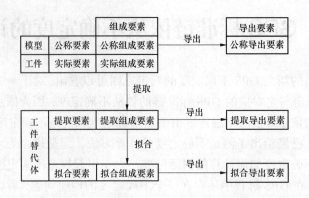

图 9.1　新型 GPS 标准中几何要素的分类和关系

下面以圆柱为例加以说明，圆柱面为组成要素，圆柱轴线为导出要素。在设计阶段，圆柱面为公称组成要素，由公称圆柱面导出的轴线为公称导出要素，公称要素具有理想的几何形状。在加工阶段，圆柱面为实际组成要素，在新型 GPS 标准中，实际要素就是指实际组成要素，而没有实际导出要素这个概念。在认证阶段，首先要对实际要素的有限个点进行测量得到提取要素，圆柱面为提取组成要素，由提取圆柱面导出的轴线为提取导出要素，然后由提取要素按照规定的方法形成拟合要素，圆柱面为拟合组成要素，由拟合圆柱面导出的轴线为拟合导出要素，拟合要素虽然也具有理想的几何形状，但在数值上和公称要素是不同的。

### 9.1.2　对偶性原理

在对几何要素进行重新分类和定义的基础上，新型 GPS 标准给出了对偶性原理，将规范过程和认证过程看做物像对应的关系。毛面模型在物像对应过程中起到了公称模型和实际工件之间的过渡作用，在设计阶段，设计者可以用毛面模型对实际表面进行模拟，对被测要素进行分离、提取、滤波、拟合、集成、构建和求值等操作，从而确定在满足功能要求的前提下要素的最大偏差，用来指导公差设计。在认证阶段，应该将实际工件与毛面模型对应考虑，对与毛面模型相对应的要素进行分离、提取、滤波、拟合、集成、构建和求值等操作，以确定实际工件的误差大小，最后对被测要素和实际工件进行合格性判定，从而依据新型 GPS 不确定度的判定原则确定实际工件是否达到规范要求。图 9.2 表示了毛面模型(规范过程)和实际工件(认证过程)的对偶性关系。

## 9.2　GPS 标准链的建模

对于一个给定的 GPS 规范，总有一个相应的 GPS 标准链与之对应。GPS 标准链模型的建立，是 GPS 标准链依从不确定度计算的前提。一个 GPS 标准链通常由七个链环组成，它贯穿于给定规范的整个 GPS 过程，涉及到功能操作链、规范操作链和认证操作链。对于任何一个 GPS 标准链，相应的几何要素表现为三种形式：公称要素、规范要素和认证要素。这三种要素形式分别对应三种表面模型：公称表面模型、毛面模型和取样表面模型，如图 9.3 所示。

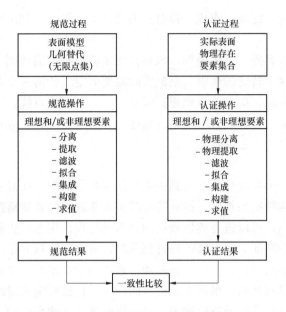

规范过程　　　　　　　　认证过程

| 表面模型<br>几何替代<br>（无限点集） | 实际表面<br>物理存在<br>要素集合 |

| 规范操作 | 认证操作 |
| 理想和/或非理想要素 | 理想和/或非理想要素 |
| −分离<br>−提取<br>−滤波<br>−拟合<br>−集成<br>−构建<br>−求值 | −物理分离<br>−物理提取<br>−滤波<br>−拟合<br>−集成<br>−构建<br>−求值 |

| 规范结果 | 认证结果 |

一致性比较

图 9.2　规范过程和认证过程的对偶性关系

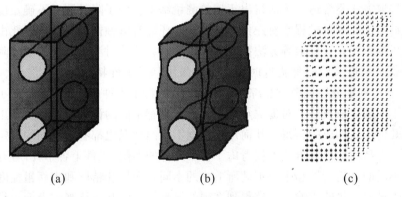

　　　　（a）　　　　　　　　　（b）　　　　　　　　　（c）

图 9.3　公称表面模型、毛面模型和取样表面模型

## 9.2.1　公称表面模型——公称要素

　　GPS 标准链的起点是功能操作链，功能操作链是一个理想化的概念，它反映了要素的理想的设计功能。与功能操作链相对应的表面模型是公称表面模型，如图 9.3(a)所示，公称表面模型是在产品技术文件中定义的由理想几何要素构成的表面模型。公称表面模型上面的完整的要素是公称要素，在图 9.3 中用 $NF$ 表示，任何一个公称要素都是一个理想的几何要素。

## 9.2.2　毛面模型——规范要素

　　GPS 标准链的第 1、2 环和 3 环主要体现规范操作链。与规范操作链相对应的表面模型是毛面模型，如图 9.3(b)所示，毛面模型是由非理想几何要素构成的表面模型。毛面模型上面的完整的要素是规范要素，在本书中用 $SF$ 表示，任何一个规范要素都是一个非理想的几何要素。毛面模型、规范要素 $SF$ 和规范操作链是相对应的，规范操作链往往包括分离、提取、滤波、集成、拟合、构建和求值等一系列的规范操作。

### 9.2.2.1 分离 $f_{PAR-S}$

分离是用来获取有界要素的操作。该操作用来依据特定的规则，从毛面模型获得相应的非理想要素。这个特定的规则，根据实际需要而定。任何一个非理想要素，都会有一个理想要素与之对应，如一条非理想直线对应于一条理想直线，一个非理想圆柱面对应于一个理想圆柱面。分离的目的是结合其他几种要素操作，完成从非理想要素到理想要素的转换。

### 9.2.2.2 提取 $f_{EXT-S}$

提取是用来从一个非理想要素得到一系列特定点的操作。在对一个非理想要素进行提取操作时，要依据特定的规则，提取的实质是将非理想的要素离散化，从而可以应用仪器对要素进行检测，可以进行离散数据的计算机处理，用非理想要素上离散点的特征近似地表达该要素的特征。用 CMM 进行测量时，通常把测量对象作为离散点的集合，通过测量离散点的空间坐标，经过计算处理，确定测量对象的尺寸和形状。由此看出，提取是整个测量过程的开始，也是至关重要的一步，直接影响测量结果的准确性。提取方法设计包括提取点数量和分布的确定，这是影响测量不确定度的主要因素。以往提取点的数量和分布通常由操作者来控制，而提取方法是对工件的尺寸和形状进行有效推理的关键，提取方法不合适，无法得出正确的测量结果。为了降低测量不确定度，提高精度，必须尽量消除测量过程中对操作人员和操作环境有依赖性的环节，因此由操作人员控制的随机提取、系统提取等方法都必须进行改善，使其对测量条件的依赖降到最低。为了既能保证精度又能降低提取时间，可以采用基于工件特性的提取方法，该方法将 Hammersley 序列和分层提取方法综合起来，充分考虑了工件的几何特性，对于不同的几何形状用不同的提取方法，对提取点数量和分布也有不同的设计。由于实际工件都是由几个不同几何形状构成的，每一几何形状根据不同的情况也都有其不同的指定测量点，这种基于工件特性的提取方法不仅考虑了各个工件的不同、工件上各个几何形状的不同，还考虑了不同的几何特性和生产工艺所造成的不同表面尺寸精度和表面粗糙度。基本消除了操作人员对测量的影响，能够得到客观的测量结果。基于要素的坐标测量与基于轮廓的坐标测量相比，最大的不同在于测点的数目和密度。在基于要素的坐标测量中，对每一要素的测点数目(在三维测量中,通常是 10～20 个)比基于轮廓的坐标测量的数目(在三维测量中, 通常是 1 000～10 000 个)要小得多。因此，在基于要素的坐标测量中，要计算要素的几何参数，必须建立要素的数学模型。数学模型的建立和测量不确定度的估计是基于要素的坐标测量的关键问题。新型 GPS 标准体系中，对几何要素进行了重新分类和定义，因此在基于要素的坐标测量中，要素数学模型的建立必须与新型 GPS 标准体系的规定一致。

### 9.2.2.3 滤波 $f_{FIL-S}$

滤波是通过降低非理想要素信息量获取新的非理想要素的操作。非理想要素的信息标准包括粗糙度、波纹度和形状等。进行滤波操作的过程中，应采用特定的规则，从非理想要素中获取想要的信息。新型 GPS 标准体系提出了系列滤波标准 ISO/TS16610，给出了滤波系列标准矩阵，包括线性滤波器、稳健滤波器和形态滤波器。ISO/TS16610 系列滤波标准开发的基本数学模型用于归纳波段的概念，而嵌套指数则用于归纳波长的概念。对于嵌套模型系列中的某一模型，嵌套越高(嵌套指数较小)，包含的表面信息越多，反之嵌套越低(嵌套指数较大)包含表面信息越少。按照惯例，当嵌套指数接近零(或一套指数全为零)时，存在一个基本数学模型，能以任意指定接近程度，逼近工件的真实表面(由一个合适的数学规范定义)。筛选判据借用 Matheron 的尺寸判据，同时是下述推论的一个必要条件：如果一个基本映射应用于一个分离后的组成要素，任何带有更大嵌套指数的进一步基本映射完全等同于对该分离后的组成要素采用带有更大嵌套指数的第二基本映射。换句话说，相对带有指定嵌套指数的基本映射而言，当考虑对一分离后的组成要素采用带有更大嵌套指数的基本映射时，不会引起信息丢失。投影判据应用于嵌套指数为尺度或尺寸的情况。既然基本数学模型的嵌套是一个尺度/尺寸，并且基本影射满足于筛选准则，则该数学模型可用来定义广义的波长概念。

#### 9.2.2.4　集成 $f_{COL-S}$

集成是将功能相一致的多个要素结合在一起的操作。集成操作可以用于理想要素，也可以用于非理想要素。例如确定圆柱的轴线时，先将圆柱在轴向分成若干薄片，确定了薄片的圆心后，对各个圆心进行集成操作，即可获得圆柱的轴线。

#### 9.2.2.5　拟合 $f_{ASS-S}$

拟合是依据特定准则使理想要素逼近非理想要素的操作。特定准则可以是最小二乘法，可以是极值法等等。例如用一个理想圆柱拟合一个非理想圆柱，采用的准则可以是使被拟合圆柱到拟合圆柱各点距离平方和最小，也可以是最大化内切圆柱的直径或最小化外接圆柱的直径。拟合的目的对非理想要素的特征进行描述和表达，一个非理想线或面不存在长度、角度等特征，通过拟合操作，用一个理想线或面来近似地表达非理想线或面的特征。拟合确定了一个或多个要素，使得带有一组约束条件的目标值最小(或最大)。

#### 9.2.2.6　构建 $f_{CON-S}$

构建是通过使用某些限制条件，从理想要素中建立新的理想要素的操作。构建操作只能用于理想要素，构造前和构造后的要素都是理想要素。构建的实质是对被构造要素进行交集操作，如两个平面构造形成一条直线，三个平面构造形成一个点，将一个理想的圆柱沿轴线分成若干圆片过程中，就是使用若干平面与圆柱进行构造操作而成的。

#### 9.2.2.7　求值 $f_{EVA-S}$

求值确定了满足极限值的约束不等式的特征值。

### 9.2.3　取样表面模型——认证要素

GPS 标准链的第 5、6 环和 7 环主要体现认证操作链。与认证操作链相对应的表面模型是取样表面模型，如图 9.3(c)所示，是由测量仪器通过取样得到的离散的近似表面模型。取样表面模型上面的完整的要素是认证要素，在本文中用 $VF$ 表示，任何一个认证要素都是一个非理想的几何要素。取样表面模型、认证要素 $VF$ 与认证操作链是相对应的，认证操作链往往包括与规范操作链相对应的分离、提取、滤波、集成、拟合、构建和求值等一系列的操作。在本文中，将认证操作链表示为一个函数 $F_{VP}$，那么该函数的输入为认证要素 $VF$，输出为要素的认证结果 $S_{VP}$。相应地，认证操作链中的每一个认证操作都可以表示为 $F_{VP}$ 的一个子函数。在文中，将分离、提取、滤波、集成、拟合、构建和求值等七个认证操作分别表示为 $F_{VP}$ 的子函数：$f_{PAR-V}$、$f_{EXT-V}$、$f_{FIL-V}$、$f_{COL-V}$, $f_{ASS-V}$、$f_{CON-V}$ 和 $f_{EVA-V}$。这样，一个认证操作链就可以表示如下的一般形式：

$$F_{VP}=(f_{PAR-V}, f_{EXT-V}, f_{FIL-V}, f_{COL-V}, f_{ASS-V}, f_{CON-V}, f_{EVA-V}) \tag{9.1}$$

需要说明的是，认证操作链和规范操作链是对应关系，认证操作链中的七个操作和规范操作链中的七个操作也是对应关系，每一个规范操作可每以看做相对应的认证操作的虚拟操作。在基本的数学原理上，每一个认证操作和相对应的规范操作是一致的。9.2.2 小节已经对每一个操作做了具体说明，这里不再重复说明。

### 9.2.4 合格性判定

GPS 标准链的第 4 环，即中间一环，表示给定 GPS 规范的合格性判定。对于一个给定的 GPS 规范，合格性判定应该根据依从不确定度的判定原则进行。

根据上述分析，一个 GPS 标准链的模型可以用框图 9.4 表示。

从 GPS 标准链的模型可以看出，在给定 GPS 规范的整个 GPS 过程中，公称要素、公称表面模型和功能操作链相对应，规范要素、毛面模型和规范操作链相对应，而认证要素、取样表面模型和认证操作链相对应。对应于标准链 1、2 和 3 环的规范操作链的规范结果是 $T_{SP}$，而对应于标准链 5、6 环和 7 环的认证操作链的认证结果是 $S_{VP}$，在确定 GPS 标准链的依从不确定度以后，就可以执行 GPS 标准链的第 4 环，按照依从不确定度的判定原则对相应的 GPS 规范进行合格性判定。在 GPS 标准链的模型的应用过程中，表面模型和几何要素的变化情况如图 9.5 所示。

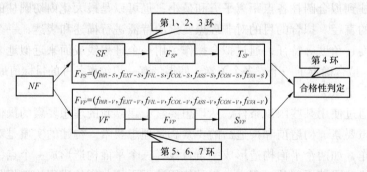

图 9.4　GPS 标准链的模型

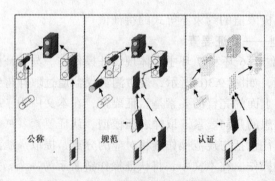

图 9.5　GPS 标准链模型的应用示意

## 9.3　GPS 标准链依从不确定度的计算流程

从 9.2 小节 GPS 标准链的模型可以看出，对于一个给定的 GPS 规范，相应的 GPS 标准链的第 4 环实际上是最后执行的一环，即合格性判定。根据新型 GPS 不确定度的判定原则，对于一个给定的 GPS 规范，合格性判定的关键是明确认证结果的依从不确定度。但是依从不确定度的计算是一个非常复杂的问题，因为依从不确定度由测量不确定度和规范不确定度共同组成，由于测量不确定度和规范不确定度的来源很多，同时在一个 GPS 过程中，不确定度因为传递而发生变化。到目前为止，测量不确定度的计算方法已经比较成熟了，并且有相应的国际标准 GUM 和 ISO14253 作为依据，然而，虽然新型 GPS 标准体系提出了依从不确定度的概念，但是对于依从不确定度的计算方法的研究才刚刚开始，还没有相应的国际标准作为依据。根据 ISO17450—2，一个 GPS 过程要么是一个缺省的 GPS 过程，要么是一个特殊的 GPS 过程。这两者之间的最大区别在于规范操作链是否跟认证操作链一致。针对这两种情况，下面分别来讨论依从不确定度的计算流程。

### 9.3.1　缺省状态

在缺省状态下，一个 GPS 过程应该满足以下两个条件：一是规范操作链是一个缺省的操作链；二是认证操作链与规范操作链完全一致。

(1)所谓缺省的规范操作链，是指一系列以缺省顺序排列的缺省的规范操作。缺省的规范操作链可以是下列三种情况之一：一个由 ISO 标准定义的缺省的国际级规范操作链；一个由国家标准定义的缺省的国家级规范操作链；一个由企业标准或文件定义的缺省的企业级规范操作链。当然，一个缺省的规范操作链可能是一个完整的规范操作链，也可能是一个不完整的规范操作链。例如根据 ISO 标准，GPS 规范 $Ra$ 1.5 的规范操作链由以下规范操作按先后顺序组成：

分离，从毛面模型得到非理想表面；

分离，从非理想表面得到非理想曲线；

提取，按照 ISO 4288 的评定长度提取轮廓；

滤波，采用高斯滤波器进行滤波，截止波长按照 ISO 4288 确定；

求值，按照 ISO 4287 和 ISO 4288 对 $Ra$ 进行合格性判定。

因为该规范操作链中的每一个规范操作都是缺省的规范操作，而且这些规范操作按照缺省的顺序排列，所以这是一个缺省的规范操作链。按照 9.2.2 小节给出的规范操作链的函数表达式，该缺省的规范操作链可以表示为

$$F_{SP} = (f_{PAR-S}, f_{PAR-S}, f_{EXT-S}, f_{FIL-S}, f_{EVA-S}) \tag{9.2}$$

(2)所谓认证操作链与规范操作链完全一致，也就是说，不仅认证操作链和规范操作链所包含的操作完全一样，而且操作的排列顺序也完全一样。这时候，认证操作链是规范操作链的理想模拟。对于上面给出的 $Ra$ 1.5 的例子，按照 9.2.3 小节给出的认证操作链的函数表达式，与规范操作链完全一致的认证操作链应该表示为

$$F_{VP} = (f_{PAR-V}, f_{PAR-V}, f_{EXT-V}, f_{FIL-V}, f_{EVA-V}) = F_{SP} = (f_{PAR-S}, f_{PAR-S}, f_{EXT-S}, f_{FIL-S}, f_{EVA-S}) \tag{9.3}$$

明确缺省状态的两个条件之后，下面来分析在缺省状态下依从不确定度的计算流程。因为在缺省状态下，认证操作链与规范操作链完全一致，所以不存在源于认证操作

链与规范操作链的差异的不确定度，即方法不确定度等于零。这样，依从不确定度仅由执行不确定度和规范不确定度组成，而不包括方法不确定度。明确依从不确定度的来源之后，依从不确定度的最后计算结果并不是所有不确定度来源之和那么简单。因为规范操作链或者认证操作链都是由一系列按照一定顺序排列的操作组成，从 9.2 小节 GPS 标准链的建模可以明确看出，每一个操作都是一个数学运算，在这一系列的运算过程中，不确定度因为传递而发生变化。例如滤波操作，在滤波前后，输入轮廓和输出轮廓的不确定度一定是不一样的，而且采用不同的滤波器得到的不确定度变化规律也是不一样的。因此，在缺省状态下，依从不确定度应该根据执行不确定度和规范不确定度对于规范操作链(或认证操作链)的影响的具体情况，经过规范操作链(或认证操作链)的传递计算得到。缺省状态下依从不确定度的计算流程可以用图 9.6 来表示。为了更加形象地说明问题，在这里可以把规范操作链(或认证操作链)看做一个系统，该系统可以表示为 $F_{SP}$ 或 $F_{VP}$，那么执行不确定度和规范不确定度可以看做该系统的"激励"，而依从不确定度则可以看做该系统的"响应"。由于各自特性方式的不同，执行不确定度和规范不确定度的"激励"方式是不一样的。

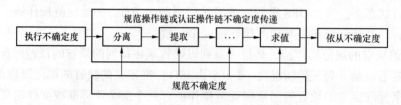

图 9.6　缺省状态下依从不确定度的计算流程

由于执行不确定度来源于仪器误差、环境因素和人为因素，所以它的影响是相对比较固定的，从操作链的第一个操作开始，沿着操作的先后顺序传递下去，直至最后的依从不确定度。然而，规范不确定度来源于规范操作链本身的一个或多个规范操作的缺少、规范操作说明不完整或者规范操作之间的顺序错误，而且针对不同的 GPS 规范，规范操作链往往是不一样的，所以规范不确定度的影响是相对比较复杂的。这种复杂性表现在三个方面：一是它可能从第一个操作开始影响，也可能从最后一个操作开始影响，也就是说，它影响的起点是不固定的；二是它可能影响操作链中的一个操作，也可能影响多个操作，也就是说，它影响的操作的数目是不固定的；三是即便对于同一个操作，由于参数选择不同等原因，也可能导致不同的规范不确定度。例如滤波操作，滤波器的类型不同，或者滤波器的参数选择不一样，那么滤波前后不确定度的传递规律是不一样的。所以，几乎每一个 GPS 标准链依从不确定度的计算，都是一个具体问题具体分析的过程，正确分析执行不确定度和规范不确定度的"激励"方式是正确计算依从不确定度的前提，在此基础上，按照图 9.6 给出的计算流程，经过规范操作链(或认证操作链)的传递计算得到依从不确定度。

从上面缺省状态下依从不确定度的计算流程可以看出，在缺省状态下依从不确定度仅由执行不确定度和规范不确定度组成，而不包括方法不确定度，所以依从不确定度的计算问题相对简单一些。所以，在一般情况下 GPS 过程应该尽量采用缺省状态(企业级缺省、国家级缺省或国际级缺省，应该尽量采用高级别的缺省)，使得在依从不确定度计算过程中不用考虑方法不确定度的影响，从而不仅可以简化认证过程，而且可以有效地降低认证成本。

### 9.3.2 特殊状态

在特殊状态下，一个 GPS 过程应该满足以下两个条件：一是规范操作链是一个特殊的操作链；二是认证操作链与规范操作链一般情况下是不完全一致的。

(1)所谓特殊的规范操作链，是指包含一个或者多个特殊的规范操作的操作链。例如根据 ISO 标准，GPS 规范 *Ra* 1.5(采用截止波长为 2.5 mm 滤波器)的规范操作链由以下规范操作按先后顺序组成：

分离，从毛面模型得到非理想表面；

分离，从非理想表面得到非理想曲线；

提取，按照 ISO 4288 的评定长度提取轮廓；

滤波，采用高斯滤波器进行滤波，截止波长为 2.5 mm；

求值，按照 ISO 4287 和 ISO 4288 对 *Ra* 进行合格性判定。

本例和 9.3.1 小节给出的 *Ra*1.5 的例子相比，唯一的不同点就在于滤波操作的截止波长不一样。在本例中，因为滤波操作的截止波长不是 ISO 4288 给出的缺省值，所以滤波操作是一个特殊的规范操作，而不是一个缺省的规范操作，因此这是一个特殊的规范操作链。按照 9.2.2 小节，该特殊的规范操作链可以表示为

$$F_{SP} = F \ (f_{PAR-S}, f_{PAR-S}, f_{EXT-S}, f_{FIL-S}, f_{EVA-S}) \qquad (9.4)$$

(2)所谓认证操作链与规范操作链不完全一致，也就是说，或者认证操作链和规范操作链所包含的操作不完全一样，或者认证操作链和规范操作链所包含的操作的排列顺序不完全一样。这时候，认证操作链不是规范操作链的理想模拟，也就是说，认证操作链和规范操作链之间存在差异，这个差异就是产生方法不确定度的原因。对于上面给出的 *Ra*1.5 的例子，按照 9.2.3 小节给出的认证操作链的函数表达式，与规范操作链不完全一致的认证操作链应该表示为

$$F_{VP} = (f_{PAR-V}, f_{PAR-V}, f_{EXT-V}, f_{FIL-V}, f_{EVA-V}) \neq F_{SP} = (f_{PAR-S}, f_{PAR-S}, f_{EXT-S}, f_{FIL-S}, f_{EVA-S}) \qquad (9.5)$$

明确特殊状态的两个条件之后，下面来分析在特殊状态下依从不确定度的计算流程。在特殊状态下，因为认证操作链与规范操作链不完全一致，所以存在源于认证操作链与规范操作链差异的方法不确定度。这样，依从不确定度由执行不确定度、方法不确定度和规范不确定度三部分组成，所以依从不确定度的计算相对于缺省状态要复杂得多。特殊状态和缺省状态的最大区别在于存在方法不确定度，因此特殊状态下的依从不确定度的计算流程和缺省状态下的依从不确定度的计算流程相比存在两个不同点：一是增加了方法不确定度对于依从不确定度的影响；二是必须按照认证操作链来计算依从不确定度，因为特殊状态下一般情况认证操作链和规范操作链是不完全一致的。因此，在特殊状态下，应该根据执行不确定度、方法不确定度和规范不确定度对于认证操作链的影响的具体情况，经过认证操作链的传递计算得到。特殊状态下依从不确定度的计算流程可以用图 9.7 来表示。为了更加形象地说明问题，在这里也可以把认证操作链看做一个系统，该系统可以表示为 $F_{VP}$，那么执行不确定度、方法不确定度和规范不确定度可以看

作该系统的"激励"，而依从不确定度则可以看做该系统的"响应"。由于各自特性方式的不同，执行不确定度、方法不确定度和规范不确定度对于系统的"激励"方式是不一样的，也就是说，对于依从不确定度的影响方式是不一样的。

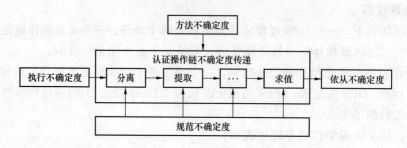

图 9.7　特殊状态下依从不确定度的计算流程

在特殊状态下，首先要考虑方法不确定度对于依从不确定度的影响。方法不确定度来源于认证操作链和规范操作链之间的差异，所以它对依从不确定度的影响表现为在认证过程中选择了与规范操作链不一致的认证操作链。因此，后面执行不确定度和规范不确定度的传递计算都要按照实际采用的认证操作链进行。特殊状态下执行不确定度和规范不确定度对于依从不确定度的影响方式与缺省状态下基本上是一样的。执行不确定度来源于仪器误差、环境因素和人为因素，所以它的影响是相对比较固定的，从认证操作链的第一个操作开始，然后沿着操作的先后顺序传递下去，直至最后的依从不确定度。而规范不确定度来源于认证操作链本身，它的影响是相对比较复杂的，这种复杂性也表现在三个方面：一是它可能从认证操作链中的第一个操作开始影响，也可能从最后一个操作开始影响，也就是说，它影响的起点是不固定的；二是它可能影响操作链中的一个操作，也可能影响多个操作，也就是说，它影响的操作的数目是不固定的；三是即便对于同一个操作，由于参数选择不同等原因，也可能导致不同的规范不确定度。所以，和缺省状态下依从不确定度的计算一样，特殊状态下几乎每一个依从不确定度的计算，也都是一个具体问题具体分析的过程，正确分析执行不确定度、方法不确定度和规范不确定度的"激励"方式是正确计算依从不确定度的前提，在此基础上，按照图 9.7 给出的计算流程，经过认证操作链的传递计算得到认证结果的依从不确定度。

在特殊状态下，依从不确定度由执行不确定度、方法不确定度和规范不确定度三部分组成，所以依从不确定度的计算相对于缺省状态要复杂得多。所以，在一般情况下应该尽量少采用特殊状态，而且在很多时候，可以通过一定的措施，将特殊状态转化为缺省状态(企业级缺省、国家级缺省或国际级缺省)，从而可以简化依从不确定度的计算。这一转化主要通过规范过程和认证过程的协调来实现，首先是尽量采用缺省的规范操作链，其次是保持认证操作链和规范操作链的一致性。

## 9.4　小结

本章在对 GPS 标准链进行建模的基础上，提出了 GPS 标准链依从不确定度的计算框架，从而为 GPS 标准链依从不确定度的计算提供了初步的理论支持。

(1)基于对偶性原理，建立了 GPS 标准链的模型；

(2)给出了缺省状态下依从不确定度的计算流程：在缺省状态下，依从不确定度应该根据执行不确定度和规范不确定度对于规范操作链(或认证操作链)的影响的具体情况，经过规范操作链(或认证操作链)的传递计算得到；

(3)给出了特殊状态下依从不确定度的计算流程：在特殊状态下，应该根据执行不确定度、方法不确定度和规范不确定度对于认证操作链的影响的具体情况，经过认证操作链的传递计算得到。

# 第10章　滤波操作不确定度传递规律的研究

从已给出的 GPS 标准链依从不确定度的计算流程可以看出，不管是在缺省状态下，还是在特殊状态下，GPS 标准链依从不确定度的计算都涉及到一个不确定度的传递问题。不确定度在规范操作链或认证操作链中的传递具体表现为不确定度在组成操作链的分离、提取、滤波、拟合、集成、构建和求值等一系列操作过程中的传递。所以，明确不确定度在分离、提取、滤波、拟合、集成、构建和求值等每一个具体操作中的传递规律是计算 GPS 标准链依从不确定度的根本。本章着重研究滤波操作的不确定度传递规律，从而为最终 GPS 标准链依从不确定度的计算奠定基础。

ISO/DTS 16610-1 给出了新型 GPS 标准体系的滤波标准矩阵，该矩阵包括了三种类型的滤波器，分别是线性滤波器、区域滤波器和形态滤波器，目前最为成熟和应用最为广泛的是线性轮廓滤波器。根据 ISO/DTS 16610-20 给出的线性轮廓滤波器的基本原理，对于每一种线性轮廓滤波器，都可以根据自身的滤波器方程，由未滤轮廓(输入轮廓)得到相应的滤过轮廓(输出轮廓)。但是在滤波过程中，轮廓的不确定度往往发生了变化。本章的目的就是研究线性轮廓滤波器不确定度的传递规律，从而根据滤波器方程，由未滤轮廓的不确定度求出滤过轮廓的不确定度。

线性轮廓滤波器的滤波过程，首先是通过取样将未滤轮廓离散为一个随机矢量。正如基本测量列的不确定度可以用方差表示一样，随机矢量的不确定度可以用协方差矩阵表示。该矩阵的对角元素为随机矢量每一个分量的方差，表示自身不确定度，而非对角元素为随机矢量分量之间的协方差，表示相互不确定度。因此，本章对线性轮廓滤波器的不确定度传递规律的研究，主要是根据线性轮廓滤波器的基本原理，通过对输入轮廓和输出轮廓的协方差矩阵的计算来进行的。

## 10.1　线性轮廓滤波器的基本原理

### 10.1.1　线性轮廓滤波器的定义

将轮廓信号分解为长波和短波两部分的滤波器，称为线性轮廓滤波器。ISO/DTS 16610-20 给出了最一般的线性轮廓滤波器的数学公式：

$$y(x) = \int K(x-\xi)z(\xi)\mathrm{d}\xi \tag{10.1}$$

式中　$z(\xi)$——未滤轮廓；

$\quad\quad\ y(x)$——滤过轮廓；

$\quad\quad\ K(x-\xi)$——滤波器的权函数，用于计算输入轮廓的平均线，表明每一取样点依附于其相邻轮廓的权重。

可见，线性轮廓滤波器实质上是一个以连续形式表示的卷积运算。但是，输入轮廓总是离散的，所以必须将上述以连续形式表示的滤波器离散化。在权函数不离散的情况下，可转换为离散形式。

### 10.1.2 线性轮廓滤波器的离散表示

一个输入轮廓通过取样，可以用一个矢量表示，该矢量的长度 $n$ 等于取样数据点的数目。假定取样间距是一定的，那么轮廓的第 $i$ 个数据点就是矢量的第 $i$ 个元素。例如，取样间距为 $\Delta x$、长度为 $n$ 的输入轮廓可以表示为

$$z = (z_1 \quad z_2 \quad \cdots \quad z_n) \tag{10.2}$$

其中，第 $i$ 个组成元素 $z_i = z(i\Delta x)$。

在输入轮廓用一个矢量表示的前提下，线性轮廓滤波器可以用一个方阵离散表示，这个方阵的大小等于要进行滤波的取样数据的数目。如果这个滤波器是非周期性的，则该矩阵是一个恒定对角矩阵：

$$\begin{pmatrix} \ddots & \ddots & \ddots & \ddots & \ddots & & \\ & c' & b' & a & b & c & \\ & c' & b' & a & b & c & \ddots \\ & & c' & b' & a & b & c \\ & & & \ddots & \ddots & \ddots & \ddots & \ddots \end{pmatrix}$$

如果这个滤波器是周期性的，则该矩阵是一个循环矩阵：

$$\begin{pmatrix} a & b & c & \cdots & \cdots & c' & b' \\ b' & a & b & c & \cdots & \cdots & c' \\ c' & b' & a & b & c & \cdots & \\ & \ddots & & & & & \\ & & \cdots & c' & b' & a & b & c \\ c & & \cdots & & c' & b' & a & b \\ b & c & & \cdots & \cdots & c' & b' & a \end{pmatrix}$$

当经过相应的变换后，表示滤波器的矩阵的每一行是一样的，矩阵元素可以只用一行表示。因此

$$a_{ij} = s_k \tag{10.3}$$

其中，$k = i - j$。$s_k$ 构成矢量 $S$，$S$ 的长度等于单独输入或输出数据矢量的长度。这个矢量就是滤波器权函数的离散表示。

### 10.1.3 线性轮廓滤波器方程

如果滤波器权函数由矩阵 $S$ 表示，输入数据由矢量 $z$ 表示，输出数据由矢量 $w$ 表示，则滤波器方程可用下面的线性方程表示为

$$w = Sz \tag{10.4}$$

若 $S$ 可逆，且逆矩阵为 $S^{-1}$，滤波器方程也可以表示为

$$z = S^{-1}w \tag{10.5}$$

如果矩阵 $S$ 是一个常对角矩阵或循环矩阵，那么逆矩阵 $S^{-1}$ 也是一个常对角矩阵或循环矩阵。如果矩阵 $S$ 对称，那么逆矩阵 $S^{-1}$ 也对称。滤波器可用矩阵 $S$ 或其逆矩阵 $S^{-1}$ 定义，但是逆矩阵 $S^{-1}$ 不一定存在，这时滤波过程是不可逆的，无法实现数据重构，因

而这样的滤波器是不稳定的。

该滤波器方程还可以写为离散卷积的形式

$$w_i = \sum_k a_{ik} z_k = \sum_k s_{i-k} z_k \qquad (10.6)$$

或简写为离散卷积

$$w = Sz \qquad (10.7)$$

对离散卷积进行傅立叶变换可以得到

$$W = HZ \qquad (10.8)$$

其中，$Z$、$W$、$H$ 分别为输入矢量 $z$、输出矢量 $w$ 和权函数 $S$ 的离散傅立叶变换。

$$H(\omega) = \sum_k s_k \mathrm{e}^{-i\omega k} = s_0 + \sum_{k \neq 0} s_k \left( \cos \omega k + i \sin \omega k \right) \qquad (10.9)$$

称为滤波器的传递函数。如果权函数 $S$ 对称，则上式可以简化为

$$H(\omega) = s_0 + 2 \sum_{k>0} s_k \cos \omega k \qquad (10.10)$$

产生一个实传递函数。

线性轮廓滤波器通常是低通(长波)滤波器和高通(短波)滤波器的合成，可用它们的传递函数 $H_0(\omega)$ 和 $H_1(\omega)$ 表示。以粗糙度测量为例，可以通过一个低通滤波器 $H_0(\omega)$ 和一个高通滤波器 $H_1(\omega)$ 将轮廓分解得到波度成分和粗糙度成分。

一般情况下，低通和高通滤波器的传递函数是交叠的(在相同波长处的非零值)。因为在交叠区域内具有限定频率的输入数据将进入两个通道，从而对于每一个通道都引起混叠，这在滤波器的实际应用中是不可避免的。任何来自滤波数据的输入信号的重建都要考虑这一问题。

## 10.2 线性轮廓滤波器的不确定度传递规律

线性轮廓滤波器方程建立了输入矢量与输出矢量之间的关系，可以根据这一方程和输入矢量的协方差矩阵推导出输出矢量(通常是高频和低频两部分)的协方差矩阵，从而确定输入不确定度和输出不确定度之间的传递关系。

对于输入矢量 $z$，其协方差矩阵可以表示为

$$C(z) = \begin{pmatrix} D(z_1) & \mathrm{Cov}(z_1, z_2) & \cdots & \mathrm{Cov}(z_1, z_n) \\ \mathrm{Cov}(z_2, z_1) & D(z_2) & \cdots & \mathrm{Cov}(z_2, z_n) \\ \vdots & \vdots & & \vdots \\ \mathrm{Cov}(z_n, z_1) & \mathrm{Cov}(z_n, z_2) & \cdots & D(z_n) \end{pmatrix}$$

该矩阵的对角元素为输入矢量 $z$ 每一个分量的方差表示每个分量自身的不确定度，用标准差形式可以表示为

$$u(z_k) = \sqrt{D(z_k)} \qquad (10.11)$$

而非对角元素为输入矢量 $z$ 各个分量之间的协方差表示分量之间的相互不确定度，

用标准差形式可以表示为

$$u(z_k, z_l) = \sqrt{\mathrm{Cov}(z_k, z_l)} \tag{10.12}$$

根据线性轮廓滤波器方程

$$w_i = \sum_k s_{i-k} z_k \tag{10.13}$$

首先计算输出矢量 $w$(低频)和 $r$(高频)的各个分量的均值

$$E(w_i) = E(\sum s_{i-k} z_k) = \sum s_{i-k} E(z_k) \tag{10.14}$$

$$E(r_i) = E(z_i) - E(w_i) \tag{10.15}$$

然后，计算输出矢量 $w$ 和 $r$ 的分量之间的协方差

$$\mathrm{Cov}(w_i, w_j) = E\left\{\left[w_i - E(w_i)\right]\left[w_j - E(w_j)\right]\right\} \tag{10.16}$$

$$\mathrm{Cov}(r_i, r_j) = E\left\{\left[r_i - E(r_i)\right]\left[r_j - E(r_j)\right]\right\} \tag{10.17}$$

分别将式(10.13)、式(10.14)和式(10.13)、式(10.15)代入式(10.16)和式(10.17)，经过变换，输出矢量 $w$ 和 $r$ 的协方差可以表示为

$$\mathrm{Cov}(w_i, w_j) = \sum\sum s_{i-k} s_{j-l} \mathrm{Cov}(z_k, z_l) \tag{10.18}$$

$$\mathrm{Cov}(r_i, r_j) = \sum \sum (\delta_{ik} - s_{i-k})(\delta_{jl} - s_{j-l}) \mathrm{Cov}(z_k, z_l) \tag{10.19}$$

根据相关系数与协方差的数学关系

$$\rho(z_k, z_l) = \frac{\mathrm{Cov}(z_k, z_l)}{\sqrt{D(z_k)D(z_l)}} \tag{10.20}$$

式(10.18)和式(10.19)可以变换为

$$\mathrm{Cov}(w_i, w_j) = \sqrt{D(z_k)D(z_l)} \sum\sum s_{i-k} s_{j-l} \rho(z_k, z_l) \tag{10.21}$$

$$\mathrm{Cov}(r_i, r_j) = \sqrt{D(z_k)D(z_l)} \sum \sum (\delta_{ik} - s_{i-k})(\delta_{jl} - s_{j-l}) \rho(z_k, z_l) \tag{10.22}$$

根据下面两个条件，输出矢量 $w$ 和 $r$ 的协方差计算公式(10.21)、式(10.22)可以进一步简化：

(1)一般情况下，输入轮廓的提取过程是一个等精度测量的过程，即输入矢量 $z$ 的各分量的不确定度是相等的，所以

$$D(z_k) = D(z_l) = D(z) = u^2(z) \tag{10.23}$$

(2)在输入轮廓的取样过程中，输入矢量 $z$ 的各分量是互相独立、互不相关的。根据上述条件，输入矢量的协方差矩阵是一个恒等对角矩阵，可以表示为

$$C(z) = \begin{pmatrix} u^2(z) & 0 & \cdots & 0 \\ 0 & u^2(z) & \cdots & 0 \\ \vdots & \vdots & & \vdots \\ 0 & 0 & \cdots & u^2(z) \end{pmatrix}$$

相应地，输入矢量 $z$ 的相关系数矩阵是一个单位矩阵，即对角元素等于 1，而非对角元素等于 0，可以表示为

$$\rho(z_k, z_l) = \delta_{kl} \tag{10.24}$$

根据式(10.23)和式(10.24)，式(10.21)、式(10.22)可以进一步简化为

$$\mathrm{Cov}(w_i, w_j) = D(z) \sum \sum s_{i-k} s_{j-l} \delta_{kl} \tag{10.25}$$

$$\mathrm{Cov}(r_i, r_j) = D(z) \sum \sum (\delta_{ik} - s_{i-k})(\delta_{jl} - s_{j-l}) \delta_{kl} \tag{10.26}$$

从而计算出输出矢量 $w$ 和 $r$ 协方差矩阵的非对角元素为

$$\mathrm{Cov}(w_i, w_j) = D(z) \sum s_{(i-j)-k} s_k \tag{10.27}$$

$$\mathrm{Cov}(r_i, r_j) = D(z) \sum (\delta_{ik}\delta_{jk} - \delta_{ik}s_{j-k} - \delta_{jk}s_{i-k} + s_{(i-j)-k}s_k) \tag{10.28}$$

对角元素为

$$D(w_i) = D(z) \sum s_k^2 \tag{10.29}$$

$$D(r_i) = D(z) \sum (1 - 2s_0 + s_k^2) \tag{10.30}$$

由上式可以看出，输出轮廓 $w$ 和 $r$ 各个分量的不确定度是相等的，用标准差形式可以表示为

$$u(w) = \sqrt{D(w)} = \sqrt{D(w_i)} = u(z)\sqrt{\sum s_k^2} \tag{10.31}$$

$$u(r) = \sqrt{D(r)} = \sqrt{D(r_i)} = u(z)\sqrt{\sum (1 - 2s_0 + s_k^2)} \tag{10.32}$$

这样，就得到了输出矢量 $w$ 和 $r$ 的协方差矩阵

$$C(w) = \begin{pmatrix} D(w) & \mathrm{Cov}(w_1, w_2) & \cdots & \mathrm{Cov}(w_1, w_k) \\ \mathrm{Cov}(w_2, w_1) & D(w) & \cdots & \mathrm{Cov}(w_2, w_k) \\ \vdots & \vdots & & \vdots \\ \mathrm{Cov}(w_k, w_1) & \mathrm{Cov}(w_k, w_2) & \cdots & D(w) \end{pmatrix}$$

$$C(r) = \begin{pmatrix} D(r) & \mathrm{Cov}(r_1, r_2) & \cdots & \mathrm{Cov}(r_1, r_k) \\ \mathrm{Cov}(r_2, r_1) & D(r) & \cdots & \mathrm{Cov}(r_2, r_k) \\ \vdots & \vdots & & \vdots \\ \mathrm{Cov}(r_k, r_1) & \mathrm{Cov}(r_k, r_2) & \cdots & D(r) \end{pmatrix}$$

由输出矢量 $w$ 和 $r$ 的协方差矩阵的推导过程可以看出，在输入轮廓不确定度一定的前提下，输出轮廓的不确定度是由滤波器的权函数决定的。由式(10.31)、式(10.32)可见，输出轮廓 $w$ 和 $r$ 各个分量的标准不确定度是相等的，可以用它们作为输出轮廓 $w$ 和 $r$ 不确定度的评定指标。

## 10.3 线性轮廓滤波器不确定度传递的测量实例

根据上面推导出来的线性轮廓滤波器的不确定度传递公式，下面针对典型的线性轮廓滤波器——高斯滤波器给出两个测量实例。

### 10.3.1 高斯滤波器的基本原理

根据 ISO 11562，高斯滤波器是一个由方程 $s(x)$ 定义的连续权函数的线性轮廓滤波器

$$s(x) = \frac{1}{\alpha\lambda_c}\exp\left[-\pi\left(\frac{x}{\alpha\lambda_c}\right)^2\right] \tag{10.33}$$

其中，$x$ 是权函数离中心点(即最大点)的距离，$\lambda_c$ 是截止波长，$\alpha$ 是一个由下式给出的常数

$$\alpha = \sqrt{\frac{\ln 2}{\pi}} = 0.469\ 7$$

权函数 $s(x)$ 的曲线如图 10.1 所示。

经过取样，权函数 $s(x)$ 可以离散表示为

$$s_k = \frac{\Delta x}{\alpha\lambda_c}\exp\left[-\pi\left(\frac{k\Delta x}{\alpha\lambda_c}\right)^2\right] \tag{10.34}$$

这样，高斯滤波器实质上是一个离散卷积运算，如图 10.2 所示。

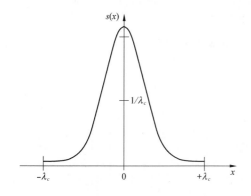

图 10.1　高斯滤波器的权函数

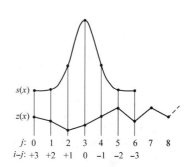

图 10.2　离散卷积

高斯滤波器的传递函数可用权函数 $s(x)$ 的傅立叶变换来描述

$$H(\omega) = \frac{1}{2\pi}\int_{-\infty}^{+\infty}s(x)\mathrm{e}^{-j\omega x}\,\mathrm{d}x = \exp\left[-\pi\left(\frac{a\omega}{\omega_c}\right)^2\right] \tag{10.35}$$

式中　$\omega_c$——滤波器的截止频率；

$\omega$——角频率。

高斯滤波器的长波轮廓转换特性为

$$\frac{a_1}{a_0} = \exp\left[-\pi\left(\frac{a\lambda_c}{\lambda}\right)^2\right] \tag{10.36}$$

短波轮廓转换特性为

$$\frac{a_2}{a_0} = 1 - \frac{a_1}{a_0} = 1 - \exp\left[-\pi\left(\frac{a\lambda_c}{\lambda}\right)^2\right] \tag{10.37}$$

式中　$a_0$——滤波前正弦轮廓的幅度；

　　　$a_1$——滤波基准轮廓的幅度；

　　　$a_2$——粗糙度轮廓的幅度；

　　　$\lambda$——正弦轮廓的波长。

如图 10.3 和图 10.4 所示(横坐标为轮廓正弦波长，纵坐标为幅度转换比率)。

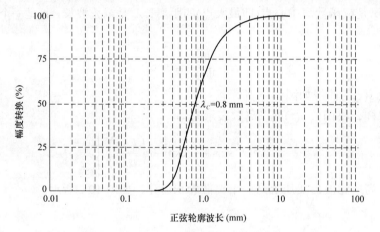

图 10.3　高斯滤波长波转换特性

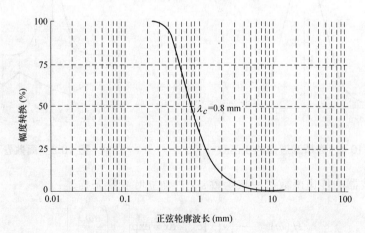

图 10.4　高斯滤波短波转换特性

通过一次卷积运算可以将表面轮廓 $z(x)$ 分解为高频粗糙度信号 $r(x)$ 和低频基准信号 $w(x)$ 两部分：

$$w(x) = \int_{-\infty}^{+\infty} s(x-\xi)z(\xi)\mathrm{d}\xi \qquad (10.38)$$

$$r(x) = z(x) - w(x) \qquad (10.39)$$

当满足采样定理，以等距离采样间隔 $\Delta x$ 离散采样时，$N$ 个采样点 $x_i = i\Delta x$，低频基准信号的二维离散卷积运算为

$$w(x_i) = \sum_{k=-m}^{m} s\big[(i-k)\Delta x\big] \cdot z(k \cdot \Delta x) \cdot \Delta x \quad (i = m, \ m+1, \ \cdots, \ N\text{–}m) \qquad (10.40)$$

式中  $m$——高斯权函数的半窗宽；

$N$——采样点数。

相应地，表面粗糙度信号为

$$r(x_i) = z(x_i) - w(x_i) \qquad (10.41)$$

### 10.3.2  测量实例 I ——低频高斯滤波

明确高斯滤波器的基本原理以后，根据线性轮廓滤波器的不确定度传递公式，推导出低频高斯滤波器的不确定度传递公式。将公式(10.34)代入公式(10.31)，即可得到低频高斯滤波器的不确定度传递公式

$$u(w) = u(z)\sqrt{\sum_k \left\{ \frac{\Delta x}{\alpha\lambda_c} \exp\left[ -\pi\left(\frac{k\Delta x}{\alpha\lambda_c}\right)^2 \right] \right\}^2} \qquad (10.42)$$

进一步简化为

$$u(w) = u(z)\sqrt{\frac{\sqrt{2}\Delta x}{2\alpha\lambda_c}} \qquad (10.43)$$

推导出低频高斯滤波器的不确定度传递公式以后，采用 Taylor Hobson 公司的 Form Talysurf PGI 1240 Aspherics Measuring System 对一直线度进行测量评定，并采用低频高斯滤波器对提取轮廓进行滤波。根据直线度测量的国际标准 ISO/DIS 12780-2.2，滤波参数选取如下：截止波长 $\lambda_c$=8.0 mm，对应的最大取样间距 $\Delta x$=1.14 mm，权函数矢量 $\boldsymbol{S}$ 的取样点数等于 7。在该测量实例中，通过不确定度评定，输入轮廓不确定度 $u(z)$=0.048 μm。图 10.5 为直线度测量的高斯滤波过程。

将上述参数代入低频高斯滤波器的不确定度传递公式(10.43)，经过计算，可以得到输出轮廓的不确定度的计算结果为

$$u(w) = 0.048 \times \frac{1.14}{0.469\,7 \times 8} \times \sqrt{\sum_k \left\{ \exp\left[ -3.141\,6 \times \left(\frac{1.14}{0.469\,7 \times 8}\right)^2 \right] \right\}^{2k^2}} = 0.022(\mu m) \qquad (10.44)$$

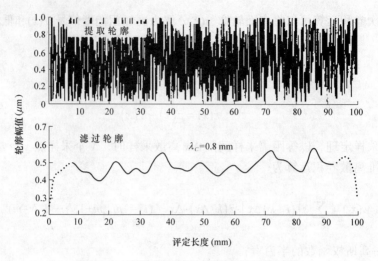

图 10.5　直线度测量的低通高斯滤波过程

### 10.3.3　测量实例 Ⅱ——高频高斯滤波

明确高斯滤波器的基本原理以后，根据线性轮廓滤波器的不确定度传递公式，将公式(10.34)代入公式(10.32)，即可得到高频高斯滤波器的不确定度传递公式

$$u(r) = u(z)\sqrt{\sum_k \left\{ 1 - 2\frac{\Delta x}{\alpha \lambda_c} + \left\{ \frac{\Delta x}{\alpha \lambda_c} \exp\left[ -\pi\left( \frac{k\Delta x}{\alpha \lambda_c} \right)^2 \right] \right\}^2 \right\}} \tag{10.45}$$

进一步简化为

$$u(r) = u(z)\sqrt{1 - 2\frac{\Delta x}{\alpha \lambda_c} + \frac{\sqrt{2}\Delta x}{2\alpha \lambda_c}} \tag{10.46}$$

推导出高频高斯滤波器的不确定度传递公式以后，采用 Taylor Hobson 公司的 Form Talysurf PGI 1240 Aspherics Measuring System 对一样板的表面粗糙度进行测量，并采用高频高斯滤波器对提取轮廓进行滤波。根据表面粗糙度测量的国际标准 ISO 4288，有关参数选取如下：截止波长 $\lambda_c$=2.5 mm，取样间距 $\Delta x$=5 μm，取样长度 $l_r$=2.5 mm，评定长度 $l_n$=5 mm。在该测量实例中，通过不确定度评定，输入轮廓不确定度 $u(z)$=0.048 μm。图 10.6 为样板表面粗糙度轮廓曲线。

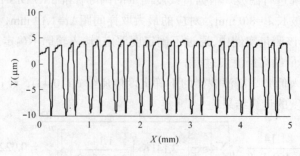

图 10.6　样板表面粗糙度轮廓曲线

将上述参数代入高频高斯滤波器的不确定度传递公式(10.46)，经过计算，可以得到输出轮廓的不确定度的计算结果为

$$u(r) = u(z)\sqrt{1 - 2\frac{\Delta x}{\alpha\lambda_c} + \frac{\sqrt{2}\Delta x}{2\alpha\lambda_c}} = 0.048 \times \sqrt{1 - \frac{0.005}{0.469\,7 \times 2.5}\left(2 - \frac{1}{1.414\,2}\right)} = 0.047(\mu m) \qquad (10.47)$$

## 10.4　小结

本章研究了线性轮廓滤波器的不确定度传递规律，内容包括：

(1)介绍了线性轮廓滤波器的基本原理，描述了典型的线性轮廓滤波器——高斯滤波器的滤波过程。

(2)推导出了线性轮廓滤波器的不确定度传递的计算公式。根据线性轮廓滤波器方程，由未滤轮廓的协方差矩阵求出了滤过轮廓的协方差矩阵，未滤轮廓的协方差矩阵对应输入轮廓的不确定度，而滤过轮廓的协方差矩阵对应输出轮廓的不确定度，这样就由输入轮廓的不确定度推导出了输出轮廓的不确定度。

(3)给出了高斯滤波器的两个测量实例，试验结果表明，经过滤波操作后轮廓的不确定度有所减小，这一变化规律对于 GPS 标准链不确定度的传递计算是非常重要的。

# 第 11 章　拟合操作不确定度传递规律的研究

拟合操作是操作链中的重要一环，虽然拟合操作的算法很多，但是在目前的坐标测量过程中，应用最多的还是最小二乘拟合，因为最小二乘拟合计算简便而且用时最少。目前的坐标测量往往只是给出最小二乘拟合的认证结果，并没有依据不确定度的传递规律给出认证结果的不确定度。这就导致了在对 GPS 规范进行合格性判定过程中的主观性比较大，容易产生工件的误收和误废，从而引发供求双方的矛盾。引起这一切后果的主要原因是由于不确定度的缺失而导致认证结果不完整，无法采用明确的判定原则对相应的 GPS 规范进行合格性判定。针对这一问题，本章根据平面度和直线度最小二乘拟合的基本原理，研究了最小二乘拟合的不确定度的传递规律，进而给出了一种平面度和直线度最小二乘拟合的依从不确定度的计算方法。这种方法的特点是将平面方程或直线方程的系数看做一个随机向量，通过计算该随机向量的均值和协方差矩阵来确定平面方程和直线方程，以及平面度或直线度的二乘拟合结果及其不确定度。这不仅保证了平面度或直线度认证结果的完整性，而且符合新型 GPS 标准体系的要求，从而可以提高平面度或直线度坐标测量的准确性。试验结果表明，根据平面度或直线度最小二乘拟合的结果及其不确定度，可以依从不确定度的判定原则定量地判定平面度或者直线度是否合格。

## 11.1　平面度最小二乘拟合的不确定度

根据新型 GPS 标准的基本要求，平面度的认证操作链依次包括分离、提取、拟合和求值等四种操作。依据依从不确定度的判定原则，认证过程在给出平面度认证结果的同时，还应该给出认证结果的不确定度，最后根据认证结果及其不确定度这两项指标对被测平面进行合格性判定。目前的坐标测量机虽然给出了平面度最小二乘拟合的认证结果，但是由于对拟合操作的不确定度传递规律缺乏研究，并没有给出平面度认证结果的不确定度，这就导致了无法直接采用相应的判定原则对被测平面进行合格性判定，显然这不符合新型 GPS 标准的要求。为了解决这一问题，下面给出了平面度最小二乘拟合的不确定度的计算方法。

### 11.1.1　平面度最小二乘拟合的基本原理

根据 ISO 12781-1，平面度最小二乘拟合主要由以下步骤组成。首先通过分离，从非理想表面模型获取一个非理想平面，如图 11.1(a)、(b)所示。然后从非理想平面提取替代实际要素的有限个点，如图 11.1(b)、(c)所示。根据平面度最小二乘拟合的规则，即每一个提取点到理想平面的距离的平方和最小，计算得到提取点的理想平面，如图 11.1(c)、(d)所示。平面度最小二乘的拟合平面可以表示为

$$z = ax+by+c \tag{11.1}$$

根据拟合平面的方程，由下面的公式计算给定采样点到最小二乘拟合平面的距离

$$d_i = \frac{z_i - ax_i - by_i - c}{\sqrt{1 + a^2 + b^2}} \tag{11.2}$$

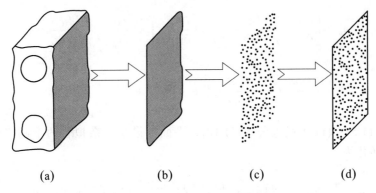

(a)        (b)        (c)        (d)

图 11.1   平面度拟合的操作链

最后可以得出平面度最小二乘拟合的认证结果

$$\delta = \max(d_i) - \min(d_i) \tag{11.3}$$

### 11.1.2   平面度最小二乘拟合的不确定度的计算

根据上面给出的平面度最小二乘拟合的基本原理，下面来推导平面度最小二乘拟合的不确定度的计算公式。假设取样点中对于最小二乘拟合平面的两个峰值点分别为$(x_1, y_1, z_1)$和$(x_2, y_2, z_2)$，则平面度最小二乘拟合的结果可以表示为

$$\delta = \frac{(z_1 - z_2) - a(x_1 - x_2) - b(y_1 - y_2)}{\sqrt{1 + a^2 + b^2}} \tag{11.4}$$

由 ISO 14253-2 给出的不确定度传递公式可知，要计算平面度最小二乘拟合的结果 $\delta$ 的不确定度，必须确定上式中每一个元素 $x_1$，$y_1$，$z_1$，$x_2$，$y_2$，$z_2$，$a$ 和 $b$ 的不确定度及其传递系数。首先推导出每一个元素的传递系数如下：

$$\frac{\partial \delta}{\partial a} = \frac{-x_1 + x_2}{\sqrt{1 + a^2 + b^2}} - \frac{a\left[z_1 - z_2 - a(x_1 - x_2) - b(y_1 - y_2)\right]}{\left(1 + a^2 + b^2\right)^{\frac{3}{2}}} \tag{11.5}$$

$$\frac{\partial \delta}{\partial b} = \frac{-y_1 + y_2}{\sqrt{1 + a^2 + b^2}} - \frac{b\left[z_1 - z_2 - a(x_1 - x_2) - b(y_1 - y_2)\right]}{\left(1 + a^2 + b^2\right)^{\frac{3}{2}}} \tag{11.6}$$

$$\frac{\partial \delta}{\partial x_1} = \frac{-a}{\sqrt{1 + a^2 + b^2}} \;\; ; \;\; \frac{\partial \delta}{\partial x_2} = \frac{a}{\sqrt{1 + a^2 + b^2}} \tag{11.7}$$

$$\frac{\partial \delta}{\partial y_1} = \frac{-b}{\sqrt{1 + a^2 + b^2}} \;\; ; \;\; \frac{\partial \delta}{\partial y_2} = \frac{b}{\sqrt{1 + a^2 + b^2}} \tag{11.8}$$

$$\frac{\partial \delta}{\partial z_1} = \frac{1}{\sqrt{1 + a^2 + b^2}} \;\; ; \;\; \frac{\partial \delta}{\partial z_2} = \frac{-1}{\sqrt{1 + a^2 + b^2}} \tag{11.9}$$

在所有元素中，一般情况下认为只有 $a$ 和 $b$ 是相关的，这样，平面度最小二乘拟合的不确定度计算公式可以表示为

$$u_\delta{}^2 = \left(\frac{\partial \delta}{\partial x_1} u_{x_1}\right)^2 + \left(\frac{\partial \delta}{\partial x_2} u_{x_2}\right)^2 + \left(\frac{\partial \delta}{\partial y_1} u_{y_1}\right)^2 + \left(\frac{\partial \delta}{\partial y_2} u_{y_2}\right)^2 + \left(\frac{\partial \delta}{\partial z_1} u_{z_1}\right)^2$$

$$+ \left(\frac{\partial \delta}{\partial z_2} u_{z_2}\right)^2 + \left(\frac{\partial \delta}{\partial a} u_a\right)^2 + \left(\frac{\partial \delta}{\partial b} u_b\right)^2 + 2\frac{\partial \delta}{\partial a}\frac{\partial \delta}{\partial b}\rho_{ab} u_{ab}$$

(11.10)

将公式(11.5) ~ (11.9)代入公式(11.10)，平面度最小二乘拟合的不确定度计算公式 (11.10)可以转化为

$$u_\delta{}^2 = \left(\frac{-x_1+x_2}{p} - \frac{qa}{p^3}\right)^2 u_a{}^2 + \left(\frac{-y_1+y_2}{p} - \frac{qb}{p^3}\right)^2 u_b{}^2 + 2\left(\frac{-x_1+x_2}{p} - \frac{qa}{p^3}\right)$$

(11.11)

$$\left(\frac{-y_1+y_2}{p} - \frac{qb}{p^3}\right)u_{ab} + \frac{u_{z_1}{}^2 + u_{z_2}{}^2 + b^2\left(u_{y_1}{}^2 + u_{y_2}{}^2\right) + a^2\left(u_{x_1}{}^2 + u_{x_2}{}^2\right)}{p^2}$$

其中

$$p = \sqrt{1+a^2+b^2}$$

$$q = z_1 - z_2 - a(x_1-x_2) - b(y_1-y_2)$$

方程(11.11)求解的关键是确定拟合平面的系数 $a$ 的不确定度 $u_a$，$b$ 的不确定度 $u_b$ 和 $a$ 与 $b$ 的相互不确定度 $u_{ab}$ 的数值。把平面方程的系数 $a$、$b$ 和 $c$ 看做一个随机向量 $r$，对被测平面按照相同的采样方法拟合多次，就可以计算出随机向量 $r$ 的均值和协方差矩阵 (11.12)。随机向量 $r$ 的均值用来表示拟合平面方程，随机向量 $r$ 的协方差矩阵用来计算 $u_a$、$u_b$ 和 $u_{ab}$。这样，方程(11.11)就可以求解了，即平面度最小二乘拟合的认证结果 $\delta$ 的不确定度就可以计算出来了。

$$\mathrm{Cov}(r) = \begin{pmatrix} u_a{}^2 & u_{ab} & u_{ac} \\ u_{ba} & u_b{}^2 & u_{bc} \\ u_{ca} & u_{cb} & u_c{}^2 \end{pmatrix}$$

(11.12)

### 11.1.3 试验分析

对于一个平面度公差要求为 $T = 0.020$ mm 平板，用 CMM 进行 3 次采样方法相同的测量，图 11.2 为坐标测量的平面采样图，图 11.2 中三组测点系列分别对应表 11.1 ~ 表 11.3 中的三组数据。根据上面推导出的计算公式，由测量数据可以计算出平面方程的系数 $a$、$b$ 和 $c$，平面度最小二乘拟合的认证结果 $\delta$ 和平面度最小二乘拟合的不确定度 $u_\delta$，结果表示如下：

拟合平面方程为

$$z = -0.000\,01x + 0.000\,02y + 1.022\,67$$

(11.13)

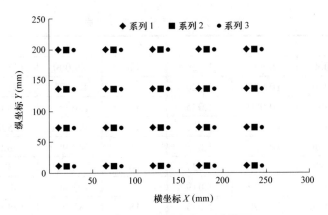

**图 11.2　坐标测量的平面采样图**

平面度最小二乘拟合的结果为

$$\delta = 0.017 \text{ mm}$$

平面度最小二乘拟合的不确定度为

$$u_\delta = 0.005 \text{ mm}$$

**表 11.1　坐标测量第一组数据**　　　　　　　　（单位：mm）

| No. | $x$ | $y$ | $z$ | No. | $X$ | $Y$ |
|-----|-----|-----|-----|-----|-----|-----|
| 1 | 10.999 | 10.000 | 1.024 | 11 | 10.999 | 136.000 |
| 2 | 64.999 | 9.999 | 1.025 | 12 | 65.000 | 135.999 |
| 3 | 1 112.999 | 10.000 | 1.017 | 13 | 118.999 | 136.000 |
| 4 | 172.999 | 9.999 | 1.017 | 14 | 173.001 | 135.999 |
| 5 | 226.999 | 10.000 | 1.017 | 15 | 226.999 | 136.000 |
| 6 | 227.001 | 72.999 | 1.020 | 16 | 227.002 | 198.999 |
| 7 | 173.002 | 72.999 | 1.026 | 17 | 173.001 | 198.999 |
| 8 | 119.001 | 72.999 | 1.023 | 18 | 119.000 | 198.999 |
| 9 | 65.002 | 72.999 | 1.027 | 19 | 65.001 | 198.999 |
| 10 | 11.001 | 72.999 | 1.023 | 20 | 11.002 | 198.999 |

**表 11.2　坐标测量第二组数据**　　　　　　　　（单位：mm）

| No. | $x$ | $y$ | $z$ | No. | $X$ | $Y$ | $Z$ |
|-----|-----|-----|-----|-----|-----|-----|-----|
| 1 | 19.999 | 10.000 | 1.023 | 11 | 19.999 | 136.000 | 1.026 |
| 2 | 74.001 | 9.999 | 1.026 | 12 | 73.999 | 136.000 | 1.032 |
| 3 | 128.000 | 10.000 | 1.024 | 13 | 128.000 | 136.000 | 1.020 |
| 4 | 181.999 | 10.000 | 1.018 | 14 | 182.000 | 135.999 | 1.023 |
| 5 | 236.000 | 10.000 | 1.025 | 15 | 235.999 | 136.000 | 1.027 |
| 6 | 236.002 | 72.999 | 1.021 | 16 | 236.000 | 198.999 | 1.023 |
| 7 | 182.001 | 72.999 | 1.027 | 17 | 182.002 | 198.999 | 1.029 |
| 8 | 128.000 | 72.999 | 1.017 | 18 | 128.001 | 198.999 | 1.016 |
| 9 | 74.001 | 72.999 | 1.021 | 19 | 74.001 | 198.999 | 1.024 |
| 10 | 20.001 | 73.000 | 1.023 | 20 | 20.001 | 198.999 | 1.020 |

表 11.3　坐标测量第三组数据　　　　　　　　　　　　（单位：mm）

| No. | $x$ | $y$ | $z$ | No. | $X$ | $Y$ | $Z$ |
|---|---|---|---|---|---|---|---|
| 1 | 29.000 | 9.999 | 1.020 | 11 | 29.000 | 135.999 | 1.026 |
| 2 | 83.000 | 10.000 | 1.020 | 12 | 83.001 | 136.000 | 1.036 |
| 3 | 137.001 | 10.000 | 1.025 | 13 | 136.999 | 136.000 | 1.025 |
| 4 | 191.000 | 10.000 | 1.022 | 14 | 191.001 | 135.999 | 1.028 |
| 5 | 245.000 | 10.000 | 1.018 | 15 | 244.999 | 136.000 | 1.029 |
| 6 | 245.000 | 72.999 | 1.027 | 16 | 245.001 | 198.999 | 1.020 |
| 7 | 191.001 | 72.999 | 1.019 | 17 | 191.001 | 198.999 | 1.029 |
| 8 | 137.000 | 72.999 | 1.023 | 18 | 137.002 | 198.999 | 1.021 |
| 9 | 83.001 | 72.999 | 1.022 | 19 | 83.001 | 198.999 | 1.025 |
| 10 | 29.000 | 73.000 | 1.028 | 20 | 29.000 | 198.999 | 1.026 |

　　然后根据依从不确定度的判定原则对平板的平面度进行合格性判定，如图 11.3 所示，由于测得值落在灰色区域内，所以根据依从不确定度的判定原则，该平板的平面度是否合格要由供求双方协商确定。而如果不考虑不确定度的影响，该平板可以直接判定为合格。由此可见，不确定度对该平面度的判定结果有着重要影响，考虑了不确定度的判定结果更为合理。

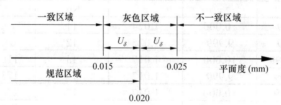

图 11.3　平面度拟合的结果

　　由此可见，根据上文推导出的平面度最小二乘拟合的不确定度的计算公式，可以直接得到平面度认证结果的不确定度指标，这不仅保证了坐标测量中平面度认证结果的完整性，而且符合新型 GPS 标准的要求，从而可以直接根据依从不确定度的判定原则对平面度进行判定。

## 11.2　直线度最小二乘拟合的不确定度

　　根据新型 GPS 标准的基本要求，直线度的认证操作链依次包括分离、提取、拟合和求值等四种操作。依据依从不确定度的判定原则，认证过程在给出直线度认证结果的同时，还应该给出认证结果的不确定度，最后根据认证结果及其不确定度这两项指标对被测直线进行合格性判定。目前的坐标测量机虽然给出了直线度最小二乘拟合的认证结果，但是由于对拟合操作的不确定度传递规律缺乏研究，并没有给出直线度认证结果的不确定度，这就导致了无法直接采用相应的判定原则对被测直线进行合格性判定，显然这不符合新型 GPS 标准的要求。为了解决这一问题，下面给出了直线度最小二乘拟合的不确定度的计算方法。

### 11.2.1 直线度最小二乘拟合的基本原理

根据 ISO12780-1，直线度最小二乘拟合主要由以下步骤组成。首先通过分离，从非理想表面模型获取一条非理想圆柱面，如图 11.4(a)、(b)所示。然后从分离要素提取替代实际要素的有限个点，如图 11.4(b)、(c)所示。最后根据直线度最小二乘拟合的规则，即每一个提取点到理想直线的距离的平方和最小，计算得到提取点的理想直线，如图 11.4(c)、(d)所示。直线度最小二乘拟合的拟合直线可以表示为

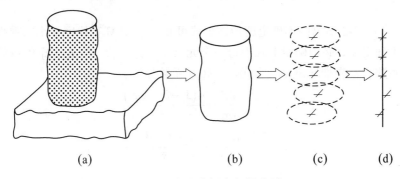

图 11.4　直线度拟合的操作链

$$\begin{cases} x = b_1 + k_1 z \\ y = b_2 + k_2 z \end{cases} \tag{11.14}$$

其中

$$b_1 = \frac{\sum (x_i z_i) \sum z_i - \sum z_i^2 \sum x_i}{\left(\sum z_i\right)^2 - n \sum z_i^2}$$

$$b_2 = \frac{\sum (y_i z_i) \sum z_i - \sum z_i^2 \sum y_i}{\left(\sum z_i\right)^2 - n \sum z_i^2}$$

$$k_1 = \frac{\sum x_i \sum z_i - n \sum (x_i z_i)}{\left(\sum z_i\right)^2 - n \sum z_i^2}$$

$$k_2 = \frac{\sum y_i \sum z_i - n \sum (y_i z_i)}{\left(\sum z_i\right)^2 - n \sum z_i^2}$$

根据拟合直线的方程，由下面的公式计算给定采样点到最小二乘拟合直线的距离

$$d_i = \sqrt{\left(x_i - b_1 - k_1 z_i\right)^2 + \left(y_i - b_2 - k_2 z_i\right)^2} \tag{11.15}$$

最后可以得出直线度最小二乘拟合的认证结果

$$\delta = 2 \max \left(d_i\right) \tag{11.16}$$

### 11.2.2 直线度最小二乘拟合的不确定度的计算

根据上面给出的直线度最小二乘拟合的基本原理，下面来推导直线度最小二乘拟合的不确定度的计算公式。假设取样点中对于最小二乘直线的距离最大的点为$(x_1, y_1, z_1)$，则直线度最小二乘拟合的认证结果可以表示为

$$\delta = 2\sqrt{\left(x_1 - b_1 - k_1 z_1\right)^2 + \left(y_1 - b_2 - k_2 z_1\right)^2} \tag{11.17}$$

由 ISO 14253-2 给出的不确定度传递公式可知，要计算直线度最小二乘拟合的认证结果 $\delta$ 的不确定度，必须确定上式中每一个元素 $x_1$、$y_1$、$z_1$、$b_1$、$b_2$、$k_1$ 和 $k_2$ 的不确定度及其传递系数。首先推导出每一个元素的传递系数如下：

$$\frac{\partial \delta}{\partial x_1} = \frac{4\left(x_1 - b_1 - k_1 z_1\right)}{\delta} \tag{11.18}$$

$$\frac{\partial \delta}{\partial y_1} = \frac{4\left(y_1 - b_2 - k_2 z_1\right)}{\delta} \tag{11.19}$$

$$\frac{\partial \delta}{\partial z_1} = \frac{4\left(-x_1 k_1 + b_1 k_1 + k_1^2 z_1 - y_1 k_2 + b_2 k_2 + k_2^2 z_1\right)}{\delta} \tag{11.20}$$

$$\frac{\partial \delta}{\partial b_1} = \frac{4\left(-x_1 + b_1 + k_1 z_1\right)}{\delta} \tag{11.21}$$

$$\frac{\partial \delta}{\partial b_2} = \frac{4\left(-y_1 + b_2 + k_2 z_1\right)}{\delta} \tag{11.22}$$

$$\frac{\partial \delta}{\partial k_1} = \frac{4\left(-x_1 z_1 + b_1 z_1 + k_1 z_1^2\right)}{\delta} \tag{11.23}$$

$$\frac{\partial \delta}{\partial k_2} = \frac{4\left(-y_1 z_1 + b_2 z_1 + k_2 z_1^2\right)}{\delta} \tag{11.24}$$

在所有元素中，一般情况下认为 $b_1$、$b_2$、$k_1$ 和 $k_2$ 是相关的，这样，直线度最小二乘拟合的不确定度计算公式可以表示为

$$
\begin{aligned}
u_\delta^2 = &\left(\frac{\partial \delta}{\partial x_1} u_{x_1}\right)^2 + \left(\frac{\partial \delta}{\partial y_1} u_{y_1}\right)^2 + \left(\frac{\partial \delta}{\partial z_1} u_{z_1}\right)^2 + \left(\frac{\partial \delta}{\partial b_1} u_{b_1}\right)^2 + \left(\frac{\partial \delta}{\partial b_2} u_{b_2}\right)^2 + \left(\frac{\partial \delta}{\partial k_1} u_{k_1}\right)^2 + \left(\frac{\partial \delta}{\partial k_2} u_{k_2}\right)^2 \\
&+ 2\frac{\partial \delta}{\partial b_1}\frac{\partial \delta}{\partial b_2}\rho_{b_1 b_2} u_{b_1 b_2} + 2\frac{\partial \delta}{\partial b_1}\frac{\partial \delta}{\partial k_1}\rho_{b_1 k_1} u_{b_1 k_1} + 2\frac{\partial \delta}{\partial b_1}\frac{\partial \delta}{\partial k_2}\rho_{b_1 k_2} u_{b_1 k_2} + 2\frac{\partial \delta}{\partial b_2}\frac{\partial \delta}{\partial k_1}\rho_{b_2 k_1} u_{b_2 k_1} \\
&+ 2\frac{\partial \delta}{\partial b_2}\frac{\partial \delta}{\partial k_2}\rho_{b_2 k_2} u_{b_2 k_2} + 2\frac{\partial \delta}{\partial k_1}\frac{\partial \delta}{\partial k_2}\rho_{k_1 k_2} u_{k_1 k_2}
\end{aligned} \tag{11.25}
$$

将公式(11.18)～(11.24)代入公式(11.25)，直线度最小二乘拟合的不确定度计算公式(11.25)可以转化为

$$u_\delta{}^2 = \frac{4}{\delta^2}[u_{x_1}{}^2\left(2x_1 - 2b_1 - 2k_1z_1\right)^2 + u_{y_1}{}^2\left(2y_1 - 2b_2 - 2k_2z_1\right)^2 + u_{b_1}{}^2q^2 + u_{b_2}{}^2p^2 + u_{k_1}{}^2n^2 + u_{k_2}{}^2m^2$$
$$+ 2\rho_{b_1b_2}u_{b_1b_2}pq + 2\rho_{b_1k_1}u_{b_1k_1}nq + 2\rho_{b_1k_2}u_{b_1k_2}mq + 2\rho_{b_2k_1}u_{b_2k_1}np + 2\rho_{b_2k_2}u_{b_2k_2}mp$$
$$+ 2\rho_{k_1k_2}u_{k_1k_2}mn + u_{z_1}{}^2(-2x_1k_1 + 2b_1k_1 + 2k_1{}^2z_1 - 2y_1k_2 + 2b_2k_2 + 2k_2{}^2z_1)^2]$$

(11.26)

其中

$$m = -2y_1z_1 + 2b_2z_1 + 2k_2z_1{}^2$$

$$n = -2x_1z_1 + 2b_1z_1 + 2k_1z_1{}^2$$

$$p = -2y_1 + 2b_2 + 2k_2z_1$$

$$q = -2x_1 + 2b_1 + 2k_1z_1$$

方程(11.26)求解的关键是确定拟合空间直线的参数 $b_1$、$b_2$、$k_1$、$k_2$ 的不确定度和 $b_1$、$b_2$、$k_1$、$k_2$ 之间的相互不确定度的数值。把空间直线方程的系数 $b_1$、$b_2$、$k_1$ 和 $k_2$ 看做一个随机向量 $r$，对被测直线进行一次采样，分组拟合，就可以计算出随机向量 $r$ 的均值和协方差矩阵(11.27)。随机向量 $r$ 的均值用来表示空间直线方程，而随机向量 $r$ 的协方差矩阵用来表示参数 $b_1$、$b_2$、$k_1$、$k_2$ 的不确定度和 $b_1$、$b_2$、$k_1$、$k_2$ 之间的相互不确定度。这样，方程(11.26)就可以求解了，即直线度最小二乘拟合的结果 $\delta$ 的不确定度就可以计算出来了。

$$\mathrm{Cov}(r) = \begin{pmatrix} u_{b1}{}^2 & u_{b1b2} & u_{b1k1} & u_{b1k2} \\ u_{b2b1} & u_{b2}{}^2 & u_{b2k1} & u_{b2k2} \\ u_{k1b1} & u_{k1b2} & u_{k1}{}^2 & u_{k1k2} \\ u_{k1b1} & u_{k2b2} & u_{k2k1} & u_{k2}{}^2 \end{pmatrix}$$

(11.27)

### 12.2.3 试验分析

对于一个直线度公差要求为 $T = 0.050$ mm 的轴线，用三坐标测量机进行测量，测量数据见表 11.4(表中每一组数据都是由原始数据经过最小二乘拟合后得到的相应圆心的坐标值)。

表 11.4　坐标测量数据　　　　　　　　　　　　　　　（单位：mm）

| 第一组 | | | 第二组 | | | 第三组 | | |
|---|---|---|---|---|---|---|---|---|
| $x$ | $y$ | $z$ | $x$ | $y$ | $z$ | $x$ | $y$ | $z$ |
| 2.998 | 4.000 | 0.000 | 8.012 | 13.986 | 5.000 | 13.013 | 23.995 | 10.000 |
| 17.986 | 34.011 | 15.000 | 22.987 | 44.013 | 20.000 | 28.024 | 53.979 | 25.000 |
| 32.986 | 63.992 | 30.000 | 38.013 | 74.008 | 35.000 | 42.985 | 83.994 | 40.000 |
| 47.979 | 94.013 | 45.000 | 53.012 | 104.013 | 50.000 | 57.989 | 114.01 | 55.000 |
| 63.009 | 124.008 | 60.000 | 68.007 | 133.979 | 65.000 | 73.009 | 144.011 | 70.000 |
| 78.014 | 153.997 | 75.000 | 83.013 | 164.007 | 80.000 | 87.989 | 174.008 | 85.000 |
| 93.009 | 183.998 | 90.000 | 97.996 | 194.01 | 95.000 | 103.000 | 204.000 | 100.000 |

根据上面推导出的计算方法，由测量数据可以计算出空间直线方程的系数 $b_1$、$b_2$、$k_1$ 和 $k_2$，直线度最小二乘拟合的认证结果 $\delta$ 和直线度最小二乘拟合的不确定度 $u_\delta$，结果表示如下：

空间直线方程为

$$\begin{cases} x = 3.001 + 1.000z \\ y = 3.997 + 2.000z \end{cases} \tag{11.28}$$

直线度最小二乘拟合的认证结果为

$$\delta = 0.060 \quad \text{mm}$$

直线度最小二乘拟合的不确定度为

$$u_\delta = 0.012 \quad \text{mm}$$

然后依从不确定度的判定原则对轴线的直线度进行合格性判定，如图 11.5 所示，由于测得值落在不确定度区域内，所以依据依从不确定度的判定原则，该轴线是否合格要由供求双方协商确定。而如果不考虑不确定度的影响，该轴线可以直接判定为不合格。由此可见，不确定度对该直线度的判定结果有着重要影响，考虑了不确定度的判定结果更为合理。

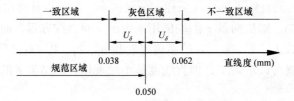

**图 11.5　直线度拟合的结果**

由此可见，根据上文推导出的直线度最小二乘拟合的不确定度的计算方法，可以直接得到直线度认证结果的不确定度指标，这不仅保证了坐标测量中直线度认证结果的完整性，而且符合新型 GPS 标准的要求，从而在坐标测量过程中可以直接根据依从不确定度的判定原则对直线度进行判定。

## 11.3　小结

本章研究了拟合操作中不确定度的传递计算问题，包括以下几个方面：

(1)分析了坐标测量中最为常用的最小二乘拟合方法，指出最小二乘拟合存在的最大问题是没有给出认证结果的不确定度，从而导致了在对 GPS 规范进行合格性判定过程中的主观性比较大，容易产生工件的误收和误废，从而引发供求双方的争议。

(2)在平面度和直线度最小二乘拟合的基本原理的基础上，研究了平面度和直线度最小二乘拟合的不确定度的计算问题。根据平面度和直线度最小二乘拟合的基本原理和 ISO 14253-2 给出的不确定度传递公式，推导出了一种平面度和直线度最小二乘拟合的不确定度的计算公式。

(3)对坐标测量中平面度和直线度最小二乘拟合的不确定度的计算问题进行了试验分析，并且根据提出的依从不确定度的判定原则对于平面度和直线度进行了合格性判定，认证结果更为完整，判定结果更为合理。

# 第12章 中厚板轧机工艺参数的综合测试

## 12.1 测试参数

为建立中厚板轧机数学模型，需测出下列工艺参数。

(1)轧制压力($P_i$)，计算机采样；

(2)轧辊转速($n_i$)，计算机采样；

(3)轧件温度($t_i$)，计算机采样；

(4)辊缝($S_i$)，人工读取智能辊缝仪的辊缝显示值；

(5)终轧厚度($h_i$)，人工读取激光测厚仪的板厚显示值；

(6)轧件宽度($b_i$)，由脉冲测宽仪上的打印机输出；

(7)轧辊直径($D_i$)，记录经换辊后已磨辊的工作辊直径的实际值；

(8)轧件化学成分($X_i$%)，据炉号查取轧件的化学成分。

本测试是采取多种方法测取各工艺参数的，计算机采样采用的微机是 IBM-PC，所采用的 A/D 板为 KL-AD5A 型通用 A/D、D/A 转换板，是中国科学院科理高技术公司制造的，软件触发采样频率为 20Hz，每块钢板的轧制采样时间为 5 分钟左右。智能辊缝仪由北京科技大学冶金机械教研室制造，激光测厚仪由机电部二十七研究所制造，脉冲测宽仪由上海科技开发公司制造。计测取 114 块钢板的轧制过程的工艺参数。而由人工读取的值，则是一人读取一人记录，并记下所有测取试验数据的钢板轧制工况。下面就各参数的测试原理、标定方法、测试方法分别加以详述。

## 12.2 测试方法及数据整理

### 12.2.1 轧制压力($P_i$)

#### 12.2.1.1 测量原理

轧制力是轧钢生产中一个极其重要的参数。

轧制时牌坊立柱产生弹性变形，其大小与轧制力成正比，因此只要测出牌坊立柱的应变就可推算出轧制力。由于牌坊安全系数大、应力水平低、输出信号小，为了提高测量精度，采用应变拉杆法，如图 12.1 所示，在牌坊立柱中性面上焊两个支座 1，在二者之间固定一段粗拉杆 2，其间用一根细小拉杆 3(有效长度为 $l$，其上粘贴变片，组成电桥)相连。当粗拉杆远远大于细小拉杆时，可以认为粗拉杆不发生变形，而牌坊立柱长度为 $L$ 的变形主要集中在细小拉杆上，其应力为

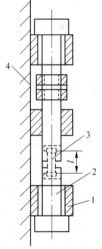

**图 12.1 应变拉杆的结构和安装示意图**

$$\sigma_{\text{杆}} = \sigma_{\text{柱}} \frac{L}{l} \tag{12.1}$$

由式(12.1)可见，细小拉杆应力 $\sigma_{\text{杆}}$ 比立柱应力 $\sigma_{\text{柱}}$ 大 $L/l$ 倍。

### 12.2.1.2 轧制压力的标定

所谓标定，乃是用已知的一系列标准载荷与其输出信号(电流、电压或示波图形)之间的对应关系。

标定方法如下：

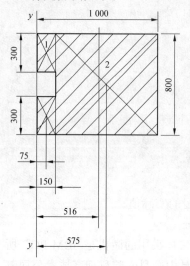

图 12.2 轧机立柱断面 (单位：mm)

(1)将换好新芯片的拉杆安装在牌坊上，利用毫伏表($D_t$ 1941A $4\frac{1}{2}$)调杆的松紧度，至输出为 10 mV，然后将螺丝锁紧，安装好供桥信号线。

(2)把标定的拉力杆供桥信号线输出二次仪表，确定无误后，接通电源。

(3)进行对拉杆的标定。

把应变梁桥路接通供桥的二次仪表，据给定的放大系数 $\beta=6$ 所加砝码进行计算，检查所得值是否和仪表相同，若不同进行调整。

已知轧机立柱截面积，如图 12.2 所示。

$$A_1 = 2 \times 30 \times 15 = 900 \, (\text{cm}^2), \quad A_2 = 80 \times 85 = 6\,800 \, (\text{cm}^2)$$

$$A = A_1 + A_2 = 6\,800 + 900 = 7\,700 \, (\text{cm}^2)$$

又加 1 kg 砝码应变梁应力

$$\sigma = 100 \, \text{kg/cm}^2$$

用应变梁标定，如图 12.3 所示，有

$$\sigma_{\text{杆}} = \sigma$$

$$\sigma_{\text{柱}} = \sigma_{\text{杆}} l/L = \sigma_{\text{杆}}/\beta = 100/6 = 16.67 \, (\text{kg/cm}^2)$$

$$P_{\text{柱}} = \sigma_{\text{柱}} \cdot A = 16.67 \times 7\,700 = 128\,333.33 \, (\text{kg}) = 128.33 \, \text{t}$$

单片牌坊　　　$P_{\text{柱}} = 2 \times 128.33 = 256.67 \, (\text{t})$

图 12.3 应变梁示意图

加 4 kg 砝码输出为 1 000 mV，则标定系数为 $\frac{256.67 \times 4}{1\,000} = 1.026\,6$ (t/m V) 标定时，按下列数据反复调整三次。

加 1 kg 砝码相当单片牌坊受力

$$1.026\,6 \times 1\,000 / 4 = 256.67 \text{(t)}$$

标定时，按表 12.1 数据反复调整三次。

表 12.1  压力标定应变梁所加砝码与电压输出

| 加砝码(kg) | 1 | 2 | 3 | 4 | 5 |
|---|---|---|---|---|---|
| 电压输出(mV) | 250 | 500 | 750 | 1 000 | 1 250 |

#### 12.2.1.3  测取方法

将标定好的压力信号接入计算机的前端 A/D 板，利用机内采样程序，将压力信号采在机内的硬盘上。

#### 12.2.1.4  数据整理

将采入机内的压力信号逐一回放，并记下每道次在盘中的位置，然后将位置数据代入调试好的取样程序，将压力值逐个打印出来。

(1)找基线：压力在输出信号上的零点并不是零毫伏。这就需要将基线定好，现取 $A_3$ 文件(现场采样的文件名)的压力信号 5 画面，记录号为 471～520 的一段。

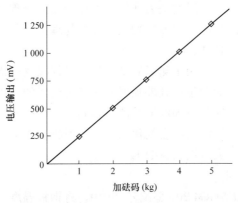

图 12.4  压力标定曲线

将所取的基线电位值求和

$$\sum N = 2.944\,82$$

其平均值：$\bar{N} = \dfrac{\sum N}{n} = \dfrac{2.944\,82}{50} = 0.059\,0$

压力基线取数见表 12.2。

表 12.2　压力基线取数

| 记录号 | 471 | 472 | 473 | 474 | 475 | 476 | 477 | 478 | 479 | 480 |
|---|---|---|---|---|---|---|---|---|---|---|
| 电压值（V） | 0.059 85 | 0.057 59 | 0.052 5 | 0.052 5 | 0.047 62 | 0.057 85 | 0.050 06 | 0.050 06 | 0.047 62 | 0.047 62 |
| 记录号 | 481 | 482 | 483 | 484 | 485 | 486 | 487 | 488 | 489 | 490 |
| 电压值（V） | 0.045 18 | 0.047 62 | 0.045 18 | 0.052 5 | 0.052 5 | 0.057 59 | 0.054 95 | 0.064 71 | 0.076 92 | 0.069 6 |
| 记录号 | 491 | 492 | 493 | 494 | 495 | 496 | 497 | 498 | 499 | 500 |
| 电压值（V） | 0.086 69 | 0.076 92 | 0.076 92 | 0.076 92 | 0.076 92 | 0.076 92 | 0.076 92 | 0.069 6 | 0.074 48 | 0.0696 0 |
| 记录号 | 501 | 502 | 503 | 504 | 505 | 506 | 507 | 508 | 509 | 510 |
| 电压值（V） | 0.062 27 | 0.076 92 | 0.059 85 | 0.052 5 | 0.057 59 | 0.050 06 | 0.059 85 | 0.047 62 | 0.047 62 | 0.045 18 |
| 记录号 | 511 | 512 | 513 | 514 | 515 | 516 | 517 | 518 | 519 | 520 |
| 电压值（V） | 0.050 06 | 0.047 62 | 0.052 5 | 0.054 99 | 0.054 99 | 0.062 27 | 0.064 71 | 0.064 71 | 0.050 06 | 0.067 16 |

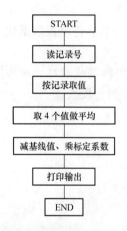

**图 12.5　压力采样**

**程序框图**

(2)编制程序：①程序主题思想。将采好的压力取出打印。首先将记录号读入程序，按号取数。每一道次的轧制压力连续取其信号的四个值做平均，再减去基线值，乘以标定系数。②程序框图，如图 12.5 所示。③将打印出的数据进行整理，统一列入表内。

### 12.2.2　轧件温度($t_i$)

温度是表征物体冷热程度的物理量，它不能直接地测量，只能通过测量物质的某些物理特性的变化量间接地获得温度。

#### 12.2.2.1　测量原理

用于测温的是红外测温仪(型号 2M-07B-150C)，其红外探测器是将红外辐射能转换为电能的一种传感器。其测温范围的 700～1 500 ℃探测器是利用入射的辐射能引起材料的温升，然后测定温度变化来确定入射辐射能的大小。将电信号经调制放大后接入 A/D 板。

#### 12.2.2.2　轧件温度的标定

(1)利用光学高温仪(WGG4.201 型编号 9919)，将钢板温度测为 1 160℃。

(2)同时将红外探测器照射钢板，回放显示。

轧件温度标定取值见表 12.3。

表 12.3　轧件温度标定取值

| 光学测温(℃) | 1 160.00 | | | | |
|---|---|---|---|---|---|
| 红外测温(℃) | 1 168.50 | 1 161.17 | 1 165.61 | 1 158.75 | 1 170.94 |

红外测温取值的平均值

$$\bar{t}_{红} = = \sum t_i / n = 1164.59\ ℃$$

红外测温与光学测温的相对误差

$$\Delta = 1\,164.59 - 1160.00 = 4.59\,(℃)$$

绝对误差

$$\delta = \frac{4.59}{1160} = 0.003\,957 = 0.395\,7\%$$

由此可见，红外测温的精度是能够满足测试要求的。

#### 12.2.2.3　测取方法

经标定的温度信号接机前的 A/D 板，利用机内采样程序，将温度信号采在机内的硬盘上。

#### 12.2.2.4　数据整理

与压力信号一样，将采入机内的温度信号分别回放，记下每道次在盘中的记录，然后将此记录号代入调试好的取样程序，将温度值逐一打印出来。温度测试基线取值见表 12.4。

**表 12.4　温度测试基线取值**

| 记录号 | 209 | 210 | 211 | 212 | 213 | 214 | 215 | 216 |
|---|---|---|---|---|---|---|---|---|
| 电压值 (V) | −0.177 05 | −0.174 60 | −0.186 10 | −0.157 51 | −0.152 65 | −0.152 65 | −0.155 76 | −0.156 05 |
| 记录号 | 217 | 218 | 219 | 220 | 221 | 222 | 223 | 224 |
| 电压值 (V) | −0.157 9 | −0.096 46 | −0.074 48 | −0.076 92 | −0.067 16 | −0.062 22 | −0.050 06 | −0.047 62 |
| 记录号 | 225 | 226 | 227 | 228 | 229 | 230 | 231 | 232 |
| 电压值 (V) | −0.054 95 | −0.062 27 | −0.050 06 | −0.072 04 | −0.072 04 | −0.059 85 | −0.098 9 | −0.010 579 |
| 记录号 | 233 | 234 | 235 | 236 | 237 | 238 | | |
| 电压值 (V) | −0.115 55 | −0.145 5 | −0.147 74 | −0.162 59 | −0.179 49 | −0.181 95 | | |

(1)找基线：现取实测钢板温度 $A_3$ 文件的一段信号，1 画面记录号为 209～238 的一段。

输出电压平均值 $\bar{V} = \sum U_i / n = -3.252\,69 / 30 = -0.108\,422\,3$ 为其基线值。

(2)编制程序：①程序主题思想。将采在盘里的温度信号取出打印。首先将记录号读入程序，按号取数。取值应在轧制道次的间隔间，取其信号的最高值作真信号，再减去基线值乘以标定系数。同时将其时间 $t$ 值，一并输出。②程序框图如图 12.6 所示。③将打印数据进行整理，统一列入表内。(程序及数据表附后)

#### 12.2.3　工作辊转速($n_i$)

本次测试是利用收录机磁带马达，经标定装在四辊轧机主传动电机后的测速电机上。

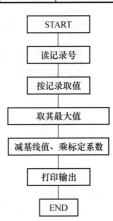

图 12.6　温度采样取值程序框图

#### 12.2.3.1 测量原理

测速用小型电机是一个额定转速 1 500 r/min，额定电压 9 V 的直流马达，其电枢端子电势为

$$e = C\Phi n \tag{12.2}$$

式中　$C$——与测速机构有关的常数；

　　　$\Phi$——磁通；

　　　$n$——每分钟电枢转数。

通常 $\Phi$ 保持不变，则 $e$ 值能用来度量电枢旋转速度，$C\phi$ 值即为测速发电机的灵敏度。

$$e_{max} = \frac{e_H}{n_H} \cdot n \tag{12.3}$$

则

$$e_{max} = \frac{9}{1500} \times 900 = 5.4\,(V)$$

此时限流电阻为

$$R \geq \frac{e_{max}}{i \times 10^{-3}} \tag{12.4}$$

式中　$i$——经 A/D 板应流过的电流值，mA。

$$R \geq \frac{5.4}{0.01 \times 10^{-3}} = 540 \times 10^3\,(\Omega) \quad 取\ R=600\ k\Omega$$

#### 12.2.3.2 轧辊速度的标定

标定仪表：SZG-50 型数字转速表

测量范围：25～500 r/min

测量精度：± 0.1 r/min

$D_t$1941A　数字万用电表

测量精度：$4\frac{1}{2}$

将测速电机连同限流电路在已知转速的车床上进行标定。

(1)线路按图 12.7 所示，将测速电机轴固定在车床的三爪卡盘上(车床型号 CW6110)；

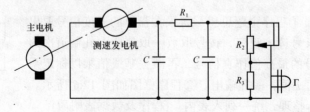

图 12.7　测速电机

(2)将电表接入线路，然后分档将车床转速记下，同时记下转速值，分别进行三次。如表 12.5 及表 12.6 所示。

表 12.5　测速电机正转标定

| 车床转速(r/min) | 185.2 | 220.5 | 515.0 | 587.0 | 469.6 | 580.8 | 785.0 | 972.5 | 1175.0 |
|---|---|---|---|---|---|---|---|---|---|
| 输出电压 1(V) | 0.008 | 0.054 | 0.17 | 0.506 | 0.471 | 0.685 | 1.085 | 1.445 | 1.860 |
| 输出电压 2(V) | 0.009 | 0.055 | 0.16 | 0.509 | 0.472 | 0.686 | 1.084 | 1.445 | 1.861 |
| 输出电压 5(V) | 0.008 | 0.057 | 0.17 | 0.510 | 0.470 | 0.687 | 1.085 | 1.440 | 1.858 |

表 12.6　测速电机反转标定表

| 车床转速(r/min) | 265 | 519 | 454 | 556 | 678 | 855 | 1 156 |
|---|---|---|---|---|---|---|---|
| 输出电压 1(V) | 0.065 | 0.518 | 0.692 | 0.815 | 1.940 | 10102 | 1.545 |
| 输出电压 2(V) | 0.068 | 0.522 | 0.701 | 0.816 | 0.944 | 1.104 | 1.548 |
| 输出电压 5(V) | 0.069 | 0.525 | 0.705 | 0.812 | 0.946 | 1.105 | 1.542 |

(3)将其值进行一元一次回归,得标定曲线方程

正转 $\qquad n = (U_i + 0.449) \times 33.976$ (12.5)

相关系数 $\qquad r = 0.999\ 9$

反转 $\qquad n = (U_i + 0.182) \times 59.699$ (12.6)

相关系数 $\qquad r = 0.998\ 0$

### 12.2.3.3　测试方法

将标定好的测速电机按图 12.8 所示安装位置装好,再将速度信号接入计算机前端的 A/D 板,利用机内采样程序,将测速信号采在机内的硬盘上。

测速电机标定曲线见图 12.9。

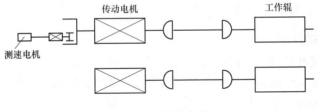

图 12.8　测速电机

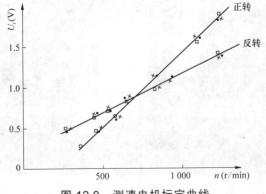

图 12.9　测速电机标定曲线

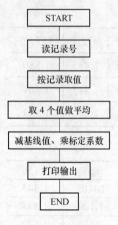

```
START
  ↓
读记录号
  ↓
按记录取值
  ↓
取 4 个值做平均
  ↓
减基线值、乘标定系数
  ↓
打印输出
  ↓
END
```

图 12.10 工作辊转
速采样取值

#### 12.2.3.4 数据整理

将采入机内的速度信号逐一回放,并记下轧制道次每一次的记录位置,将此位置数据代入调试好的取样程序,将每道次的速度值(工作辊转速)均打印出来。

(1)找基线:同理,取其无速度信号的平稳段。现取 $A_3$ 文件转速信号 3 画面记录号为 471~520 的一段。基线值为其输出电压的平均值。

(2)编制程序:①程序主题思想。将采在磁盘中的转速信号取出打印。首先将记录号读入程序,按号取数。每一道次的工作辊转速,连续取其信号的四个值做平均,再减去基线值,代入标定方程。②程序框图(见图 12.10)。③将打印出的数据进行整理,统一列入表内。

$$\overline{U} = \Sigma U_i / n = 0.012\ 2$$

### 12.2.4 轧件厚度($h_i$)

#### 12.2.4.1 厚度确定

首先读取有载辊缝值 $S_0$,利用测出的压力值 $P$,计算钢板厚度

$$S = S_0 + \frac{P - P_0}{C} \tag{12.7}$$

式中　$S_0$——有载辊缝;

　　　$C$——机座刚度;

　　　$\dfrac{P - P_0}{C}$——轧制过程中的实际弹跳量。

#### 12.2.4.2 辊缝测量原理

辊缝又叫轧辊开口度,是两辊之间的缝隙。

辊缝测量仪由光电式角度位移脉冲转换器、智能型辊缝仪和外显示器组成。其中光电式角度位移转换器安装在压下装置的蜗杆轴上,如图 12.11 所示。

图 12.11　光电式角度位移脉冲转换器

光电式角度位移转换器检测出的信号，由电缆送至安装在仪表室内的智能辊缝仪，并进行一系列整理计算后，再送到安装在操作台上的处显示部分进行数码显示。

### 12.2.4.3 零辊缝的确定

零辊缝确定有两种方法：

(1)轧辊压靠法，即上下工作辊直接压靠，当压至辊缝为零时(基本无压力)，调整辊缝显示为零。此法是人工调整，精度较低，但由于操作简单，工人习惯采用。

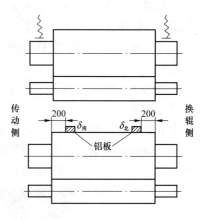

图 12.12　辊缝确定示意图

(2)压铝板法，此法操作复杂，但精度较高，本测试采用此法。

在换辊后，取两块铝板，同时放入辊缝里，铝板宽 100 mm，厚 10 mm，长度适当。两铝板的位置如图12.12 所示。然后将工作辊压下，压力显示为 50 t 止，此时辊缝仪显示到 9.1 mm。取出铝板量压痕厚度。

平均辊缝　　　　　　　　　$\delta = 9.484$

原始辊缝误差

$$\Delta = 9.100 - 9.484 = -0.384 (\text{mm})$$

### 12.2.4.4 测试方法

人工直接读取辊缝显示值。经标定的辊缝，已知其误差值，取其经辊缝仪输出的辊缝值减去误差值，为其真值。

图 12.13　测试用智能辊缝仪

### 12.2.4.5 厚度确定方法

通过测量辊缝而得到轧件厚度。即在智能辊缝仪读到辊缝值 $S_0$，加上弹跳值 $F$，得到板厚。

弹跳方程为

$$F_{2\,300} = (P_{2\,300} - 273)/488 \tag{12.8}$$

$$F_{2\,900} = (P_{2\,900} - 254)/552 \tag{12.9}$$

对于辊缝用测铝板的误差值进行补偿。

$$S=S_0+F+\Delta \qquad (12.10)$$

为所得到轧件厚度。

而激光测厚仅能测钢板的成品厚度，可用其来校核辊缝值。

### 12.2.5　轧件宽度($b_i$)

实测板宽是利用安装在机前推床的脉冲测宽仪。

#### 12.2.5.1　测量原理

将两个传感器分别安装在推床所连接的齿轮上，如图 12.14 所示，当齿轮转动时，带动推床前进或倒退的同时，也带动了传感器(脉冲编码器)的转动，这样就把位移量转换成了脉冲数，脉冲信号通过整形，滤除干扰信号，送向方向判别器，判断是正转还是反转，随后计数电路计数，计算机将两个计数器数据相加并乘上脉冲系数，得出测量宽度，送显示器显示，同时将数据送另一路 CPU，由它控制打印机打印数据。

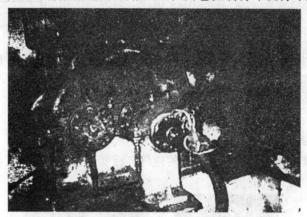

图 12.14　脉冲编码器安装位置

#### 12.2.5.2　轧件宽度的标定

(1)将脉冲测宽仪安装好后，联线。

(2)分别取不同宽度，将显示值记录(见表 12.7)，同时测量测宽推床的开口度。

表 12.7　测宽仪标定结果

| 显示(mm) | 2 449.5 | 3 746.7 | 2 187.0 | 2 278.0 | 1 781.1 | 3 247.4 | 3 843.1 |
|---|---|---|---|---|---|---|---|
| 实测(mm) | 2 450 | 3 746 | 2 188 | 2 279 | 1 779 | 3 249 | 3 844 |
| 误差 | 0.5 | 0.7 | 1.0 | 1.0 | 1.9 | 1.6 | 0.9 |

绝对误差：$\Delta = \dfrac{7.6}{7} = 1.085\,7$

相对误差：$\delta = \Delta/(\Sigma X_i/n) = \dfrac{1.085\,7}{2\,790.71} = 0.000\,389 = 0.038\,9\%$

#### 12.2.5.3　测取方法

轧件宽度经标定后，因推床在机前，每个轧制单道次都可测量。在测试时，由推床夹紧轧件，测宽仪上的打印机打印其宽度。

#### 12.2.5.4 数据整理

由于不是每道次都能测宽，这需要和压力、温度、速度信号对照整理，统一填入表内。

### 12.2.6 工作辊直径($D_i$)及轧件化学成分($X_i\%$)

#### 12.2.6.1 工作辊直径

工作辊直径取其经换辊后新换辊的实际值。

#### 12.2.6.2 轧件化学成分

轧件化学成分，由技术部门化验并提供化验证书，如表12.8所示。

表 12.8 　轧件化学成分　　　　　　　　　　　(%)

| 钢种 | 元素符号 | | | | | |
|---|---|---|---|---|---|---|
| | C | Si | Mn | P | S | Cu |
| SS41 | 0.13 | 0.25 | 0.84 | 0.14 | 0.013 | — |
| SS41F | 0.19 | 0.01 | 0.52 | 0.009 | 0.009 | — |
| Q235-A | 0.18 | 0.21 | 0.55 | 0.016 | 0.020 | — |
| Q235-B | 0.16 | 0.17 | 0.53 | 0.019 | 0.018 | — |
| SM50-1 | 0.16 | 0.355 | 1.4 | 0.024 | 0.017 | — |
| 16Mn | 0.16 | 0.51 | 1.46 | 0.019 | 0.009 | — |

## 12.3 测试范围

### 12.3.1 测试钢种

本次实测共计114块钢板，在计算过程中,由于参数选取的因素，实取71块钢板的轧制工艺参数。在114块钢板的轧制工艺参数中，其中：SS4111块，Q235-B50块，Q235-A10块，SM50B-134块，16Mn7块，SS41F2块。

### 12.3.2 测试钢板规格

板坯厚均为250、220 mm，宽度为1 500 mm，轧制成宽度分别为2 300、2 900 mm，厚度分别为30、40、45、50、56、60、70、75、80 mm的成品。

## 12.4 小结

本章主要阐述中厚板轧机工艺参数的综合测试过程，详细论述各参数的测量原理、测试方法、标定及数据整理的过程，为建立中厚板轧机的动力学分析和控制模型的建立做数据上的准备。

# 第13章 中厚板轧机的动力学行为及稳定性分析

## 13.1 中厚板轧机主系统的垂直振动

### 13.1.1 概述

在轧制过程中,轧机时常会发生不同的振动,由此对轧机和轧件产生不同的影响。轧机存在多种形式的振动,最普遍和最主要的有主传动的扭振和工作机座的垂振。过去对轧机振动的研究主要集中在传动系统方面,这自然是由于轧机传动系统经常出现设备故障。近年来,随着轧制速度的提高、液压伺服技术的应用、板厚和板形自动控制的发展及用户普遍对轧制产品尺寸公差和表面光洁度要求的提高,国内外开始把眼光投到与生产质量直接有关的轧机垂直方向振动的研究。

轧机垂直振动问题,属于多自由度弹性系统的自激振动,主要表现为轧辊产生与轧件的运动方向垂直的振动,它不仅限制了轧制速度的正常提高,还对产品质量和设备有重大影响,引起这种系统振动的载荷主要是轧制力。

本节对 4200 轧机的垂直振动系统建立了动力学模型,并用 Matlab 软件对其进行了动态分析和仿真计算,分析了轧制力随时间变化的七种工况下轧机振动系统的动态响应,得出了影响轧机垂直方向自激振动的因素,为轧制生产工艺过程中避免产生垂直方向自激振动提供了可靠的理论依据,同时也为轧制过程的振动预测、振动控制及生产时的状态监测、故障诊断等提供了参考意见和依据。

### 13.1.2 建立 4200 轧机动力学模型

为了便于理论分析,将 4200 轧机垂直振动系统简化为六自由度质量–弹簧–阻尼模型,如图 13.1 所示。$M_1$ 为机架立柱及上横梁的等效质量;$M_2$ 为上支承辊及其轴承、轴承座的等效质量;$M_3$ 为上工作辊系的等效质量;$M_4$ 为下工作辊系的等效质量;$M_5$ 为下支承辊及其轴承、轴承座的等效质量;$M_6$ 为机架下横梁的等效质量。

$K_1$、$C_1$ 为机架立柱及上横梁的等效刚度及阻尼;$K_2$、$C_2$ 为上支承辊中部至上横梁中部的等效刚度及阻尼;$K_3$、$C_3$ 为上工作辊与上支承辊之间的弹性接触刚度及阻尼;$K_4$、$C_4$ 为上下工作辊以及轧件之间的弹性接触刚度及阻尼;$K_5$、$C_5$ 为下工作辊与下支承辊之间的弹性接触刚度及阻尼;$K_6$、$C_6$ 为下支承辊中部至下横梁中部的等效刚度及阻尼;$K_7$、$C_7$ 为机架下横梁的等效刚度及阻尼。

根据机械振动理论,可列出该振动系统的运动微分方程为

$$[M]\{\ddot{x}\}+[C]\{\dot{x}\}+[K]\{x\}=\{Q(t)\} \tag{13.1}$$

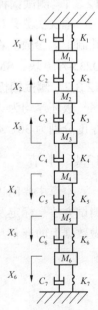

图 13.1 轧机垂直
振动简化模型

式中 $[M]$、$[C]$、$[K]$——系统的质量矩阵、阻尼矩阵和刚度矩阵;

$\{\ddot{x}\}$、$\{\dot{x}\}$、$\{x\}$——各等效质量的加速度、速度和位移列阵;

$\{Q(t)\}$——随时间变化的轧制载荷列向量。

$$[M] = \begin{bmatrix} M_1 & & & & & \\ & M_2 & & & & \\ & & M_3 & & & \\ & & & M_4 & & \\ & & & & M_5 & \\ & & & & & M_6 \end{bmatrix}$$

$$[K] = \begin{bmatrix} K_1+K_2 & -K_2 & 0 & 0 & 0 & 0 \\ -K_2 & K_2+K_3 & -K_3 & 0 & 0 & 0 \\ 0 & -K_3 & K_3+K_4 & -K_4 & 0 & 0 \\ 0 & 0 & -K_4 & K_4+K_5 & -K_5 & 0 \\ 0 & 0 & 0 & -K_5 & K_5+K_6 & -K_6 \\ 0 & 0 & 0 & 0 & -K_6 & K_6+K_7 \end{bmatrix}$$

$[C]$ 和 $[K]$ 形式相同，假定该振动系统的阻尼为比例阻尼[60],即 $[C]=\alpha[M]+\beta[K]$，取 $\alpha$ = 0.01，$\beta$ = 0.005。

### 13.1.3 4200 轧机动力学模型的分析

#### 13.1.3.1 模型中物理参数的计算

根据该轧机的机构参数以及瑞利法计算出该振动系统的各等效质量和等效刚度，如表 13.1 所示。

表 13.1　模型中各物理参数

| 元件 | $M_1$ | $M_2$ | $M_3$ | $M_4$ | $M_5$ | $M_6$ | $M_1$ |
| | $K_1$ | $K_2$ | $K_3$ | $K_4$ | $K_5$ | $K_6$ | $K_7$ |
| 质量(kg) | 346 820 | 139 170 | 39 230 | 39 230 | 139 170 | 152 940 | 346 820 |
| 刚度(N/m) | 3.600 3 × 1 010 | 2.637 5 × 1 010 | 1.264 5 × 1 011 | 1.490 2 × 1 011 | 1.264 5 × 1 011 | 2.637 5 × 1 010 | 1.899 9 × 1 011 |

#### 13.1.3.2 系统模态参数的计算及分析

用 Matlab 的数值计算程序完成该振动系统的固有频率和相应振型的计算，结果如表 13.2 所示。然后，调用 Matlab 的几何绘图函数，对计算出来的参数进行参数化绘图，各阶振型曲线如图 13.2 所示。

表 13.2　各阶固有频率及相应振型

| 阶次 | 固有频率 $f$(Hz) | 相应振型 |
| --- | --- | --- |
| 1 | 44.6 | $[6.936\ 4,9.254\ 0,8.938\ 9,8.487\ 0,7.748\ 1,1]^T$ |
| 2 | 75.6 | $[-7.300\ 2,4.393\ 6,5.741\ 6,6.544\ 5,7.032\ 5,1]^T$ |
| 3 | 141.8 | $[0.501\ 3,-4.047\ 2,-1.459\ 7,1.040\ 9,3.731\ 5,1]^T$ |
| 4 | 191.5 | $[-0.005\ 8,0.096\ 9,-0.036\ 0,-0.135\ 1,-0.191\ 2,1]^T$ |
| 5 | 325.3 | $[0.178\ 8,-9.399\ 9,31.824\ 5,31.803\ 1,-9.444\ 1,1]^T$ |
| 6 | 530.6 | $[0.007\ 3,1.055\ 6,-11.636\ 1,11.644\ 1,-1.075\ 1,1]^T$ |

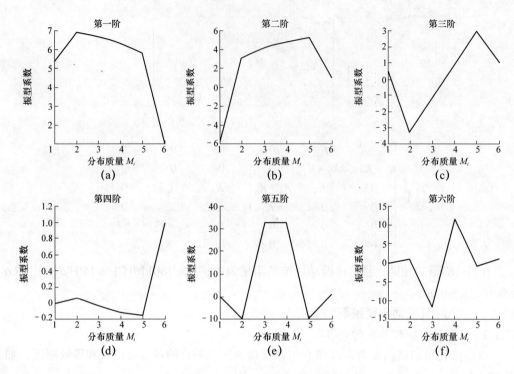

图 13.2　各阶模态的振型曲线

从表 13.2 及图 13.2 可知，第一自振频率为 44.6 Hz，此时四个辊的振动相位相同；第二自振频率为 75.6 Hz，此时四个辊的振动相位相同；第三自振频率为 141.8 Hz，此时振动时上两辊同相位，下两辊同相位，且上下辊系互相反向振动；第四自振频率为 191.5 Hz，此时上支承辊与上下工作辊、下支承辊的振动相位相反；第五自振频率为 325.3 Hz，工作辊的振动相位相同，支承辊的振动相位相同，且工作辊和支承辊振动相位相反；第六自振频率为 530.6 Hz，此时两工作辊振动相位相反，且相邻的工作辊和支承辊振动相位相反。需要特别指出的是第三自振频率振型，此时上支承辊振动相位和下工作辊、下支承辊的振动相位相反，和其他振型相比，最易形成轧件厚度的波动，这与实测结论相符合。因此，在轧制时应避开这一频率或改善轧制条件来防止轧辊的振动。

根据轧机自激振动理论，振动形成于一定速度条件下的辊缝变化，并由此导致轧制力的变化。它们之间保持一定的相位关系，就会形成自激振动条件。当上下轧辊的相对位移方向相同(如第一阶、第二阶、第四阶振型)，轧辊如以相对位移较小的振型振动时，辊缝变化很小，不易引起轧机的自激振动；当轧辊以相对位移较大的振型振动时(如第五阶振型)，虽然轧辊的位移方向是一致的，但是由于上下轧辊的相对位移较大，如果振幅较大，也会引起较大的辊缝变化，也有可能引起轧机的自激振动。而当上下轧辊之间振型的位移是相反的(如第三阶振型)，如果在轧制过程中，轧机产生于该阶次同相位和同频率的位移时，会导致比较大的辊缝变化，相比之下最容易引起轧机的自激振动。

由以上分析可知，轧机机座发生的自激振动是和轧机本身的固有频率及其振型密切相关的。

**13.1.3.3　系统动态响应的计算与分析**

本书用模态分析的方法来求解该轧机振动系统的响应,同样用 Matlab 软件完成其数值计算和自动绘曲线图。

系统的全部响应为:

$$
\begin{aligned}
x(t)= &-1.551\ 1\times10^{-4} e^{-58t}\times\cos(259t)-2.129\ 8\times10^{-5}\times e^{-58t}\times\sin(259t)+5.692\ 7\\
&\times10^{-5}\times e^{-41t}\cos(408t)+5.692\ 7\times10^{-6}\times e^{-41t}\sin(408t)+1.562\ 6\times10^{-4}\times\\
&e^{-122t}\cos(815t)+9.515\ 5\times10^{-6}\times e^{-122t}\sin(815t)-4.995\ 6\times10^{-5}\times\\
&e^{-145t}\cos(951t)-7.495\ 4\times10^{-6}\times e^{-145t}\sin(951t)+1.905\ 4\times10^{-8}\times\\
&e^{-215t}\cos(2\ 155t)+1.905\ 4\times10^{-9}\times e^{-215t}\sin(2\ 155t)-1.015\ 5\times10^{-5}\times\\
&e^{-687t}\cos(5\ 455t)-2.026\ 6\times10^{-6}\times e^{-687t}\sin(5\ 455t)
\end{aligned}
\tag{13.2}
$$

设定仿真时间为 0 ~ 0.1 s 步长为 0.001,得到振动系统的响应曲线,如图 13.3 所示。

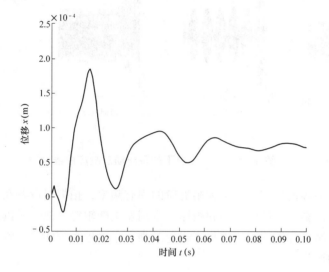

图 13.3　系统瞬态响应曲线

系统只是在很短一个时间段内对轧机的工作状态进行仿真,从系统瞬态响应曲线上可以看出,该轧机的振动为衰减振动,这是系统中的阻尼引起的,符合其轧制过程的工况。

为了研究激振力与系统动态特性的关系,设置了七种工况来研究系统的稳态响应,分别讨论激振力频率在轧辊旋转的角频率和系统的六阶固有角频率附近时的七种工况,然后分析这七个工况下该振动系统的动态响应。

本节利用复模态理论和线性系统振型叠加法的原理来求解该轧机振动系统的动态响应,同样用 Matlab 软件完成其数值计算和曲线图的绘制,系统在各工况下的动态响应曲线如图 13.4 所示。

从图 13.4 中各曲线变化可以看出,首先,振动系统的振幅在时刻变化着;其次,激振频率不同时,振幅变化的形式也是不一样的,这是阻尼和激振力共同作用的结果。在工况三和工况五下的响应曲线中出现了典型的拍振,振幅变化很大,故此时响应最不稳

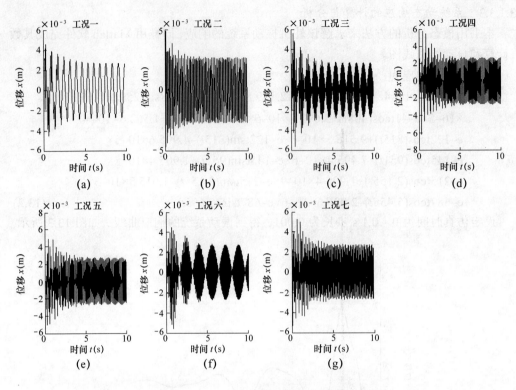

图 13.4 七种工况下的系统动态响应曲线

定，此时激振频率接近系统第三阶和第五阶的固有频率，拍振对设备和产品都会造成比较大的影响，轻则影响轧件的板形和板厚，重则发生断辊等事故。所以，应通过合理地选择轧机速度，制定合理的轧制规程来避免激励频率接近系统的第三阶和第五阶固有频率而导致拍振的产生。

通过更多的试验发现，当激振频率$\omega_k$与振动系统的固有频率$\omega_d$的比值为 2、1、3/2、2/4、2/5……时，都可能会引起系统自激振动；当$\omega_k/\omega_d$为 2 和 1 时，最容易引起系统的自激振动。

### 13.1.4 中厚板轧机垂直振动系统分析总结

通过对轧机垂直振动系统的动力学分析,成功地完成了 4200 厚板轧机在有阻尼状态下垂直振动系统的计算机仿真,基于 Matlab 平台完成了各动力学参数的计算以及曲线的自动生成，得到了轧机垂直振动系统的固有频率、振型以及系统在轧制力随时间变化的七种工况下的响应。通过对振型和响应曲线的分析，可以得出如下结论：

(1)轧机机座发生的自激振动是和轧机本身的固有频率及其振型密切相关的。

(2)由于轧制过程中激振力始终存在，所以 4200 轧机主系统的垂直振动一直存在，这对板形质量的改善和轧机的正常运行都是不利的。

(3)可以通过以下三种方法来减少轧机垂直振动对轧件厚度的精度的影响。第一种方法是对轧制规程进行优化;第二种方法是在轧机上设置液压厚度控制系统,即液压 AGC,其原理是把辊缝在轧制过程中的波动转化为 AGC 油缸柱塞量的波动，通过位置传感器来调节伺服阀，调节 AGC 油缸的进油或放油，从而实现恒辊缝轧制；第三种方法是通过调整轧机的结构参数，采用优化设计的方法设计轧机，使轧机的动态性能得到较大的改善。

(4)本节在 4200 中厚板轧机轧制过程中其主系统的垂直振动分析研究仅是中厚板轧机振动研究的一个开端，至于其主系统的自激振动和非线性振动分析还需进一步研究。

本节的研究结果对该轧机的结构参数进行调整和轧制规程的优化，使中厚板轧机的动态性能获得很大的改善，从而提高轧钢生产的效率和成品质量。

## 13.2 轧制过程中中厚板轧机主传动系统机电扭振分析

将拖动系统各部分的惯量$[GD^2]$按能量关系等效至电机和激振力处理为时间变量是轧钢设备电力拖动及扭振分析中通常采用的方法。但前者不能反映机械系统动态响应对电机系统的影响，而后者则常因激振力取假设形式而引入误差。显然，以机电分离的方式不能准确描述拖动系统过渡过程的变化规律。因此，本书的目的在于探讨一种机电效应相互结合的扭振仿真系统。

### 13.2.1 拖动系统的效率模型

轧钢设备典型拖动模型如图 13.5 所示。图中$J_1$为电机系统内惯量，$L_n$、$R_n$分别为电机转子的电感和电阻；$J_{2A}$为轧件的等效惯量；$J_{2B}$为工作机的惯量；$K_2$为存在明显弹性变形的传动连接。

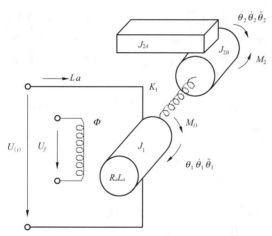

**图 13.5　轧钢设备拖动系统简图**

另外，$\theta_1$、$\theta_2$分别表示电机及工作机的位移，$M_2$为设备工作负载。除工艺条件外，主要是$\theta_2$的函数。考虑工艺负载的被动性质，将$M_2$考虑为下述分部函数：$M_2=M_{20}+\beta_0\theta_2$，当$\theta_2\neq 0$且$\theta_2\times M_{20}$时：$M_2=M_{20}+\beta_0\theta_2$，当$\theta_2=0$或$\theta_2\times M_2>0$时，取$M_2\equiv 0$。

其物理意义为负载不能反向拖动设备。系统的能量输入取决电压和电流。对目前普遍采用的自动控制系统，电压变化规律符合下列指数关系：

$$U(t)=U_c-(U_c-U_0)e^{-\beta t} \tag{13.3}$$

式中　$U_c$——额定电压；

　　　$U_0$——初始电压；

　　　$\beta$——系统调整状态决定的控制常数。

主电流 $I_a$ 与 $M_D$ 之间存在比例关系，以 $C_M\varphi_c$ 表示额定磁场力矩常数 $I_a=M_D/(CM\varphi_c)$。

同时，考虑 $J_1$、$J_2$ 两个运动微分方程和主回路电压平衡方程式得出下列方程组：

$$\begin{cases} \dfrac{L_a}{CM\varphi_c}\ddot{M}_D+\dfrac{R_a}{CM\varphi_c}\dot{M}_D+\dfrac{30}{\Pi}C_c\varphi_c\dot{\theta}=U_{(t)} \\[2mm] J_2\dot{\theta}_2-K_1(\theta_1-\theta_2)+M_{20}+\beta_0\theta_2=0 \\[2mm] J_1\dot{\theta}_1+K_1(\theta_1-\theta_2)-M_D=0 \end{cases} \tag{13.4}$$

其中：$J_2=J_{2A}+J_{2B}$。

$C_c\varphi_c$ 为额定磁场的电势常数。方程的解可给出 $J_1$、$J_2$ 的运动($\theta_1$、$\theta_2$)及电磁力矩 $M_D$ 的变化规律。式(13.3)可确定主电流 $I_a$，以 $K_1$ 表示接轴刚度，则 $M_a=K_1(\theta_1-\theta_2)$，$M_a$ 为接轴传递的扭矩。

### 13.2.2　拖动过渡过程解析

#### 13.2.2.1　特征根与齐次通解

方程(13.4)的矩阵形式可简化为

$$\begin{bmatrix} 0 & 0 & 0 \\ 0 & 1 & 0 \\ 0 & 0 & 1 \end{bmatrix}\begin{bmatrix} \ddot{M}_D \\ \ddot{\theta}_2 \\ \ddot{\theta}_1 \end{bmatrix}+\begin{bmatrix} 1 & 0 & A_2 \\ 0 & 0 & 0 \\ 0 & 0 & 0 \end{bmatrix}\begin{bmatrix} \dot{M}_D \\ \dot{\theta}_2 \\ \dot{\theta}_1 \end{bmatrix}+\begin{bmatrix} A_1 & 0 & 0 \\ 0 & A_6+A_7 & -A_6 \\ -A_5 & -A_4 & A_4 \end{bmatrix}\begin{bmatrix} M_D \\ \theta_2 \\ \theta_1 \end{bmatrix}=\begin{bmatrix} A_3U_{(t)} \\ -A_8 \\ 0 \end{bmatrix} \tag{13.5}$$

$A_1=R_a/L_a$；$A_2=30C_cC_M\varphi_c^{\,2}/(\pi L_a)$；$A_3=C_M\varphi_c/L_a$；$A_4=K_1/J_1$；$A_5=1/J_1$；$A_6=K_1/J_2$；$A_7=\beta_0/J_2$；$A_8=M_{20}/J_2$

设向量：$\begin{bmatrix} M_D \\ \theta_2 \\ \theta_1 \end{bmatrix}=\begin{bmatrix} A_{m3} \\ A_{m2} \\ A_{m1} \end{bmatrix}\mathrm{e}^{Dt}$ 为齐次方程的解，齐次方程可整理为

$$\begin{bmatrix} D+A_1 & 0 & A_2D \\ 0 & D^2+A_6+A_7 & 0 \\ -A_5 & -A_4 & D^2+A_4 \end{bmatrix}\begin{bmatrix} A_{m3} \\ A_{m2} \\ A_{m1} \end{bmatrix}\mathrm{e}^{Dt}=\begin{bmatrix} 0 \\ 0 \\ 0 \end{bmatrix} \tag{13.6}$$

确定其非零解的特征方程为

$$D^5+A_1D^4+(A_6+A_7+A_4+A_5A_2)D^3+(A_7+A_6+A_4)A_1D^2$$
$$+(A_2A_4A_6+A_4A_7)+A_1A_4A_7=0$$

在机械、电力分别讨论拖动过渡过程时，特征方程都是二次多项式，这里成为 5 次。通解的结构将存在明显差异。同时可看到负载的性质也对特征根产生影响($A_7\neq0$)。全面讨论方程(13.5)的根是困难的，但在系统存在振荡及忽略阻尼的情况下，五个根包括一个实根和两个复共轭对，利用计算机可以准确求出。特别是 $A_7=0$ 时，实根为零。

设所有根为已知并按以下顺序排列：

$$D_{\frac{1}{2}} = \alpha_1 \pm iw_1 ; D_{\frac{3}{4}} = \alpha_2 \pm iw_2 ; D_5 = \alpha_0$$

则方程(13.5)得通解为

$$\begin{bmatrix} \bar{M}_D \\ \bar{\theta}_2 \\ \bar{\theta}_1 \end{bmatrix} = \sum_{i=1}^{5} \begin{bmatrix} A_{m3} \\ A_{m2} \\ A_{m1} \end{bmatrix} e^{D_i t} \qquad (13.7)$$

用方程(13.6)得前两项，分别代入所有特征根，可确定 10 个比例因子(含 8 个复比例因子)，将 $M_D$、$\theta_2$ 以 $\theta_1$ 标出并用欧拉公式将它们变为实函数：

$$\begin{cases} \bar{M}_D = (C_{31}\cos w_1 + C_{32}\sin w_1 t) e^{\alpha_1 t} + (C_{33}\cos w_2 t + C_{34}\sin w_2 t) e^{\alpha_2 t} + C_{35} e^{\alpha_0 t} \\ \bar{\theta}_2 = (C_{21}\cos w_1 + C_{22}\sin w_1 t) e^{\alpha_1 t} + (C_{23}\cos w_2 t + C_{24}\sin w_2 t) e^{\alpha_2 t} + C_{25} e^{\alpha_0 t} \\ \bar{\theta}_1 = (C_{11}\cos w_1 + C_{12}\sin w_1 t) e^{\alpha_1 t} + (C_{13}\cos w_2 t + C_{14}\sin w_2 t) e^{\alpha_2 t} + C_{15} e^{\alpha_0 t} \end{cases}$$

这样方程通解已全部给定，其中仅含 5 个任意常数。它们可以通过系统的 5 个初始条件 $\dot{\theta}_{10}$、$\theta_{10}$、$\dot{\theta}_{20}$、$\theta_{20}$、$M_{D_0}$ 求出。

### 13.2.2.2 系统对初始条件的响应

设方程(13.4)的特解为下述结构，代入原方程后采用待定系数法可求出全部系数：

$$\begin{cases} M_D^* = C_{36} + C_{37}t + C_{38} e^{-\beta t} \\ \theta_2^* = C_{26} + C_{27}t + C_{28} e^{-\beta t} \\ \theta_1^* = C_{16} + C_{17}t + C_{18} e^{-\beta t} \end{cases} \qquad (13.8)$$

$A_7 \neq 0$ 时：
$$C_{16} = \frac{(A_6 + A_7)A_5 A_3}{A_4 A_1 A_7}U_c - \frac{A_8}{A_7} ; \quad C_{26} = \frac{A_6 A_5 A_3}{A_4 A_1 A_7}U_c - \frac{A_8}{A_7} ;$$

$$C_{36} = \frac{A_3}{A_1}U_c ; \quad C_{17} = C_{27} = C_{37} = 0$$

$A_7 = 0$ 时：
$$C_{16} - C_{26} = \frac{A_8}{A_6} (C_{16} \text{ 为任意常数，可取零}); \quad C_{36} = \frac{A_4 A_8}{A_5 A_6} = M_{20} ;$$

$$C_{17} = C_{27} = \frac{A_3}{A_2}U_c - \frac{A_1 A_4 A_8}{A_2 A_5 A_6} ; \quad C_{37} = 0 ;$$

$$C_{18} = \frac{A_5 A_3 (U_c - U_0)}{(\beta - A_1)(\beta^2 + A_4 - \dfrac{A_4 A_6}{\beta^2 + A_6 + A_7}) + \beta A_2 A_5}$$

$$C_{28} = \frac{A_6 C_{18}}{(\beta^2 + A_6 + A_7)} ; \quad C_{38} = (\beta^2 + A_4 - \frac{A_4 A_6}{\beta^2 + A_6 + A_7})\frac{C_{18}}{A_5}$$

由特解与通解的和得方程(13.8)的解：

$$\begin{cases} M_D = \bar{M}_D + M_D{}^* \\ \theta_2 = \bar{\theta}_2 + \theta_2{}^* \\ \theta_1 = \bar{\theta}_1 + \theta_1{}^* \end{cases} \tag{13.9}$$

为获得系统对初始条件的响应，以微分方法得出速度 $\theta_1$、$\theta_2$ 的表达式。以 $t = 0$ 和全部 5 个初始条件建立等式，得出求解 $C_{11} \sim C_{15}$ 的线性方程组：

$$\begin{bmatrix} 1 & 0 & 1 & 0 & 1 \\ \alpha_1 & w_1 & \alpha_2 & w_2 & \alpha_0 \\ Q_1 & -N_1 & Q_2 & -N_2 & 1/(\alpha_0{}^2 + A_6 + A_7) \\ (N_1 w_1 + Q_1 \alpha_1) & (w_1 N_1 - \alpha_1 N_1) & (w_2 N_2 + \alpha_2 Q_2) & (w_2 Q_2 - \alpha_2 N_2) & \alpha_0/(\alpha_0{}^2 + A_6 + A_7) \\ M_1 & -R_1 & M_2 & -R_2 & \alpha_0/(A_0 + \alpha_0) \end{bmatrix} \cdot$$

$$\begin{bmatrix} C_{11} \\ C_{12} \\ C_{13} \\ C_{14} \\ C_{15} \end{bmatrix} = \begin{bmatrix} Y_1 \\ Y_2 \\ Y_3 \\ Y_4 \\ Y_5 \end{bmatrix} \tag{13.10}$$

其中：$Y_1 = \theta_{10} - C_{16} - C_{18}$；$Y_2 = \theta_{10} + \beta C_{18} - C_{17}$；$Y_3 = (\theta_{20} - C_{26} - C_{28})/A_6$；

$Y_4 = (\theta_{20} + \beta C_{28} - C_{27})/A_6$；$Y_5 = (M_{D_0} - C_{36} - C_{38})/A_2$

这一方程组用计算机不难求解，因此系统对初始条件的响应完全给定。

### 13.2.3 传动系统间隙及打滑对过渡过程的影响

#### 13.2.3.1 间隙

以滑块式方向接轴为例讨论间隙定量及其影响。滑块式接轴的装配关系如图 13.6 所示。两端间隙形式的相对转角 $\theta$ 可按下式计算：$\theta_\delta = 2\delta/(\sin\varphi \cdot R)$，由于存在间隙，传动系统呈现间隙打开、闭合两种状态。系统连接刚度 $K_1$ 呈非线性(分段线性，如图 13.6(b) 所示)状态，须分别讨论。

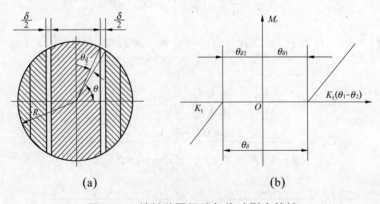

(a)                    (b)

图 13.6　接轴装配间隙与传动刚度特性

系统存在间隙时($K_1 = 0$)，系统分离为两个独立的子系统。$J_1$ 部分仅反映电机自身的启动过程，而 $J_2$ 由自身的惯性及负载决定其运动规律。此时 $J_1$ 的运动可按常规的拖动分析方法确定。采用本书的通用标记，$J_1$ 的运动可表示为

$$
\begin{cases}
\dot{\theta}_1 = \dfrac{2\pi}{60}[\mathrm{e}^{-\alpha t}(C_1\cos wt + C_2\sin wt) + \dfrac{U_c}{C_c\varphi_c} - \dfrac{(U_c - U_0)\mathrm{e}^{-\beta t}}{C_c\varphi_c(T_{M1}T_\alpha\beta^2 - T_{M1}\beta + 1)}] \\[2mm]
\ddot{\theta}_1 = \dfrac{2\pi}{60}[\mathrm{e}^{-\alpha t}(wC_2 - \alpha C_1)\cos wt - (\alpha C_2 + wC_1)\sin wt + \dfrac{\beta(U_c - U_0)\mathrm{e}^{-\beta t}}{C_c\varphi_c(T_{M1}T_\alpha\beta^2 - T_{M1}\beta + 1)}] \\[2mm]
\theta_1 = C_3 + \left\{ \dfrac{\mathrm{e}^{-\alpha t}((C_1 w - C_2\alpha)\sin wt - (C_2 w + C_1\alpha)\cos wt)}{(\alpha^2 + w^2)} \right. \\[2mm]
\qquad\qquad \left. + \dfrac{U_c}{C_c\varphi_c}t + \dfrac{(U_c - U_0)\mathrm{e}^{-\beta t}}{\beta C_c\varphi_c(T_{M1}T_\alpha\beta^2 + 1 - T_{M1}\beta)}]^{2\pi} \right\} \\[2mm]
C_1 = \dot{\theta}_{10}\times\dfrac{30}{\pi} - \dfrac{U_c}{C_c\varphi_c}[1 - (1 - \dfrac{U_0}{U_c})\Big/ C_{TM}] \\[2mm]
C_2 = [\ddot{\theta}_{10}\times\dfrac{30}{\pi} + \alpha_0\dot{\theta}_{10}\times\dfrac{30}{\pi} - \alpha_0\dfrac{U_c}{C_c\varphi_c} + (\alpha_0 - \beta)(U_c - U_0)/(C_c\varphi_c\cdot C_{TM})]/w_0 \\[2mm]
C_3 = \theta_{10} - [(U_c - U_0)/(\beta\cdot C_c\varphi_c\cdot C_{TM}) - (C_{1\alpha_0} + C_{2w_0})/(\alpha_0^2 + w_0^2)]\times\dfrac{30}{\pi}
\end{cases}
\tag{13.11}
$$

其中：$T_A = L_a/R_a$；$T_{M_1} = \dfrac{4gJ_1R_a}{375C_cCM^\varphi}$；$g$ 为重力加速度；$\alpha_0 = \dfrac{1}{2T_a}$；

$w_0 = \dfrac{1}{2T_a}\cdot\sqrt{\dfrac{4T_a}{T_{M1}} - 1}\, CT_{M1} = T_{M1}\cdot T_a\cdot\beta^2 - T_{M1}^{\beta+1}$；$\beta$ 为控制常数。

$J_2$ 的运动也按普通的动力学公式求解：

$\beta_0 \neq 0$ 时：
$$
\begin{cases}
\theta_2 = (\theta_{20} + \dfrac{M_{20}}{\beta_0})\cos\sqrt{\dfrac{\beta_0}{J_2}}t + \dfrac{\dot{\theta}_{20}}{\sqrt{\dfrac{\beta_0}{J_2}}}\sin\sqrt{\dfrac{\beta_0}{J_2}}t - \dfrac{M_{20}}{\beta_0} \\[3mm]
\dot{\theta}_2 = -(\theta_{20} + \dfrac{M_{20}}{\beta_0})\sqrt{\dfrac{\beta_0}{J_2}}\sin\sqrt{\dfrac{\beta_0}{J_2}}t + \dot{\theta}_{20}\cos\sqrt{\dfrac{\beta_0}{J_2}}t
\end{cases}
$$

$\beta_0 = 0$ 时：
$$
\begin{cases}
\theta_2 = \theta_{20} + \dot{\theta}_{20}t - \dfrac{M_{20}}{2J_2}t^2 \\[3mm]
\dot{\theta}_2 = \dot{\theta}_{20} - \dfrac{M_{20}}{J_2}t
\end{cases}
\tag{13.12}
$$

必须注意：根据被动负载的定义，上述关系只表示 $J_2$ 速度不为零且与 $M_2$ 方向相反的状态。一旦 $J_2$ 速度为零或与 $M_2$ 方向相同时，$M_2 \equiv 0$；此时 $J_2$ 或为静态或为匀速运动状态。

在实际拖动过渡过程中，间隙打开与闭合两种状态可能是交替出现的，但每一状态的转换条件当间隙量 $\theta_3$ 为已知时，可以按以下关系判定：正向拖动时，$\theta_1 - \theta_2 \geq \theta_\delta$ 闭合；

反向拖动时，$\theta_1-\theta_2\leqslant\theta_\delta$闭合。

出现状态转换时，前一状态的末态不仅可以为后一状态提供全部初始条件，而且也可以根据时间和 $J_2$ 的位移使系统电压与负载保持连续。

#### 13.2.3.2 打滑

从轧钢设备运行方式来说，工作机械与轧件之间力的传递总要通过其工作介面，而工作介面传递负荷的能力会受到多种物理条件的制约。一旦所传递的力超过了介面能够承受的极限，就会发生打滑。打滑引起的扭振会对设备造成极大的损坏。

打滑现象发生之前，轧件与工作机械之间没有相对滑动，因此轧件可以以等效惯量叠加于拖动系统惯量之内。打滑现象发生后，轧件与工作机械因相对滑动而"脱离"，拖动系统的惯量不再包含轧件部分，系统的负载实际是介面承受的极限载荷。

具体的打滑条件因设备及工艺的区别而异，最简单的情况是启动工作制的辊道。出现打滑的物理条件是：$\ddot\theta_1>\mu g>R$，其中 $g$ 为重力加速度，$R$ 为辊道辊子半径，$\mu$ 为轧件辊面间的摩擦系数。打滑现象发生后，系统状态仍可按方程组(13.5)描述，但其中 $J_2$ 取 $J_{2B}$，负载 $M_2$ 取打滑力矩 $M_H$。

### 13.2.4 仿真程序的应用与试验

图 13.7 是按以上方法编制微机仿真程序的框图。为检验其正确性，应用这一程序为4200 轧机机架辊的启动过渡过程做了模拟计算分析。

4200 轧机为国内最大的厚板轧机。轧制过程将十余吨(设计为 40 t)的轧件可逆轧制几十道次。轧机前后布置机架辊往返输送轧件，机架辊的传动系统如图 13.8 所示。工作负载主要是往复加速轧件产生的动负荷，而轧件重量引起的摩擦阻力相对较小。设备投产以来存在强烈的扭振现象(见图 13.9(a))，致使接轴时有断裂。

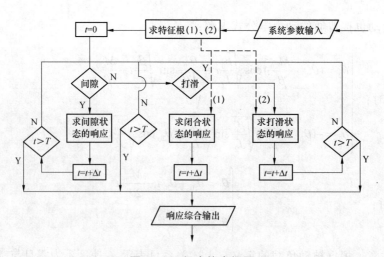

图 13.7　程序仿真框图

对传动系统的基本振型分析证明，该系统可以等效为图 13.8 所示的二质量系统：$J_1$ 为电机及减速机，$J_2$ 为三只辊子和轧件，$K_1$ 为三根接轴的关联刚度。计算所用等效参数见表 13.3。

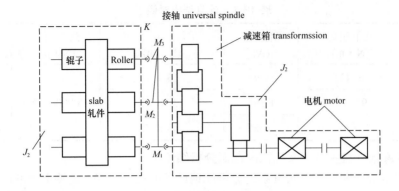

**图 13.8　机架辊传动系统**

**表 13.3　仿真计算参数表**

| 额定电压 | 440 V | 额定功率 | 145×2 kW |
|---|---|---|---|
| 转子电阻 | 0.047 41 Ω | 转子电感 | 0.000 4(合) |
| 扭矩系数 | 8.206 | 电势系数 | 0.859 2 V·r/min |
| 控制常数 | 1.5 | 等效刚度 | 81 250 N·m |
| 电机惯量 | 7 415 kg·m·s² | 辊子惯量 | 43.4 kg·m·s² |
| 轧件惯量 | 321 kg·m·s² | 打滑力矩 | 17 262 N·m |

　　图 13.9(a)为系统启动过程的实测示波记录。图中 $U$ 为电机电压，$I_a$ 为启动电流，$M$ 分别代表三根接轴上的实测扭矩。图 13.9(b)为系统仿真计算结果。其中 $M_\Sigma$ 为三轴扭矩的总和(两图标尺不同)。两者过渡过程基本相同。如果在仿真过程中分段描述电压建立过程，模拟突加载荷引起的压降，还能得到更为精确的结果。间隙不超过 4 mm 时的计算结果与实测值的比较见表 13.4。其中峰值扭矩远大于打滑力矩，说明电机功率太大。间隙的存在使接轴扭矩 $M_\Sigma$ 成为分离的针状脉冲负荷。间隙增加时，负载扭矩加大。启动电流加大，峰值扭矩已超过接轴的强度限。这种高频的脉冲负荷导致接轴疲劳断裂。

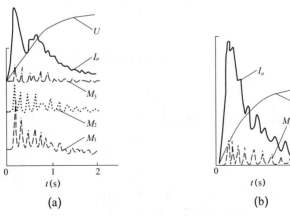

**图 13.9　系统启动的过渡过程**

表 13.4　计算结果对照表

| 间隙<br>(mm) | 峰值扭矩<br>(N·m) | 峰值电流<br>(A) | 单轴平均扭矩<br>(N·m) | 实测单轴扭矩<br>(N·m) | 实测电流<br>(A) |
|---|---|---|---|---|---|
| 0 | 40 433 | 1 296 | 13 434 | 45 000(峰值) | (峰值)<br>1 200~<br>1 500 |
| 2 | 95 586 | 1 395 | 31 862 | | |
| 4 | 131 692 | 1 550 | 43 897 | | |

### 13.2.5　中厚板轧机主传动系统机电扭振分析结论

采用机电效应相结合的仿真系统分析轧钢设备的扭振现象，能够更为准确地得出其拖动过程的各种响应状态；同时为进一步分析设备运行中存在的问题以及设备传动系统的优化设计提供了更为有力的工具。

## 13.3　轧制过程中中厚板轧机主传动系统扭转自激振动的稳定性分析

中厚板轧机轧制过程中发生的扭转振动，主要是两类：一类是由于冲击式激励力矩引起的瞬态强迫扭转振动，这是经常发生的；另一类是自激振动，这是"打滑"时在适当条件下才能发生的扭转振动。中厚板轧机的"打滑"现象通常是在咬钢时受到冲击力作用或在轧制过程中发生的，它可能引起主传动系统的各构件较大的尖峰压力，降低构件使用寿命，严重时可能直接造成构件的破坏。因此，"打滑"现象一经发生，必须立即制止，以免造成较大的经济损失。本书以中厚板轧机主传动系统为例，由理论上对"打滑"现象发生时扭转自激振动的稳定性问题进行了研究，从而为"打滑"现象的监测、诊断提供参考依据。

### 13.3.1　系统运动方程的建立

中厚板轧机主传动系统主要由电动机转子、万向连接轴、万向联轴节、轧辊等构件组成，设电机转子、联轴节、轧辊的转动惯量分别为 $J_1$、$J_2$、$J_3$，电机到连轴节之间的连接轴的刚度系数为 $K_1$，联轴节到轧辊间的连接轴的刚度系数为 $K_2$，打滑时作用在主传动系统上的外力矩有电机驱动力矩 $M_1$，还有钢材和轧辊间的摩擦力矩 $M_3$，则系统的运动微分方程可写为

$$[J]\{\ddot{\theta}\} + [C]\{\dot{\theta}\} + [K]\{\varphi\} = [M] \tag{13.13}$$

式中：$[J] = \begin{vmatrix} J_1 & 0 & 0 \\ 0 & J_2 & 0 \\ 0 & 0 & J_3 \end{vmatrix}$，$\{\varphi\} = \begin{vmatrix} \varphi_1 \\ \varphi_2 \\ \varphi_3 \end{vmatrix}$，$[K] = \begin{vmatrix} K_1 & -K_2 & 0 \\ -K_2 & K_1+K_2 & -K_2 \\ 0 & -K_1 & K_2 \end{vmatrix}$，$\{M\} = \begin{vmatrix} M_1 \\ 0 \\ M_3 \end{vmatrix}$

阻尼阵设为

$$[C] = \begin{vmatrix} C_1 & 0 & 0 \\ 0 & C_2 & 0 \\ 0 & 0 & C_3 \end{vmatrix}$$

对这样一个多自由度振动方程的固有频率和振型，可应用矩阵迭代法求得，从而经坐标变换，把原方程变成主坐标形式下的微分方程，忽略高次微分小项和次要因素，可得到如下微分方程：

$$\begin{cases} \ddot{\theta}_{p1} = a_0 - a_1\dot{\theta}_{p2} - a_2\dot{\theta}_{p3} \\ \ddot{\theta}_{p2} + \omega_3^2\theta_{p2} = b_0 - b_1\dot{\theta}_{p2} - b_2\dot{\theta}_{p3} \\ \ddot{\theta}_{p3} = \omega_3^2\theta_{p3} = c_0 - c_1\dot{\theta} - c_2\dot{\theta}_{p3} \end{cases} \qquad (13.14)$$

式中，等式右端各项系数 $a_i$、$b_i$、$c_i$ ($i = 0$，1，2)皆与转换振型、系统的特性参数及 $\dot{\theta}_{p1}$ 有关。

由于电动机转子的转动惯量 $J_1$ 与联结轴和轧辊的转动惯量 $J_2$、$J_3$ 相比要大得多，而电机驱动力矩又恒定不变，所以可假设电机转子以近似恒定不变的转速 $\dot{\varphi}_1$ 转动，设 $\dot{\varphi}_1 = \omega_0$；另外，由于电机转子、连接轴和轧辊安装在同一轴上，所以一般情况下三者是同速转动的。当 $M_3$ 变化时，$J_2$、$J_3$ 的角速度 $\dot{\varphi}_2$、$\dot{\varphi}_3$ 是在共同角速度 $\omega_0$ 上做小变动。因此，在考虑主坐标下角速度 $\dot{\theta}_{p1}$ 的一次近似值时可忽略 $J_2$、$J_3$ 的角速度的变化，即设 $\dot{\varphi}_1 = \dot{\varphi}_2 = \dot{\varphi}_3 = \omega_0$，这样式(13.14)右端各项系数都已成为已知数了，实际上式(13.14)变为

$$\begin{cases} \ddot{\theta}_{p2} + \omega_3^2\theta_{p2} = b_0 - b_1\dot{\theta}_{p2} - b_2\dot{\theta}_{p3} \\ \ddot{\theta}_{p3} + \omega_3^2\theta_{p3} = c_0 - c_1\dot{\theta}_{p2} - c_2\dot{\theta}_{p3} \end{cases} \qquad (13.15)$$

### 13.3.2　用变量摄动法研究振动方程组的稳定性

方程组(13.14)可写成：

$$\begin{cases} \dfrac{\mathrm{d}\theta_{p2}}{\mathrm{d}t} = \beta \\ \dfrac{\mathrm{d}\beta}{\mathrm{d}t} = \omega_3^2\theta_{p2} = b_0 - b_1\beta - b_2\gamma \\ \dfrac{\mathrm{d}\theta_{p3}}{\mathrm{d}t} = \gamma \\ \dfrac{\mathrm{d}\gamma}{\mathrm{d}t} = \omega_3^2\theta_{p3} = c_0 - c_1\beta - c_2\gamma \end{cases} \qquad (13.16)$$

设式(13.15)的变量摄动解为

$$\begin{cases} \theta_{p2} = A_1(t)\cos\omega_2 t + B_1\sin\omega_2 t + \sum_{q=1}^{\infty}\varepsilon^q\theta_{p2}{}^{(q)}(t) \\ \beta = \omega_2[-A_1(t)\sin\omega_2 t + B_1\cos\omega_2 t] + \sum_{q=1}^{\infty}\varepsilon^q\dfrac{\mathrm{d}\theta_{p2}{}^{(q)}}{\mathrm{d}t} \\ \theta_{p3} = A_2(t)\cos\omega_3 t + B_1(t)\sin\omega_3 t + \sum_{q=1}^{\infty}\varepsilon^q\theta_{p3}{}^{(q)}(t) \\ \gamma = \omega_3[-A_2(t)\sin\omega_3 t + B_2(t)\cos\omega_3 t] + \sum_{q=1}^{\infty}\varepsilon^q\dfrac{\mathrm{d}\theta_{p3}{}^{(q)}}{\mathrm{d}t} \end{cases} \qquad (13.17)$$

其中等式右端前两项是解的变量部分，最后一项是解的摄动部分。

把式(13.17)代入式(13.15)中，保留一阶近似的一次幂，从而得到：

$$
\left\{
\begin{aligned}
&\frac{\mathrm{d}A_1}{\mathrm{d}t}\cos\omega_2 t + \frac{\mathrm{d}B_1}{\mathrm{d}t}\sin\omega_2 t = 0\\[6pt]
&-\omega_2\frac{\mathrm{d}A_1}{\mathrm{d}t}\sin\omega_2 t + \omega_2\frac{\mathrm{d}B_1}{\mathrm{d}t}\cos\omega_2 t + \varepsilon\left(\frac{\mathrm{d}^2\theta_{p^2}^{(1)}}{\mathrm{d}t^2} + \omega_2^2\theta_{p^2}^{(1)}\right)\\[6pt]
&\quad = b_0 - b_1\left(\omega_2 A_1\sin\omega_2 t + \omega_2 B_1\cos\omega_2 t + \varepsilon\frac{\mathrm{d}\theta_{p^2}^{(1)}}{\mathrm{d}t}\right)\\[6pt]
&\qquad\quad -b_2\left(\omega_3 A_2\sin\omega_3 t + \omega_3 B_2\cos\omega_3 t + \varepsilon\frac{\mathrm{d}\theta_{p^3}^{(1)}}{\mathrm{d}t}\right)\\[6pt]
&\frac{\mathrm{d}A_2}{\mathrm{d}t}\cos\omega_3 t + \frac{\mathrm{d}B_2}{\mathrm{d}t}\sin\omega_3 t = 0\\[6pt]
&-\omega_3\frac{\mathrm{d}A_2}{\mathrm{d}t}\cos\omega_3 t + \omega_3\frac{\mathrm{d}B_3}{\mathrm{d}t}\cos\omega_3 t + \varepsilon\left(\frac{\mathrm{d}^2\theta_{p^3}^{(1)}}{\mathrm{d}t^2} + \omega_3^2\theta_{p^3}^{(1)}\right)\\[6pt]
&\quad = c_0 - c_1\left(-\omega_2 A_1\sin\omega_2 t + \omega_2 B\cos\omega_2 t + \varepsilon\frac{\mathrm{d}\theta_{p^2}^{(1)}}{\mathrm{d}t}\right)\\[6pt]
&\qquad\quad -c_2\left(-\omega_3 A_2\sin\omega_3 t + \omega_3 B_2\cos\omega_3 t + \varepsilon\frac{\mathrm{d}\theta_{p^3}^{(1)}}{\mathrm{d}t}\right)
\end{aligned}
\right.
\tag{13.18}
$$

下面分析共振($\omega_3 = \omega_2 + \varepsilon\sigma$)和内共振($\omega_3 = 3\omega_2 + \varepsilon\sigma$)两种情形来讨论振动的稳定性。

### 13.3.2.1　近共振情形

此时设$\omega_3 = \omega_2 + \varepsilon\sigma$，此时变量部分的微分方程组变为

$$
\left\{
\begin{aligned}
&\frac{\mathrm{d}A_1}{\mathrm{d}t}\cos\omega_2 t + \frac{\mathrm{d}B_1}{\mathrm{d}t}\sin\omega_2 t = 0\\[6pt]
&\quad -\frac{\mathrm{d}A_1}{\mathrm{d}t}\sin\omega_2 t + \frac{\mathrm{d}B_1}{\mathrm{d}t}\cos\omega_2 t\\[6pt]
&= \frac{b_0}{\omega_2} + (b_1 + \varepsilon b_1)(A_1\sin\omega_2 t - B_1\cos\omega_2 t)\\[6pt]
&\quad + \frac{(b_2 + \varepsilon b_2)\omega_3}{\omega_2}(A_2\sin\omega_3 t - B_2\cos\omega_3 t)\\[6pt]
&\frac{\mathrm{d}A_2}{\mathrm{d}t}\cos\omega_3 t + \frac{\mathrm{d}B_2}{\mathrm{d}t}\sin\omega_3 t = 0\\[6pt]
&\quad -\frac{\mathrm{d}A_2}{\mathrm{d}t}\sin\omega_3 t + \frac{\mathrm{d}B_2}{\mathrm{d}t}\cos\omega_3 t\\[6pt]
&= \frac{c_0}{\omega_3} + (c_2 + \varepsilon c_2)(A_2\sin\omega_3 t - B_2\cos\omega_3 t)\\[6pt]
&\quad + \frac{(c_1 + \varepsilon c_1)\omega_2}{\omega_3}(A_1\sin\omega_2 t - B_1\cos\omega_2 t)
\end{aligned}
\right.
\tag{13.19}
$$

解上面四式得：

$$\begin{cases} \dfrac{\mathrm{d}A_1}{\mathrm{d}t} = -\dfrac{b_0}{\omega_2}\sin\omega_2 t - b_1(1+\varepsilon)(A_1\sin^2\omega_2 t - B_1\cos\omega_2 t + \sin\omega_2 t) \\[2mm] \qquad + b_2(1+\varepsilon)(A_2\sin\omega_3 t\sin\omega_2 t - B_2\cos\omega_3 t\sin\omega_2 t)\dfrac{\omega_3}{\omega_2} \\[3mm] \dfrac{\mathrm{d}B_1}{\mathrm{d}t} = -\dfrac{b_0}{\omega_2}\cos\omega_2 t + b_1(1+\varepsilon)(A_1\sin\omega_2 t\cos\omega_2 t - B_1\cos^2\omega_2 t) \\[2mm] \qquad + b_2(1+\varepsilon)(A_2\sin\omega_3 t\cos\omega_2 t - B_2\cos\omega_3 t\sin\omega_2 t)\dfrac{\omega_3}{\omega_2} \\[3mm] \dfrac{\mathrm{d}A_2}{\mathrm{d}t} = -\dfrac{c_0}{\omega_3}\sin\omega_3 t - c_1(1+\varepsilon)(A_1\sin\omega_2 t\sin\omega_3 t - B_1\cos\omega_2 t + \sin\omega_3 t)\dfrac{\omega_2}{\omega_3} \\[2mm] \qquad + c_2(1+\varepsilon)(A_2\sin^2\omega_3 t - B_2\cos\omega_3 t\sin\omega_3 t) \\[3mm] \dfrac{\mathrm{d}B_2}{\mathrm{d}t} = -\dfrac{c_0}{\omega_2}\cos\omega_2 t + c_1(1+\varepsilon)(A_1\sin\omega_2 t\cos\omega_3 t - B_1\cos\omega_2 t\sin\omega_2 t)\dfrac{\omega_2}{\omega_3} \\[2mm] \qquad + c_2(1+\varepsilon)(A_2\sin\omega_3 t\cos\omega_3 t - B_2\cos^2\omega_3 t) \end{cases} \tag{13.20}$$

在周期 $T$ 内取平均值得到($\omega_2 t$、$\omega_3 t$ 在周期 $2\pi$ 内):

$$\begin{cases} \dfrac{\mathrm{d}A_1}{\mathrm{d}t} = -\dfrac{b_1}{2}(1+\varepsilon)A_1 - \dfrac{b_2}{2}(1+\varepsilon)(A_2\cos\varepsilon\sigma_t + B_2\sin\varepsilon\sigma_t)\dfrac{\omega_3}{\omega_2} \\[3mm] \dfrac{\mathrm{d}B_1}{\mathrm{d}t} = -\dfrac{b_1}{2}(1+\varepsilon)B_1 + \dfrac{b_2}{2}(1+\varepsilon)(A_2\sin\varepsilon\sigma_t + B_2\cos\varepsilon\sigma_t)\dfrac{\omega_3}{\omega_2} \\[3mm] \dfrac{\mathrm{d}A_2}{\mathrm{d}t} = -\dfrac{c_1}{2}(1+\varepsilon)(A_1\cos\varepsilon\sigma_t + B_1\sin\varepsilon\sigma_t)\dfrac{\omega_2}{\omega_3} - \dfrac{c_2}{2}(1+\varepsilon)A_2 \\[3mm] \dfrac{\mathrm{d}B_2}{\mathrm{d}t} = -\dfrac{c_1}{2}(1+\varepsilon)(A_1\cos\varepsilon\sigma_t + B_1\sin\varepsilon\sigma_t)\dfrac{\omega_2}{\omega_3} - \dfrac{c_2}{2}(1+\varepsilon)B_2 \end{cases} \tag{13.21}$$

为求解上面四式,设 $x_1=A_1+B_1 i$,$Y_1=A_2+B_2 i$,$X_2=A_1-B_1 i$,$Y_2=A_2-B_2 i$,则有

$$\begin{cases} \dfrac{\mathrm{d}X_1}{\mathrm{d}t} = -\dfrac{b_1}{2}(1+\varepsilon)X_1 - \dfrac{b_2}{2}(1+\varepsilon)\dfrac{\omega_3}{\omega_2}Y_1\mathrm{e}^{-i\varepsilon\sigma_t} \\[3mm] \dfrac{\mathrm{d}X_2}{\mathrm{d}t} = -\dfrac{b_1}{2}(1+\varepsilon)X_2 - \dfrac{b_2}{2}(1+\varepsilon)\dfrac{\omega_3}{\omega_2}Y_2\mathrm{e}^{+i\varepsilon\sigma_t} \\[3mm] \dfrac{\mathrm{d}Y_1}{\mathrm{d}t} = -\dfrac{c_1}{2}(1+\varepsilon)Y_1 - \dfrac{c_2}{2}(1+\varepsilon)\dfrac{\omega_3}{\omega_2}X_1\mathrm{e}^{+i\varepsilon\sigma_t} \\[3mm] \dfrac{\mathrm{d}Y_2}{\mathrm{d}t} = -\dfrac{c_1}{2}(1+\varepsilon)Y_2 - \dfrac{c_2}{2}(1+\varepsilon)\dfrac{\omega_3}{\omega_2}X_2\mathrm{e}^{-i\varepsilon\sigma_t} \end{cases} \tag{13.22}$$

进一步设 $X_1 = X_{10}\mathrm{e}^{pt-\frac{1}{2}\varepsilon\sigma_{ti}}$, $X_2 = X_{20}\mathrm{e}^{pt+\frac{1}{2}\varepsilon\sigma_{ti}}$, $Y_1 = Y_{10}\mathrm{e}^{qt+\frac{1}{2}\varepsilon\sigma_{ti}}$, $Y_1 = Y_{10}\mathrm{e}^{qt+\frac{1}{2}\varepsilon\sigma_{ti}}$。其中,

$X_{10}$、$X_{20}$、$Y_{10}$、$Y_{20}$ 皆为常数。则有:

$$\begin{cases} X_{10}(p - \dfrac{1}{2}\varepsilon\sigma_i) = -\dfrac{b_1}{2}(1+\varepsilon)X_{10} - \dfrac{b_2}{2}(1+\varepsilon)\dfrac{\omega_3}{\omega_2}Y_{10} \\[2mm] Y_{10}(p + \dfrac{1}{2}\varepsilon\sigma_i) = -\dfrac{c_2}{2}(1+\varepsilon)Y_{10} - \dfrac{c_1}{2}(1+\varepsilon)\dfrac{\omega_3}{\omega_2}X_{10} \\[2mm] X_{20}(q + \dfrac{1}{2}\varepsilon\sigma_i) = -\dfrac{b_1}{2}(1+\varepsilon)X_{20} - \dfrac{b_2}{2}(1+\varepsilon)\dfrac{\omega_3}{\omega_2}Y_{20} \\[2mm] Y_{20}(q - \dfrac{1}{2}\varepsilon\sigma_i) = -\dfrac{c_2}{2}(1+\varepsilon)Y_{20} - \dfrac{c_1}{2}(1+\varepsilon)\dfrac{\omega_3}{\omega_2}X_{20} \end{cases} \tag{13.23}$$

解上面的方程组得到:

$$\begin{cases} [2p - \varepsilon\sigma_i + (1+\varepsilon)b_1][2p + \varepsilon\sigma_i + (1+\varepsilon)c_2] = (1+\varepsilon)^2 b_2 c_1 \\[2mm] [2p + \varepsilon\sigma_i + (1+\varepsilon)b_1][2q - \varepsilon\sigma_i + (1+\varepsilon)c_2] = (1+\varepsilon)^2 b_2 c_1 \end{cases} \tag{13.24}$$

所以

$$\begin{cases} p = -\dfrac{(1+\varepsilon)(b_1 + c_2)}{4} \pm \dfrac{1}{4}\overline{P}^{1/2} \\[3mm] q = -\dfrac{(1+\varepsilon)(b_1 + c_2)}{4} \pm \dfrac{1}{4}\overline{Q}^{1/2} \\[3mm] \overline{P} = (1+\varepsilon)^2[(b_1 - c_2)^2 + 4b_2 c_1] - e\varepsilon^2\sigma^2 - 4\varepsilon\sigma(1+\varepsilon)(b_1 - c_2)c' \\[3mm] \overline{Q} = (1+\varepsilon)^2[(b_1 - c_2)^2 + 4b_2 c_1] - e\varepsilon^2\sigma^2 - 4\varepsilon\sigma(1+\varepsilon)(c_1 - b_2)c' \end{cases} \tag{13.25}$$

参考前面推导过程中所设看到,要想稳定,不随时间而增大,须式中没有正实部,换句话说,系统稳定的振动条件为

$$| Re\overline{P}^{1/2} | < (1+\varepsilon)(c_2 + b_1)$$

$$| Re\overline{Q}^{1/2} | < (1+\varepsilon)(c_2 + b_1)$$

即

$$\begin{cases} \left[\dfrac{m + (m^2 + \overline{m}^2)}{2}\right]^{1/2} < (1+\varepsilon)(c_2 + b_1) \\[3mm] \left[\dfrac{n + (n^2 + \overline{n}^2)}{2}\right]^{1/2} < (1+\varepsilon)(c_2 + b_1) \end{cases} \tag{13.26}$$

其中 $m = (1+\varepsilon)^2[(b_1 - c_2)^2 + 4b_2 c_1] - 4\varepsilon^2\sigma^2$ ; $\overline{m} = -4\varepsilon\sigma(1+\varepsilon)(b_1 - c_2)$ ;

$\overline{n} = m = (1+\varepsilon)^2[(b_1 - c_2)^2 + 4b_2 c_1] - 4\varepsilon^2\sigma^2$ ; $n = -4\varepsilon\sigma(1+\varepsilon)(c_2 - b_1)$

### 13.3.2.2 内共振情形

设 $\omega_3 = 3\omega_2 + \varepsilon\sigma$ ,仿前推导可得到:

$$\begin{cases} \dfrac{\mathrm{d}A_1}{\mathrm{d}t} = -\dfrac{b_1}{2}(1+\varepsilon)A_1, \dfrac{\mathrm{d}B_1}{\mathrm{d}t} = -\dfrac{b_1}{2}(1+\varepsilon)B_1 \\[3mm] \dfrac{\mathrm{d}A_2}{\mathrm{d}t} = -\dfrac{c_2}{2}(1+\varepsilon)A_2, \dfrac{\mathrm{d}B_2}{\mathrm{d}t} = -\dfrac{c_2}{2}(1+\varepsilon)B_2 \end{cases} \tag{13.27}$$

$$\begin{cases} A_1 = A_{01}\exp[-\frac{b_1}{2}(1+\varepsilon)t], B_1 = B_{01}\exp[-\frac{b_1}{2}(1+\varepsilon)t] \\ A_2 = A_{02}\exp[-\frac{c_1}{2}(1+\varepsilon)t], B_2 = B_{02}\exp[-\frac{c_1}{2}(1+\varepsilon)t] \end{cases} \tag{13.28}$$

其中，$A_{01}$、$A_{02}$、$B_{01}$、$B_{02}$ 是初始条件确定的常数。显然，由于 $\varepsilon$ 是小参数，若 $b_1$、$c_2$ 皆为正数，则 $A_1$、$B_1$、$A_2$、$B_2$ 皆不随时间增长，而随时间逐渐衰减，把式(13.27)代入式(13.28)中的第二、第四式中可知，这时自激振动也是衰减的，即是稳定的。所以在 $\omega_3 = 3\omega_2$ 附近，能够确定此处的振动是否稳定。从上述分析可得出以下几点结论：

(1)把轧件头部做成消耗锥状或圆弧状，会减小电机驱动力矩，从稳定性条件中知，若增大，则不等式右端的增大程度大于左边的增大程度，自激振动稳定性条件更容易满足。

(2)尽力增大钢材与轧辊间的摩擦系数，如清理氧化铁皮，即钢材表面无松动层，这样在前后的推导中增大，则由稳定性条件可知稳定性振动更容易达到。

(3)其他方法，如降低轧件速度、减小压下量等都可为减弱自激振动提供有利条件。

## 13.4 轧制过程中中厚板的稳定性分析

轧制过程中的中厚板的运动稳定性也是一个重要课题。为了求解非线性运动方程，国内外学者广泛使用摄动理论，获得了较好的结果。在此基础上，S.L.、Lau 等人提出了解决运动问题的数值方法——参数增量法，较好地解决了梁的线性、非线性动力稳定特性问题。

在此将参数增量法应用于板的动力稳定性的问题上，以期探讨中厚板在周期外荷载作用下的参数共振失稳性。

### 13.4.1 基本方程

一块长、宽、厚分别为 $l$、$b$、$h$，弹性模量为 $E$，泊松比为 $\mu$ 的中厚矩形板(见图 13.10)，在其上表面作用横向周期荷载 $q = q_0(x,y)\cos\omega t$，侧向沿 $x$ 方向作用均布中面力 $N_x^0 = N_{x0} + N_{x1}\cos pt$，设板的中面位移为 $(u^0, v^0, w^0)$。中面法线在 $xz$ 和 $yz$ 平面内的转角分别为 $\alpha$ 和 $\beta$，则板上任一点的位移分量为

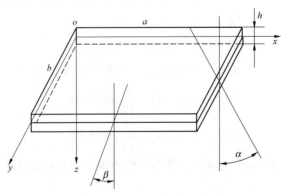

图 13.10 轧制过程中的矩形中厚板

$$\begin{cases} u(x,y,z,t)=u^0(x,y,t)+z\alpha(x,y,t) \\ v(x,y,z,t)=v^0(x,y,t)+z\beta(x,y,t) \\ w(x,y,z,t)=w^0(x,y,t) \end{cases} \tag{13.29}$$

相应点的应变分量为

$$\begin{cases} \varepsilon_x=\varepsilon_x^0+z\alpha_{,x} \\ \varepsilon_y=\varepsilon_y^0+z\alpha_{,y} \\ \varepsilon_z=0 \\ \gamma_{xy}=\gamma_{xy}^0+z(\alpha_{,y}+\beta_{,x}) \\ \gamma_{xz}=\alpha+w_{,x} \\ \gamma_{yz}=\beta+w_{,y} \end{cases} \tag{13.30}$$

上式中 $\varepsilon_x^0$、$\varepsilon_y^0$、$\gamma_{xy}^0$ 均为板的中面应变，其表达式为

$$\begin{cases} \varepsilon_x^0=u_{,x}^0+\dfrac{1}{2}w_{,x}^2 \\ \varepsilon_y^0=v_{,y}^0+\dfrac{1}{2}w_{,y}^2 \\ \gamma_{xy}^0=u_{,y}^0+v_{,x}^0+w_{,x}w_{,y} \end{cases} \tag{13.31}$$

用哈密顿原理推导板的运动方程，即

$$\int_0^t\int_0^b\int_0^a\int_{-\frac{h}{2}}^{\frac{h}{2}}\{[\sigma_x\delta\varepsilon_x+\sigma_y\delta\varepsilon_y+\sigma_z\delta\varepsilon_t+\tau_{xy}\delta\gamma_{xy}+\tau_{xz}\delta\gamma_{xz}$$
$$+\tau_{yz}\delta\gamma_{yz}+\rho(\ddot{u}\delta u+\ddot{v}\delta v+\ddot{w}\delta w)]\mathrm{d}z-q\delta w\}\mathrm{d}x\,\mathrm{d}y\,\mathrm{d}t=0 \tag{13.32}$$

将式(13.31)及物理方程代入上式，经积分运算后得到板的运动方程：

$$\begin{cases} N_{x,x}+N_{xy,y}-ph\ddot{u}^0=0 \\ N_{y,y}+N_{xy,x}-ph\ddot{v}^0=0 \\ Q_{x,x}+Q_{y,y}+(N_xw_{,x}+N_{xy}w_{,y})+ \\ (N_{xy}w_{,x}+N_yw_{,y})_{,y}-\rho h\ddot{w}^0+q=0 \\ M_{x,x}+M_{xy,y}-Q_x-\dfrac{1}{12}\rho h^3\ddot{\alpha}=0 \\ M_{y,y}+M_{xy,x}-Q_y-\dfrac{1}{12}\rho h^3\ddot{\beta}=0 \end{cases} \tag{13.33}$$

若忽略面内惯性项 $\rho h\ddot{u}^0$ 和 $\rho h\ddot{v}^0$，并引入应力函数 $\varphi(x,y,t)$,使其满足：

$$(N_x,N_y,N_{xy})=(\varphi_{,yy},\varphi_{,xx},-\varphi_{,xy}) \tag{13.34}$$

则方程(13.33)的前两式自动满足，将后面两式代入第三式，并应用物理方程，得到

以下三个方程：

$$\begin{cases} D(\alpha_{,xxx}+a_{,xyy}+\beta_{,xxy}+\beta_{,yyy})-\dfrac{\rho h^3}{12}(\alpha_{,xtl}\beta_{,ytl})+ \\ (\varphi_{,xx}w_{,yy}-2\varphi_{,xy}w_{,xy}+\varphi_{,yy}w_{,xx})=phw_{,tl}-q \\ D(\alpha_{,xx}+\mu\beta_{,xy})+\dfrac{D(1-\mu)}{2}(\alpha_{,yy}+\beta_{,yy})- \\ \dfrac{6D(1-\mu)}{h^2}(a+w_{,x})=\dfrac{1}{12}\rho h^3 a_{,tl} \\ D(\mu\alpha_{,xx}+\beta_{,yy})+\dfrac{D(1-\mu)}{2}(\alpha_{,xy}+\beta_{,xx})- \\ \dfrac{6D(1-\mu)}{h^2}(\beta+w_{,y})=\dfrac{1}{12}\rho h^3\beta_{,tl} \end{cases} \tag{13.35}$$

上式中 $D=\dfrac{Eh^3}{12(1-\mu^2)}$，再在式(13.31)中消去 $u^0$、$v^0$，且将物理方程及应力函数关系式代入，得到变形协调方程：

$$\varphi_{,yyyy}+2\varphi_{,xxyy}+\varphi_{,xxxx}=Eh(w_{,xy}^2-w_{,xx}w_{,yy}) \tag{13.36}$$

引入无量纲量：
$$\begin{cases} \xi=\dfrac{x}{a},\eta=\dfrac{y}{b},\tau=t\sqrt{\dfrac{Eh^2}{b^4\rho(1-\mu^2)}} \\ W=\dfrac{w}{h},\alpha^*=H\alpha,\beta^*=H\beta,f=\dfrac{1-\mu^2}{Eh^2}\varphi \\ \lambda=\dfrac{a}{b},H=\dfrac{b}{h},Q_0=\dfrac{q_0 b^4}{Eh^4}(1-\mu^2) \end{cases} \tag{13.37}$$

则由式(13.36)和式(13.37)得到中厚板非线性动力问题的无量纲基本控制方程组：

$$\begin{cases} \lambda(f_{,\xi\xi}W_{,\eta\eta}-2f_{,\xi\eta}W_{,\xi\eta}+f_{,\eta\eta}W_{,\xi\xi})+\dfrac{1}{12}(\alpha^*_{,\xi\xi\xi}+\lambda^2\alpha^*_{,\xi\eta\tau}-R\dfrac{\lambda^2}{H^2}\alpha^*_{,\xi\tau})+ \\ \dfrac{1}{12}(\lambda\beta^*_{,\xi\xi}+\lambda^3\beta^*_{,\eta\eta}-R\dfrac{\lambda^3}{H^2}\beta^*_{,\eta\tau})=\lambda^3W_{,\tau\tau}-\lambda^3Q \\ T(\alpha^*_{,\xi\xi}+\dfrac{1+\mu}{2}\lambda\beta^*_{,\xi\eta}+\dfrac{1-\mu}{2}\lambda^2\alpha^*_{,\eta\eta}-R\dfrac{\lambda^2}{H^2}\alpha^*_{,\tau\tau})-6(1-\mu)\lambda^2H^2\alpha^* \\ \qquad =6(1-\mu)\lambda H^2W_{,\xi} \\ T(\dfrac{1-\mu}{2}\beta^*_{,\xi\xi}+\dfrac{1+\mu}{2}\lambda\alpha^*_{,\xi\eta}+\lambda^2\beta^*_{,\eta\eta}-R\dfrac{\lambda^2}{H^2}\beta^*_{,\tau\tau})-6(1-\mu)\lambda^2H^2\beta^* \\ \qquad =6(1-\mu)\lambda^2H^2W_{,\eta} \\ f_{,\xi\xi\xi\xi}+2\lambda^2f_{,\xi\xi\eta\eta}+\lambda^4f_{,\eta\eta\eta\eta}=(1-\mu^2)\lambda^2(W_{,\xi\eta}^2-W_{,\xi\xi}W_{,\eta\eta}) \end{cases} \tag{13.38}$$

其中 $Q=Q_0(\xi,\eta)\cos\sigma t,\sigma=\omega b^2\sqrt{\dfrac{\rho(1-\mu^2)}{Eh^2}}$，$T$、$R$ 为常数，取 1(或 0)，分别表示考虑

(或不考虑)剪切变形和转动惯性项影响。

对于轧制过程中的中厚板，其边界条件可写成：

$$\begin{cases} \xi = 0, 1\text{时} \\ W = \beta^* = 0, \alpha^*_{,\xi} = 0, f_{,\eta\eta} = N_{\xi0} + N_{\xi\tau}\cos\theta t, f_{,\xi\eta} = 0 \\ \eta = 0, 1\text{时} \\ W = \alpha^* = 0, \beta^*_{,\eta} = 0, f_{,\xi\xi} = 0, f_{,\xi\eta} = 0 \end{cases} \tag{13.39}$$

式中的 $N_{\xi0} = \dfrac{b^2(1-\mu^2)}{Eh^3}N_{x0}, N_{\xi\tau} = \dfrac{b^2(1-\mu^2)}{Eh^3}N_{xt}, \theta = \dfrac{\rho b^2}{h}\sqrt{\dfrac{p(1-\mu^2)}{E}}$ 为求方程(13.38)的满足边界条件(13.39)的近似解，首先设方程组有以下分离变量形式的级数解：

$$\begin{cases} W(\xi,\eta,\tau) = \sum\limits_{m=1}^{\infty}\sum\limits_{n=1}^{\infty} W_{mn}(\tau)\varphi_m(\xi)\psi_n(\eta) \\ \alpha^*(\xi,\eta,\tau) = \sum\limits_{m=1}^{\infty}\sum\limits_{n=1}^{\infty} \alpha^*_{mn}(\tau)\varphi'_m(\xi)\psi_n(\eta) \\ \beta^*(\xi,\eta,\tau) = \sum\limits_{m=1}^{\infty}\sum\limits_{n=1}^{\infty} \beta^*_{mn}(\tau)\varphi_m(\xi)\psi'_n(\eta) \\ f(\xi,\eta,\tau) = \dfrac{1}{2}N_\xi^0(\tau)\eta^2 + \sum\limits_{k=1}^{\infty}\sum\limits_{l=1}^{\infty} F_{kl}(\tau)X_k(\xi)Y_l(\eta) \end{cases} \tag{13.40}$$

其中 $N_\xi^0 = N_{\xi0} + N_{\xi\tau}\cos\theta\tau, X_k(\xi), Y_l(\eta), \varphi_m(\xi), \psi_n(\eta)$ 为振型函数，且为

$$\begin{cases} \varphi_m(\xi) = \sin mx\xi \\ \psi_n(\eta) = \sin n\pi\eta \\ X_k(\xi) = \operatorname{ch}\alpha_k\xi - \cos\alpha_k\xi - \gamma_k(\operatorname{sh}\alpha_k\xi - \sin\alpha_k\xi) \\ Y_l(\xi) = \operatorname{ch}\alpha_l\eta - \cos\alpha_l\eta - \gamma_l(\operatorname{sh}\alpha_l\eta - \sin\alpha_l\eta) \\ m, n, k, l = 1, 2, 3, \cdots \end{cases} \tag{13.41}$$

由边界条件(13.39)可知 $\alpha_k$、$\gamma_k$ 需满足如下关系式：

$$\begin{cases} 1 - \operatorname{ch}\lambda_k\cos\alpha_k = 0 \\ \gamma_k = \dfrac{\operatorname{ch}\alpha_k - \cos\alpha_k}{\operatorname{sh}\alpha_k - \sin\alpha_k} \qquad (k = 1, 2, \cdots) \end{cases} \tag{13.42}$$

又将 $Q = Q_0(\xi,\eta)\cos\sigma\tau$ 也展成 $\varphi_m\psi_n$ 的傅立叶级数形式：

$$Q = [\sum\limits_{m=1}^{\infty}\sum\limits_{n=1}^{\infty} Q_{mn}\varphi_m(\xi)\psi_n(\eta)]\cos\sigma\tau \tag{13.43}$$

式中 $Q_{mn} = 4\int_0^1\int_0^1 Q_0(\xi,\eta)\varphi_m(\xi)\psi_n(\eta)\,\mathrm{d}\xi\,\mathrm{d}\eta$

然后，将式(13.41)和式(13.43)代入方程组(13.38)，并利用伽辽金积分过程，得到以

下方程组：

$$\begin{cases} a_{1ij}^{mnkl}W_{mn}F_{kl}+a_{2ij}^{mn}W_{mn}N_\xi^0+a_{3ij}^{mn}\alpha_{mn}^*+a_{4ij}^{mn}\beta_{mn}^*+ \\ a_{5ij}^{mn}\alpha_{mn}^*+a_{6ij}^{mn}\ddot\beta_{mn}=a_{7ij}^{mn}\ddot W_{mn}+a_{8ij}^{mn}Q_{mn}\cos\sigma\tau \\ a_{9ij}^{mn}\alpha_{mn}^*+a_{10ij}^{mn}\beta_{mn}+a_{11ij}^{mn}\ddot\alpha_{mn}=a_{12ij}^{mn}W_{mn} \\ a_{13ij}^{mn}\alpha_{mn}^*+a_{14ij}^{mn}\beta_{mn}^*+a_{15ij}^{mn}\ddot\beta_{mn}=a_{16ij}^{mn}W_{mn} \\ a_{17ij}^{k1}F_{kl}=a_{18il}^{mnkl}W_{mn}W_{kl} \quad (m,n,k,l,i,j=1,2,3\cdots) \end{cases} \tag{13.44}$$

这里使用了张量记法，重复指标表示求和。$a_{1ij}^{mnkl}$，$a_{18ij}^{mnkl}$ 是积分常数，又若在方程组 (13.44)中忽略转动惯性项 $\alpha_{mn}^*$、$\beta_{mn}^*$ 则第二和第三式可以写为：

$$\begin{pmatrix} \alpha_{mn}^* \\ \beta_{mn}^* \end{pmatrix}=\begin{pmatrix} b_{1ij}^{mn} \\ b_{2ij}^{mn} \end{pmatrix}w_{mil} \tag{13.45}$$

$b_{1ij}^{mn}$ 和 $b_{2ij}^{mn}$ 是关于 $a_{9ij}^{mn}-a_{16ij}^{mn}$ 的常量，将上式和式(13.40)中的第四式代入其中的第一式，并将 $N_\xi^0=N_{\xi0}+N_{\xi\tau}\cos\theta\tau$ 代入，作变量代换 $r=\theta\tau$ 后，得到仅以 $W_{mn}$ 为变量的 Mathieu 型非线性参数振动方程：

$$\theta^2C_{1ij}^{mn}W_{mn}+[C_{2ij}^{mn}(N_{\xi0}+N_{\xi\tau}\cos r)+C_{3ij}^{mn}]W_{mn}+C_{4ij}^{mnkl}rsW_{mn}W_{kl}W_{rs}=C_{5ij}^{mn}Q_{mn}\cos vr \tag{13.46}$$

式中，$v$ 为横向和纵向谐载的频率比，即 $v=\dfrac{\omega}{P}\cdot C_{1ij}^{mn}-C_{5ij}^{mn}$ 为常数。

### 13.4.2 动力稳定性分析

现用参数增量法求解方程(13.46)，且为计算简便，设激振力的静态部分 $N_{\xi0}=0$。若已知方程(13.46)的一个失稳边界点为 $(N_{\xi\tau},\dot\theta)$，对应的振幅为 $W_{mn}^*(r)$，当它们发生微小扰动时，变化至：

$$\begin{cases} N\xi\tau=N_{\xi\tau}^*+\Delta N_{\xi\tau} \\ \theta=\theta^*+\Delta\theta \\ W_{mn}=W_{mn}^*+\Delta W_{mn} \end{cases} \tag{13.47}$$

将式(13.31)代入方程(13.47)中，略去一阶以下微量，得到以下方程：

$$\theta^{*2}C_{1ij}^{mn}\Delta\ddot W_{mn}+(C_{2ij}^{mn}N_{\xi\tau}^*\cos r+C_{3ij}^{mn})\Delta W_{mn}+3C_{4ij}^{mnk1rs}W_{kl}^*W_{rs}^*W_{mn}$$
$$=-C_{2ij}^{mn}\Delta N_{\xi\tau}W_{mn}^*\cos r-2\Delta\theta\theta^*C_{1ij}^{mn}\ddot W_{mn}^*+R \tag{13.48}$$

式中

$$R=-[\theta^{*2}C_{1ij}^{mn}\ddot W_{mn}^*+(C_{2ij}^{mn}N_{\xi\tau}^*\cos r+C_{3ij}^{mn})W_{mn}^*+C_{4ij}^{mnk1rs}W_{mn}^*W_{kl}^*W_{rs}^*]+C_{5ij}^{mn}Q_{mn}\cos vr \tag{13.49}$$

将 $W_{mn}^*(r)$ 和 $\Delta W_{mn}(r)$ 展开成傅立叶级数，以寻求周期为 $2\pi$ 和 $4\pi$ 的解：

$$\begin{cases} W_{mn}^*(r)=b_{mn}^{(0)}+\sum_{k=2,4,6\cdots}(a_{mn}^{(k)}\sin\dfrac{kr}{2}+b_{mn}^{(k)}\cos\dfrac{kr}{2}) \\ \Delta W_{mn}(r)=\Delta b_{mn}^{(0)}+\sum_{k=2,4,6\cdots}(\Delta a_{mn}^{(k)}\sin\dfrac{kr}{2}+\Delta b_{mn}^{(k)}\cos\dfrac{kr}{2}) \end{cases} \tag{13.50}$$

或

$$\begin{cases} W_{mn}^*(r) = \displaystyle\sum_{k=1,3,5\cdots} (a_{mn}^{(k)} \sin\frac{kr}{2} + b_{mn}^{(k)} \cos\frac{kr}{2}) \\ \Delta W_{mn}(r) = \displaystyle\sum_{k=1,3,5\cdots} (\Delta a_{mn}^{(k)} \sin\frac{kr}{2} + \Delta b_{mn}^{(k)} \cos\frac{kr}{2}) \end{cases} \tag{13.51}$$

将式(13.50)或式(13.51)代入方程式(13.48)和式(13.49)中作伽辽金积分,得到一组代数方程:

$$[S]\{\Delta a\} = \Delta N_{\xi\tau}\{p\} + \Delta\theta\{q\} + \{r\} \tag{13.52}$$

这里$[S]$是关于$\theta^*$,$N_{\xi\tau}^*$的系数矩阵;$\{\Delta a\} = \{\Delta a_{mn}^{(k)}, b_{mn}^{(k)}\}^{\mathrm{T}}$;$\{r\}$是由$R$推出的列矢量;$\{P\}$,$\{q\}$分别为式(13.48)右边第一、二项推出的列矢量。

在每次增量步骤中,对于一给定的激振力幅值变化$\Delta N_{\xi\tau}$,若给定$a_{mn}^{(k)}$或$b_{mn}^{(k)}$中任一初始分量,则其增量为$0$(例如令$a_{11}^{(1)}=1$,则$\Delta a_{11}^{(1)}=0$)。对方程(13.52)作迭代,则$\Delta\theta$和其余的$\Delta a_{mn}^{(k)}$,$b_{mn}^{(k)}$值就能确定,从而幅、频关系也就确定了。执行增量迭代,即可得到一组$N_{\xi\tau}$,$\theta$和$W$的关系曲线,这就是动力失稳边界,从而可以确定参数共振的动力失稳区。

为使动力失稳和静曲屈联系起来,在本书中定义纵向荷载幅值与静屈曲临界载荷的比值为激发系数$\Gamma = N_{\xi\tau}(C_{211}^{11}/C_{311}^{11})$,纵向荷载的频率与线性自由振动固有频率两倍之比为$\Omega = \theta/2\omega^{11}$,$(\omega^{11} = \sqrt{C_{311}^{11}/C_{111}^{11}})$。计算过程中使用的参数见表13.5。

表 13.5　中厚板轧件在轧制过程中物理参数

| 长度 $l$ | 板宽 $b$ | 厚度 $h$ | 泊松比 $\mu$ | $E$ | 密度 $\rho$ | 载荷 $Q_0$ |
|---|---|---|---|---|---|---|
| 12.0 m | 2.8 m | 0.25 m | 0.35 | 80 GPa | $7.8\times10^3$ kg/m$^3$ | $58\times10^6$ N |

在纵向均布谐载荷作用下,板的非线性动力不稳定区如图 13.11 所示。

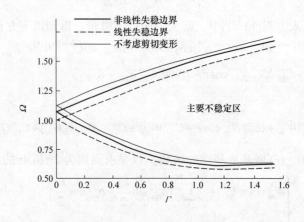

图 13.11　纵向均布谐载荷作用下板的非线性动力不稳定区

动力不稳定区呈"V"字形分布在频率比为1.0两侧,这就是说,当纵向谐荷载的频率为板的自由振动最低固有频率的两倍左右时,即使外荷载的幅值较小,也会导致共振失稳;随着频率比远离1.0,只有在较大的外荷载幅值时才会导致失稳,因而在工程上,不仅要考虑强迫共振,还要考虑参数共振,应设法使振动源的频率远离结构固有频率的两倍,以防参数共振破坏。从图中还可以看到非线性不稳定区较线性不稳定区上移了,这表示考虑非线性因素后,板的刚度加强了,因而抗动力失稳能力也提高了,图中给出了不考虑剪切变形时的动力失稳边界,它考虑剪切变形时上升了,处在点画线和实线之间的点所代表的解看起来似乎是安全的,但实际上板已经处在不稳定区内,因而结果偏于危险,所以在中厚板计算中,剪切变形的影响是不能忽略的,这也是与薄板计算所不同的,图 13.12 表明板的厚度增大,动力不稳定区的边界上移,板的动力稳定性增大。显然,工程中也可以利用加大构件的厚度来防止动力失稳,至于板的长宽比,是否随着它的增大,板的动力稳定就一定降低呢?图 13.13 表明并非如此,在长宽比从 1.0 增加到 1.5 之前,动力失稳区上移,稳定性反而增大了;只是到 1.5 之后,失稳区才又开始下移,板的动力稳定性才又降低。图 13.14 显示,板在纵横谐载荷作用下,动力不稳定区较之仅有谐载荷用时下移。仅当横向和纵向荷载的频率比 $v$ 取某些特定值,动力不稳

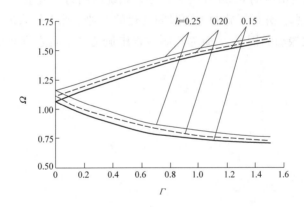

图 13.12　板厚对非线性不稳定区的影响

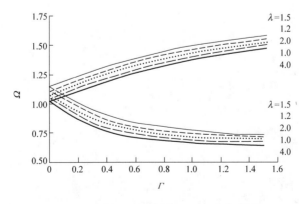

图 13.13　长宽比对非线性不稳定区的影响

定区的位置才最低，这时板的共振失稳称为耦合共振失稳。这些特定的频率比是 0.5、1.5、2.0 等。工程中可以根据具体情况来利用或是避免这些特定的频率比。

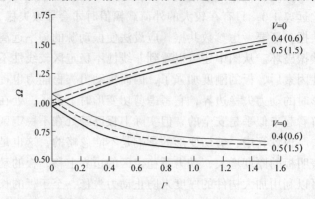

图 13.14　纵横谐载荷联合作用下的非线性不稳定区的分布

## 13.5　小结

本章建立了六自由度的 4200 轧机垂直振动系统的动力学模型，并用 Matlab 对其进行了动态分析和仿真，分析了轧制力随时间变化的七种工况下的系统响应，得出了影响轧机垂直方向自激振动的因素，从而为轧制过程中避免产生垂直方向自激振动提供了可靠的理论依据。

# 第14章 人工神经网络方法

## 14.1 人工神经网络综述

### 14.1.1 概述

神经网络研究在近几十年取得了引人瞩目的进展，从而激起了不同学科领域的科学家和企业家的巨大热情和浓厚兴趣。人们普遍认为它将使电子科学和信息科学产生革命性的变革。神经网络系统是由大量的、同时也是很简单的处理单元(或称神经元)广泛地互相连接而形成的复杂网络系统。它反映了人脑功能的许多基本特性，但它并不是人脑神经网络系统的真实写照，而只是对其作某种简化、抽象和模拟，这也是现实情况(当前对脑神经和其智能机理的研究水平 VLSI 技术水平)所能做到的，是目前神经网络研究的基本出发点。一般认为，神经网络是一个高度复杂的非线性动力学系统，具有一般非线性系统的共性，同时还具有高维性、神经元之间广泛的互连性以及自适应性和自组织性等。神经元是神经网络的最基本的组成部分，各个神经元之间通过相互连接形成一个网络拓扑，不同的神经网络模型对神经网络的结构和互连模式都有一定的要求和限制。每对神经元之间的连接上有一个加权系数，通常称为权值，权值可以按照学习算法来修改。这样，系统就可以产生所谓的"进化"。总的来说，神经网络模型可以从 10 个方面来进行描述:处理单元(神经元)、神经网络的状态、传播规则、活跃规则、输出函数、学习算法、互连模式、环境、稳定状态、操作模式。迄今为止，人们已提出了 30 多种神经网络模型。

### 14.1.2 人工神经网络简介

人工神经网络 ANN(Artificial Neural Networks)是受生物大脑的启发而构成的一类信息处理系统，它采用物理可实现系统来模仿人脑神经细胞的结构和功能。它反映了人脑功能的许多基本特性，但它并不是人脑神经网络系统的真实写照，而只是对其作某种简化、抽象和模拟。所以，ANN 可以看作是生物神经网络在一定程度上的模拟，它和应用单元有机地连接在一起，进行并行工作，但没有运算器、存储器等现代计算机的基本元件，而是相同的简单处理器的结合。它的信息存储在处理单元之间的连接上，每对神经元之间的连接上有一个加权系数，通常称为权值，权值可以按照学习算法来自行修改，这就是所谓的自适应功能。因而，它是与现代计算机完全不同的系统。

### 14.1.3 神经网络的研究和发展

早在 1943 年，心理学家 McCulloch 和数学家 Pits 在《Bulletin of Mathematical Biophysics》上发表文章，首次提出人工神经元的概念，并且提出了一个简单的神经元的数学描述与结构方法，从而兴起了对神经网络的研究。

20 世纪 50 年代末至 60 年代初，Rosenblantt 提出感知机(Perceptron)的概念，第一次把神经网络的研究付诸工程实践。这些早期的成功使人们一度产生对 ANN 的乐观看法，似乎只要建造一个足够大、足够复杂的网络，就可以仿制人类视觉系统的功能，从而掀起了神经网络研究的高潮。

60年代以后，明斯基(Minsky)和佩柏特(Papert)于1969年发表了《Perceptron》一书，指出感知机的处理能力有限，甚至"异或"(XOR)这样的问题也不能解决，并指出，如果引入隐含神经元，增加神经网络的层数，可提高神经网络的处理能力，但是研究对应的学习方法非常困难。他们的论点极大地影响了对神经网络的研究，使较多的人转去研究当时发展较快的以逻辑为基础的人工智能和知识工程。加上冯·诺伊曼(Von Neumann)串行计算机在技术上、规模上、速度上都发展很快，从而掩盖了发展新型计算机和人工智能新途径的必要性和迫切性，致使人工神经网络的研究进入低潮。

70年代后期至80年代以来，有关神经网络研究的进展非常迅速。学术界公认，标志神经网络研究高潮又一次到来的是美国加州理工学院生物物理学家J.Hopfield教授于1982年和1984年发表在美国科学院院刊上的两篇文章。1982年，他提出了Hopfield神经网络模型，这种模型具有联想记忆的功能，他在这种神经网络模型的研究中，引入了能量函数(Lyapunov函数)，给出了网络稳定判据，并指出信息存储在网络中神经元之间的连接上。这一成果的取得使神经网络的研究取得了突破性进展。1984年，Hopfield设计与研制了他所提出的神经网络模型的电路，并指出网络中的每一个神经元可以用运算放大器来实现，所有神经元的连接可以用电子线路来模拟，这一方案为神经网络的工程实现指明了方向，成功地解决了复杂度为NP的旅行商(TSP)计算难题(优化问题)。这些成果的取得使神经网络的研究步入了兴盛期。1986年，Rumelhart等人在多层神经网络模型的基础上提出了多层神经网络模型的反向传播学习算法(Back-Propagation)，简称BP算法，解决了多层神经网络的学习问题。

近些年来，许多科学家提出了许多种具备不同信息处理能力的神经网络模型，至今已开发了30多种。神经网络也被应用到许多信息处理领域，如模式识别、自动控制、信号处理、辅助决策、人工智能，等等。

### 14.1.4　神经网络的特点

虽然人工神经网络与真正的神经网络有差别，但是它与目前冯·诺伊曼计算机相比，由于吸取了生物神经网络的部分优点，因而有其固有的特点：

(1)固有的并行结构和并行处理。人工神经网络在结构上与目前的计算机根本不同，它是由很多小的处理单元连接而成，每个单元功能简单，但大量简单处理单元集体的、并行的活动就能得到预期的识别和计算的结果，且具有较快的速度。

(2)容错性。人工神经网络具有很强的容错性，即使局部的或部分的神经元损坏后，也不会影响全局的活动。

(3)知识的分布存储。人工神经网络所记忆的信息是存储在神经元之间的权中，从单个权中看不出存储信息的内容，因而是分布式的存储方式。

(4)自适应性。人工神经网络具有十分强的自适应性，主要包括四个方面，即学习性、自组织能力、推理能力和训练性。人工神经网络以其特有的信息处理能力和独到的计算能力，非常适用于处理知识背景不清楚，推理规则不明确等复杂的模式识别问题，以及处理连续的、模拟的、模糊的、随机的大量信息。

## 14.2 人工神经网络的基本概念

### 14.2.1 神经网络的处理单元

神经元是神经网络最基本的组成部分，在构造神经网络模型时，首先就要确定处理单元的各种特性。神经网络的处理单元可以分为三类：输入单元、输出单元和隐含单元。输入单元是从外界环境接受信息，输出单元则给出神经网络系统对外界环境的作用。隐含单元处于神经网络之中，从网络内部接受输入信息，所产生的输出只作用于神经网络系统中的其他处理单元。

一个人工神经元模仿生物神经元的基本功能是对每个输入信号进行处理以确定其强度(加权值)；确定输入信号的组合效果(求和)；确定输出转移特性。图 14.1 表示神经元 $i$ 的结构模型。其中 $u_i$ 为神经元的内部状态；$\theta_i$ 为阈值，$x_j$ 为输入信号，$w_{ij}$ 为从神经元 $i$ 传给神经元 $j$ 的信号强度。当 $i$ 神经元接受输入信号时，作为信号处理的神经元处理信息过程的步骤为：

(1)各输入端接受信号；

(2)作输入信号的权重和并与阈值相比较，给出激励状态或抑制状态：

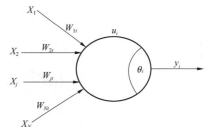

$$u_i = \sum_{\substack{j=1 \\ j \neq i}}^{n} w_{ij} x_j - \theta_i \qquad (14.1)$$

(3)激励状态 $u_i$ 通过某一激励函数 $f(\cdot)$ 而得到最后的输出：

**图 14.1　人工神经元的结构模型**

$$y_i = f(u_i) \qquad (14.2)$$

### 14.2.2 转移函数

转移函数也称做激励函数、传输函数和限幅函数。其作用是将可能的无限域变换到一指定的有限范围内输出，类似于生物神经元具有的非线性转移函数。对于简单的神经网络，其各个神经元的输出函数是相同的，在复杂的神经网络中，其各个神经元的输出函数有可能不同。常见的转移函数有以下几种，其解析式和曲线如图 14.2 所示：

(1)线性函数 $\qquad\qquad\qquad y = f(s) = ks \qquad\qquad\qquad (14.3)$

(2)斜坡函数 $\qquad\qquad y = f(s) = \begin{cases} r & s \geqslant r \\ s & |s| < r \\ -r & s < -r \end{cases} \qquad (14.4)$

(3)阶跃函数 $\qquad\qquad y = f(s) = \begin{cases} 1 & s > 0 \\ 0 & s \leqslant 0 \end{cases} \qquad (14.5)$

(4)符号函数 $\qquad\qquad y = f(s) = \begin{cases} 1 & s \geqslant 0 \\ -1 & s < 0 \end{cases} \qquad (14.6)$

(5)Sigmoid 函数 $\qquad\qquad y = f(s) = \dfrac{1}{1 + \mathrm{e}^{-s}} \qquad\qquad (14.7)$

(6)双正切函数 $\qquad y = f(s) = \dfrac{e^s - e^{-s}}{e^s + e^{-s}}$ （14.8）

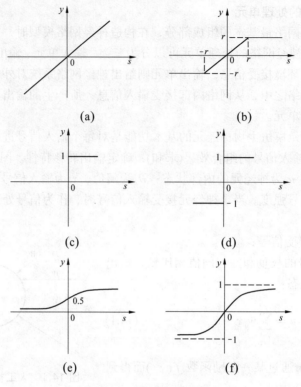

(a)

(b)

(c)

(d)

(e)

(f)

图 14.2　常用转移函数

其中使用最多的有两个：一个是 Sigmoid 函数(S 型函数)，另一个是双曲正切函数。S 型函数可以看做为处理单元定义了一个非线性增益，增益的大小取决于曲线在给定点的斜率。当 $S$ 由 $-\infty$ 增到 0 时，增益由 0 增至最大，然后 $S$ 由 0 增到 $+\infty$ 时，增益又由最大返回到 0，并且总是正的。Grossberg 在 1973 年发现，用该函数可使同一网络既能处理小信号也能处理大信号。该函数从而解决了在中间高增益区处理小信号，而在伸向两边的低增益区处理大激励信号的问题。这种情况正像生物神经元在输入电平范围很大的情况下仍能正常工作一样。双曲正切函数类似于 S 型函数，其函数形状与 S 型函数相同，只不过它是原点对称的，同时具有双极输出，对要求输出是 ±1 范围的信号时，常被使用。

上面介绍的人工神经元的简单模型，只是生物神经元的一般近似，它在模拟生物神经网络的同时，具备了生物神经元的某些特征，但也忽略了生物神经元的许多特性，如时间延迟等。

### 14.2.3　神经网络的拓扑结构

构造神经网络的一个很重要的步骤就是构造神经网络的拓扑结构，亦即确定神经元之间的互连结构。单个神经元的功能是很有限的，而由大量神经元通过互连构成的神经网络，具有非常强大的集团运算能力，是大脑形象思维、抽象思维和灵感思维的物理基础。神经网络的互连结构往往决定和制约着神经网络的特性及能力。从神经网络的拓扑结构来分类，神经网络可以分为以下四种基本类型，如图14.3所示。

(1)前馈式网络。前馈网络中神经元是分层排列的，每个神经元只与前层的神经元相连，如图14.3(a)所示，最上一层为输出层，最下一层为输入层，中间为隐含层，隐含层可以为一层或多层。

(2)前向反馈网络。如图14.3(b)所示，在输出层上存在一个反馈回路到输入层，而网络本身还是前馈型的。

(3)前馈内层互连网络。如图14.3(c)所示，在同一层内相互连接，它们可以形成互相制约，而从外部看还是一个前向网络。很多自组织网络，大都存在着内层互连的结构。

(4)反馈型全互连网络。如图14.3(d)所示是一种单层全互连网络，每个神经元的输出都与其他神经元相连。

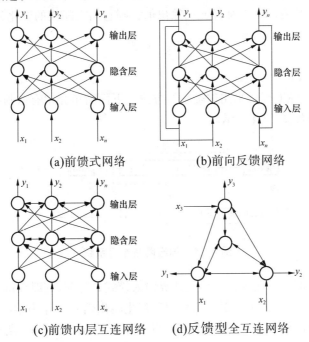

(a)前馈式网络　　　(b)前向反馈网络

(c)前馈内层互连网络　　(d)反馈型全互连网络

图14.3　网络结构类型

### 14.2.4　神经网络的训练和学习

人工神经网络在工作时，要经过两个阶段：学习、存储和回忆、联想。神经网络在工作之前要对网络进行学习，或者说是训练，使其获取"知识"，并将知识存储在权值中。权是一个反映自存储的关键量，大多数神经网络权的设计是通过学习得到的，而通过学习得到的信息就"存储"在权中并以权值的形式表现出来。获取知识的过程就是不断地对网络施加输入模式，然后将输出与期望的输出进行比较，获得偏差，通过自适应算法不断修正权值的过程。学习或者训练一旦完成"知识"，就存储在权值中形成了一个稳定的网络。神经网络在运行时就是在存储的"知识"中寻求与输入匹配最好的"知识"为其解，是一种回忆的过程，称为联想。

目前，已经出现了许多神经网络模型及相应的学习算法，按不同的分类方式对算法的分类也有多种，如联想式与非联想式学习以区别来自环境刺激模式的多少；有指导学习与无指导学习以区别学习时有无教师示教；以及网络连接形式(阶层还是相互连接)的学习分类。一般可分为下列几种：

(1)死记式学习。网络的权是事先设计好的，权值是固定的，如 Hopfield 网络在做优化时，权可根据优化的目标函数和约束条件来设计，设计好了就不能变动。早期的 M-P 模型也是用设计好的固定权来完成与或非等逻辑关系的。

(2)$\delta$ 学习律。这种方法是用已知例子作为教师对网络的权进行学习，其规则是通过网络理想输出和实际输出之间的误差来修正网络的权。在很多神经网络中，都采用了这种学习方法，如 perception、Adline 和 Back-propagation 等。

(3)自组织的学习和 Hebb 学习规则。两个神经元之间的连接权正比于两个神经元的活动值，如用 $V_i$、$V_j$ 表示两个神经元的输出值，则它们之间权的变化为

$$\Delta W_{tj} = \eta V_i V_j \tag{14.9}$$

式中　$\eta$——步长或常数。

(4)相近学习。ART 等都采用这类学习方法。下面简单介绍有教师指导的学习算法，其学习系统示意图如图 14.4 所示。

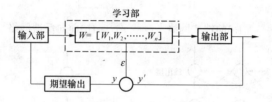

**图 14.4　神经网络学习系统**

该系统分成三部分，输入部分接受外界输入模式，经学习(训练)部调整权值。

参数 $w=[w_1, w_2, \cdots, w_n]$，最后由输出部产生输出信号 $Y$ 作为学习信号；与此同时，输入所期望的正确信号 $Y$ 作为教师信号，将实际输出(学生信号)和期望输出(教师信号)之差(或差的平方和)作为误差信号 $\xi$，根据这个误差值，自动调整学习系统权值 $W$，使得误差最小，达到实际输出与期望输出一致，学习过程就结束。可见，学习过程的实质是一个非线性规划问题，通过不断调整网络的权值，即确定权值的改变量 $\Delta W_t$，用沿负梯度方向寻优的最速下降法，使误差达到最小。

## 14.3　BP 人工神经网络

误差反向传播神经网络(Back Neural Networks)，简称 BP 网络，是神经网络模型中应用最广泛的一类。BP 网络是典型的反馈式全连接多层神经网络，具有结构简单、工作稳定等特点，并且具有较强的联想、记忆和容错能力，可以以任意精度逼近任何非线性连续函数。BP 神经网络由一个输入层、若干个输出层以及一个或多个隐含层构成，每一层可以有若干个结点。三层 BP 神经网络的结构如图 14.5 所示。

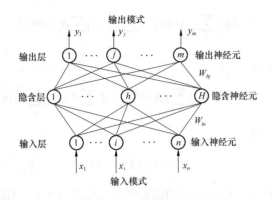

图 14.5 BP 网络结构示意图

BP 神经网络的训练过程由正向传播和反向传播组成。在正向传播过程中，输入信号要先输入到隐层结点，经过传递函数后，再把隐层结点的输出信息传播到输出层结点，最后给出输出结果。若网络的输出值与期望值存在误差，则要进行误差反向传播，将误差信号沿原来的连接通路返回，通过修改连接各结点的权值使误差减小，BP 神经网络的预报过程只包括正向传播过程，输出层的输出结果即为网络的预报值。

BP 网络学习是典型的有导师学习，采用最小均方差方式，在使其评价函数最小化过程中，完成输入信号到输出模式的映射。其学习算法是对简单的 $\delta$ 学习规则的推广和发展。

### 14.3.1 BP 算法数学原理

在 BP 网络中，反向传播学习要求单元的输入输出函数是可微分的。线性函数虽然是可微分的，但如果多层网络中所有单元的输入输出函数均采用线性函数，那么网络将失去应有的映射能力，其原因在于单层线性网络与多层线性网络是等价的。BP 网络采用可微的非线性转移函数，最常用的是指数型或双曲线正切函数，这对于 BP 算法是很关键的。

假设 BP 网络有 $n$ 个输入，$m$ 个输出，一个中间层。输入结点、中间层结点和输出结点分别用下标 $i$、$h$、$j$ 表示；输入 $i$ 到中间层的 $h$ 结点的权值用 $W_{ih}$ 表示；由中间层结点 $h$ 到输出层结点 $j$ 的权值用 $W_{hj}$ 表示。

对于输入数据 $X$，设其目标输出为 $d$，而实际输出为 $y$。为了训练网络，将 $[X_k, d_k]$($k$=1，2，…，$p$)组成训练对，下标 $k$ 表示训练对的序号。$X$ 是二进制型的连续值。

当输入第 $k$ 个数 $X(k)$ 时，中间层的结点 $h$ 的输入加权和为

$$s_h(k) = \sum_i X_i(k)W_{ih} \tag{14.10}$$

相应地，结点 $h$ 的输出为

$$y_h(k) = f[s_h(k)] = f[\sum_i X_i(k)W_{ih}] \tag{14.11}$$

这时，输出层结点 $j$ 的加权和为

$$s_j(k) = \sum_h y_h(h)W_{hj} = \sum_h W_{hj} \cdot f[\sum_i X_i(k)W_{ih}] \tag{14.12}$$

输出结点 $j$ 的输出为

$$y_j(k) = f[s_j(k)] = f[\sum_h y_h(h)W_{hj}] = f\{\sum_h W_{hj} \cdot f[\sum_i X_i(k)W_{ih}]\} \tag{14.13}$$

输出结点 $j$ 的误差为

$$e_j(k) = d_j(k) - y_j(k) \tag{14.14}$$

如果用 $k$ 个输入的所有输出结点的误差平方总和作为指标，则有

$$J(W) = \frac{1}{2}\sum_k \sum_j [e_j(k)]^2 = \frac{1}{2}\sum_k \sum_j [d_j(k) - y_j(k)]^2 \tag{14.15}$$

其中

$$y_j(k) = f[s_j(k)] \tag{14.16}$$

$$s_j(k) = \sum_h y_h(k)W_{hj} \tag{14.17}$$

$$y_h(k) = f[s_h(k)] \tag{14.18}$$

$$s_h(k) = \sum_i x_i(k)W_{ih} \tag{14.19}$$

由于转移函数是连续可微的，显然 $J$ 是每个权值的连续可微函数。

采用梯度规则，由 $J$ 对每个 $W$ 求导，可以求得 $J$ 减小的梯度，作为调整权值的方向。由中间层到输出层的权值 $W_{hj}$ 的调整由微分的链式规则，有

$$\begin{aligned}\frac{\partial J(W)}{\partial W_{hj}} &= \sum_k \frac{\partial J(W)}{\partial y_j(k)} \cdot \frac{\partial y_j(k)}{\partial s_j(k)} \cdot \frac{\partial s_j(k)}{\partial W_{hj}} \\ &= -\sum_k [d_j(k) - y_j(k)] \cdot f'[s_j(k)] \cdot y_h(k)\end{aligned} \tag{14.20}$$

定义 

$$\delta_j(k) = e_j(k) \cdot f'[s_j(k)] \tag{14.21}$$

则有 

$$\frac{\partial J(W)}{\partial W_{hj}} = -\sum_k \delta_j(k) \cdot y_h(k) \tag{14.22}$$

这样，由中间层到输出层的权值 $W_{hj}$ 的调整量为

$$\Delta W_{hj} = -\eta \sum_k \delta_j(k) \cdot y_h(k) \tag{14.23}$$

从输入到中间层的权值 $W_{ih}$ 的调整由微分的链式规则，有

$$\frac{\partial J(W)}{\partial W_{ih}} = \sum_{k,j} \frac{\partial J(W)}{\partial y_i(k)} \cdot \frac{\partial y_i(k)}{\partial s_j(k)} \cdot \frac{\partial s_j(k)}{\partial y_h(k)} \cdot \frac{\partial y_h(k)}{\partial s_h(k)} \cdot \frac{\partial s_h(k)}{\partial W_{ih}}$$

$$= -\sum_{k,j} [d_j(k) - y_j(k)] \cdot f'[s_i(k)] \cdot W_{hj} \cdot f'[s_h(k)] \cdot x_i(k)$$

(14.24)

定义 
$$\delta_h(k) = f'[s_h(k)] \cdot \sum_i W_{hj} \delta_i(k)$$ 
(14.25)

则有 
$$\frac{\partial J(W)}{\partial W_{ih}} = -\sum_k \delta_h(k) \cdot x_i(k)$$ 
(14.26)

这样，由输入到中间层的权值的调整为

$$\Delta W_{ih} = -\eta \frac{\partial J(W)}{\partial W_{ih}} = \eta \sum_k \delta_h(k) \cdot x_i(k)$$ 
(14.27)

由式(14.23)和式(14.27)可得出对任意层间权值调整的一般式：

$$\Delta W_{pq} = \eta \sum_k \delta_{ij}(k) \cdot y_p(k)$$ 
(14.28)

其中 $y_p$ 为 $p$ 给 $q$ 结点的输入；$\delta_{ij}$ 为 $p$ 和 $q$ 连接的输出误差，$\delta_{ij}$ 由具体的层决定，对输出层，有

$$e_j(k) = d_j(k) - y_j(k)$$

$$\delta_j(k) = e_j(k) \cdot f'[s_j(k)]$$ 
(14.29)

对于最后一个中间层，有

$$e_h(k) = \sum_j W_{hj} \cdot \delta_j(k)$$

$$\delta_h(k) = e_h(k) \cdot f'[s_h(k)]$$ 
(14.30)

如果前面还有中间层，则再利用式(14.30)计算，一直到输出误差 $e_j(k)$ 一层一层地反传计算到第一中间层为止。

### 14.3.2　BP 网络算法步骤

基本 BP 算法的训练步骤如下：

(1)用均匀分布随机数将各权值设定为一个小的随机数。

(2)从训练数据对 $[x(k), d(k)]$ 中，将一个输入数据加在输入端。

(3)计算输出层的实际输出 $y(k)$。

(4)计算输出层的误差：

$$e_j(k) = d_j(k) - y_j(k)$$ 
(14.31)

$$\delta_j(k) = e_j(k) \cdot f'[s_j(k)] \qquad (j=1,2,\cdots,m)$$ 
(14.32)

式中　$m$——输出层结点数。

(5)计算中间层的误差：

$$e_h(k) = \sum_l \delta_l(k) \cdot W_{hl}$$ 
(14.33)

$$\delta_h(k) = e_h(k) \cdot f'[s_h(k)] \qquad (h=1,2,\cdots,H) \tag{14.34}$$

式中　　$h$——某一中间层的一个结点；

　　　　$H$——该中间层的结点数；

　　　　$l$——该中间层结点 $h$ 的下一层的所有结点。

(6)对网络所有权值进行更新：

$$W_{pq}(k+1) = W_{pq}(k) + \eta \delta_q(k) \cdot y_p(k) \tag{14.35}$$

式中　　$W_{pq}$——由中间层结点 $p$ 或输入 $p$ 到结点 $q$ 的权值；

　　　　$y_p$——结点 $p$ 的输出；

　　　　$\eta$——训练速率，一般 $\eta = 0.01 \sim 1$。

(7)返回(2)步骤重复进行。

### 14.3.3　BP 算法的改进

#### 14.3.3.1　BP 算法的缺陷

虽然 BP 算法在函数逼近方面有很大的优点，但是也有一些弱点，如收敛速度慢、可能收敛到局部极值点以及难以确定最佳的结构参数(层数、隐层单元数)和性能参数(学习速率、动量因子)等。这是由于 BP 算法本质上是一种梯度寻优算法，而梯度下降法的迭代在向极小点靠近的过程中，走的是曲折的路径，即所谓的"锯齿现象"，这就使得该算法的收敛速度很慢。同时网络权值依赖于目标函数的一阶导数信息进行修正，而实际问题的求解空间多是复杂的超曲面且存在多个局部极值点，一旦随机产生的网络初始权值不合适，便会陷入局部收敛而无法逸出。

从以上的分析可以看出，对于给定的样本集，目标函数 $E$ 是全体权系数的函数。因此，要寻优的参数的个数比较多，目标函数 $E$ 是关于连接权的一个非常复杂的超曲面，这就给寻优计算带来以下的问题：

(1)收敛速度慢。由于待寻优的参数太多，必然导致收敛速度慢。

(2)容易陷入局部极值，由于 $E$ 的超曲面可能存在多个极值点，按照一般的梯度寻优方法，一般会收敛到初始值附近的局部极值。

(3)难以确定合理的结构参数，从原理上讲，只要有足够多的隐层和隐层结点，就可实现复杂的映射关系，但是如何根据特定的问题确定网络的结构尚无很好的办法，仍需要凭借经验和试凑的方法。

#### 14.3.3.2　算法的改进

为了改进训练性能，克服 BP 算法收敛速度慢和存在多个局部极小点问题，许多学者从不同的侧面对 BP 算法进行修正。可以采用增加中间单元、增加动量项、自动调整训练速率、由多种初始权值开始多次训练等方法。在基本 BP 算法的基础上，对基本 BP 算法做了如下改进。

1)变步长(变学习速率)算法

BP 算法是在梯度法的基础上推导出来的，在一般最优梯度法中，步长是由一维搜索求得的。在 BP 算法中步长 $\eta$(学习率)是不变的，其原因是 $E(w)$ 是一个十分复杂的非线性函数，很难通过最优求极小的方法得到最优的步长。可是从 BP 网络的误差曲面看出，有平坦区存在，如果在平坦区 $\eta$ 太小使迭代次数增加，而当 $W$ 落到误差剧烈变化的地方，步长太大又使误差增加，反而使迭代次数增加，这就会影响网络收敛的速度。采用变步长方法可以使步长得到合理的调节。

变步长调节方法的原则是：

(1)若总误差 $\Delta E$ 减小(即新误差比上一次计算误差小)，则学习速率增加。

(2)若总误差 $\Delta E$ 增大(即新误差比上一次计算误差大)，则学习速率减小。

即先设一个初试步长，若一次迭代后误差函数 $E$ 增大，则步长乘以小于 1 的常数项并沿原方向重新计算下一个迭代点，若一次迭代后误差函数 $E$ 减小，则步长乘以一个大于 1 的常数项，这样既不增加太多的计算量，又使步长得到合理的调整。当新老误差之比超过一定值，则学习速率快速下降。

$$\begin{cases} \eta = \eta\varphi & \varphi > 1 & \Delta E < 0 \\ \eta = \eta\beta & \beta < 1 & \Delta E > 0 \end{cases} \tag{14.36}$$

这样确定了步长以后，可以得到迭代公式：

$$W(n_0 + 1) = W(n_0) + \eta(n_0)d(n_0) \tag{14.37}$$

2)附加冲量项

Rumelnart、Hinton 和 Williannls 于 1986 年提出改善 BP 训练时间的方法，称为冲量法。该改进方法是为每个加权调节量上加一项正比于前次加权变化量的值。这就要求每次调节完以后，要把该调节量记住，以便在下面的权值调节中使用。加入这一冲量后，使得调节向着误差底部的平均方向变化，不至于产生大的摆动，冲量项起到了缓冲平滑作用，这种方法既可以加速收敛又可以防止网络振荡。附加有冲量项的权值调节公式为

$$W(n_0 + 1) = W(n_0) + \eta(n_0)d(n_0) + \alpha\Delta W(n_0) \tag{14.38}$$

式中　$\alpha$——冲量因子$(0 < \alpha < 1)$，一般取 0.9 左右。

第三项是记忆上一时刻权的修改方向，而在时刻 $n_0$ 的修改方向为($n_0 - 1$)时刻的方向与 $n_0$ 时刻方向的组合。

3)自适应参数的变化

对于一个特定的问题，要选择适当的参数值 $\eta$ 和 $\alpha$ 不是一件容易的事情，通常凭经验和试验选取，然而在训练开始时较好的参数值 $\eta$ 和 $\alpha$ 不一定对后来的训练过程合适。为解决这个问题，Cater、Franzini、Vogl、Jacobs 等人建议在训练过程中，自动调节这些参数。

一方面，通常调节参数的准则是检查某处加权的修正是否确实降低了误差函数，如果不是这样，而是产生了过调，那么 $\eta$ 就应该减小。另一方面，如果连续几步迭代都是降低误差函数，那样所选 $\eta$ 值太保守了，应将 $\eta$ 增加一个量。经验表明，$\alpha$ 的增加量最好是个常数量，但 $\eta$ 的减小应按照几何率减小。下式表明了一种自适应关系：

$$\Delta\eta = \begin{cases} +a\eta & \text{如果出现连续} & \Delta E < 0 \\ -b\eta & \text{如果} & \Delta E > 0 \\ 0 & & \text{其他情况} \end{cases} \tag{14.39}$$

式中　$\Delta E$——每次迭代误差函数的变化；

　　　$a$、$b$——适当的常数。

所谓连续是指前面几次迭代数为一确定数，但对一次坏的迭代就要减小 $\eta$，并置 $a=0$，直至好的迭代出现再恢复，这种自适应方案对减小训练时间是有效的。

4)模拟退火方法

在所有权上加一个噪声，改变误差曲面的形状，再用模拟退火方法，退出局部最小，这种方法可以避免局部最小，但收敛速度很慢。

### 14.3.4　BP 网络的设计

BP 网络的输入、输出层维数是完全根据使用者的需要来设计，根据所要求解的问题和数据的表示方法而定。只是应注意尽可能减小系统的规模，使学习的时间和系统的复杂性减小。

#### 14.3.4.1　中间层数及中间层单元数的选择

1)隐层的数目

从理论上可以证明，对于任何在闭区间内的一个连续函数，都可以用含有一个隐层的 BP 网络来逼近。因而，一个三层的 BP 网络可以完成任意 $n$ 维到 $m$ 维的映射。对于一般问题，选用具有一个中间层的 BP 网络结构完全可以满足要求。

根据经验，采用两层以上的中间层时，一方面，中间层增多，误差反向传播的过程计算就变得很复杂，使训练时间急剧增加；另一方面，中间层的增加，也会使局部极小值增多。但是，对于采用一个中间层且需要用较多的处理单元的情况，如果选用两个中间层，每层处理的单元就会大大减少，反而可以取得较好的效果。

总之，在建立多层神经网络模型时，首先应考虑只选一个中间层，如果选用了一个中间层而且增加处理单元还不能得到满意的结果，这时可以再增加一个中间层，一般的原则是减少总的处理单元数。

2)隐层的单元数

中间层单元数的选择是一个十分复杂的问题。它与问题的要求、输入/输出单元的多少都有直接的关系。对于作函数逼近的 BP 网络，中间层的单元数与要逼近的函数精度和函数本身的波动情况有关。事实上，由于隐单元本身也可以展开为很多多项式或三角函数相加，这样隐单元个数还与逼近函数的本身性质有关。中间层单元数太少，训练出来的网络不够强壮，不能识别以前没有看到的样本，容错性差。但中间层单元数太多，又使学习时间过长，误差也不一定最佳，因此存在一个最佳的中间单元数。关于如何求解，目前还没有很好的解析式来表达。以下是几个经验公式。

对于三层 BP 神经网络有：

(1)

$$n_1 = \frac{p}{10 \times (m+n)} \tag{14.40}$$

式中　$n_1$——中间层单元数；

　　　$p$——训练文件中的样本数；

　　　$n$——输入层单元数；

　　　$m$——输出层单元数。

(2)
$$n_1 = \sqrt{n+m} + a \qquad (14.41)$$

式中　$a$——常数，$0 \leqslant a \leqslant 10$。

(3)
$$n_1 = \sqrt{n \cdot m} \qquad (14.42)$$

(4)
$$n_1 = \log_2 n \qquad (14.43)$$

(5)
$$n_1 = 2n + 1 \qquad (14.44)$$

对于四层 BP 神经网络有：

$$n_1 = m \cdot R^2, \quad n_2 = m \cdot R, \quad R = \sqrt[3]{n/m} \qquad (14.45)$$

式中　$n_1$——第一中间层单元数；

$n_2$——第二中间层单元数。

　　另外，最优中间层单元数可以通过试凑的方法得到。首先从较少的中间层处理单元试起，然后选择合适的准则来评价网络的性能，训练并检验网络的性能。然后稍增加中间层单元数，再重复训练和检验。

### 14.3.4.2　初始值的选取

　　一个重要的要求是希望初始权在输入累加时，使每个神经元的状态值接近于零，这样可保证一开始不落到那些平坦区上。权一般取随机数，而且权的值要求比较小，这样可以保证每个神经元一开始都在它们转换函数变化最大的地方进行。

## 14.4　MATLAB 与神经网络工具箱

### 14.4.1　MATLAB 简介

　　MATLAB 是 Mathworks 公司于 1982 年推出的一套高性能的数值计算和可视化软件。它集数值分析、矩阵运算、信号处理和图形显示于一体，构成了一个方便的、界面友好的用户环境。MATLAB 的含义是矩阵实验室(Matrix Laboratory)，最初由 LINPACK 和 EISPACK 计划研制，主要用于方便矩阵的存取，其基本元素是无需定义维数的矩阵。MATLAB 既是一种编程环境，又是一种程序设计语言。这种语言与 C、FORTRAN 等语言一样，有其内定的规则，但它更接近于数学表示，因此使用更为简便。MATLAB 语言的功能强大，一条语句可以完成较为复杂的任务。MATLAB 还提供了良好的用户界面，许多函数本身会自动绘制出图形，而且会自动选取坐标刻度。MATLAB 最重要的特点是易于扩展，它允许用户自行建立完成指定功能的 M 文件，从而构成适合于其他领域的工具箱。经过十几年的完善和扩充，现已发展成为线性代数课程的标准工具，也成为其他许多领域课程的实用工具。在工业领域中，由其强大的扩展功能所推出的系列工具箱为各种应用提供了基础。其中主要有信号处理、控制系统、神经网络、图像处理、鲁棒控制、模糊逻辑等工具箱。借助于这些工具，各个层次的研究人员可直观、方便地进行分析、计算及设计工作，从而大大地节省了时间。本书就是利用 MATLAB 中的神经网络工具箱对从现场所取得的数据进行分析和处理。

### 14.4.2　基于 MATLAB 的神经网络工具箱

　　MATLAB 中的神经网络工具箱主要由各种函数组成。目前最新的神经网络工具箱是 NN Toolbox 2.0 版本，它几乎完整地概括了现有的神经网络的新成果，所涉及的网络模型有：感知器、线性网络、BP网络、径向基网络、自组织网络和反馈网络等。对于各种网络模型，神经网络工具箱集成了多种学习算法，为用户提供了极大的方便。此外，神经网络工具箱中还给出了大量的示例程序，为用户轻松地使用工具箱提供了生动实用的范例。对于BP网络而言，主要的函数有：初始化函数、学习规则函数、误差分析函数、绘图函数、传递函数、训练函数以及仿真函数等。

# 第15章  中厚板轧机轧制过程控制数学模型的建立

## 15.1  概述

数学模型从应用的角度可分为两大类：分析用数学模型和控制用数学模型。本书所要论述的正是控制用数学模型。这种数学模型将生产过程各物理现象公式化后，应用数学模型对生产过程进行模拟分析研究。数学模型结构的确定有以下几种方法：理论物理方法、试验物理法、理论统计法和人工神经网络方法。本书所采用的是理论统计法，运用轧制过程的基本理论，建立中厚板轧机的温降模型、宽展模型和轧制压力模型。

## 15.2  温降模型

### 15.2.1  传热学理论

四辊轧机的轧件温降过程有辐射、对流和热传导。

#### 15.2.1.1  辐射换热

辐射是由于物体本身温度导致产生的电磁波，主要是红外线，也包括可见光和紫外线。

$$dQ = \varepsilon\sigma(\frac{T}{100})^4 F d\tau \tag{15.1}$$

钢板辐射温降公式

$$dT = \frac{2\varepsilon\sigma}{C\rho h \times 10^{12}} T^4 d\tau \tag{15.2}$$

式中　$C$——比热，kJ/(kg·℃)；

$\rho$——轧件密度，kg/m³；

$F$——散热面积，m²；

$h$——坯厚，m；

$\varepsilon$——钢板辐射率；

$T$——物体绝对温度，K；

$\sigma$——物体黑色辐射系数，$\sigma$=49 kcal / (m²·h·K⁴)。

#### 15.2.1.2  对流换热

它是物体表面热交换的一种形式，此种传热交换的强度，不但和物体传热特性有关，而且更主要是决定于介质流体的物理性质和运动特性。

常采用下式计算：

$$dQ = \alpha(t_0 - t_0^0) F d\tau \tag{15.3}$$

$$dt = -\frac{2\alpha}{rCh}(t_0 - t_0^0) d\tau \tag{15.4}$$

式中  $F$——热交换面积，$m^2$；

   $\tau$——热交换时间，h；

   $t^0$——物体温度，℃；

   $t_0^0$——介质温度，℃；

   $\alpha$——对流传热系数。

### 15.2.1.3  热传导

固体热传导方式的传热过程完全取决于温度的分布。研究固体内热传导，即是研究温度在物体的空间中随时间的变化。

即

$$t = f(x, y, z, \tau) \tag{15.5}$$

$$\mathrm{d}Q = -C_P\,\mathrm{d}v\frac{\partial t^0}{\partial \tau}\mathrm{d}\tau \tag{15.6}$$

$$\mathrm{d}v = \mathrm{d}x\,\mathrm{d}y\,\mathrm{d}z$$

用热量平衡推出钢板轧制时热传导温降为

$$\Delta t_H^0 = \frac{P_c \ln H / h \times 10^6}{427\rho C_p} \tag{15.7}$$

式中  $P_c$——平均轧制压力；

   $C_p$——比热，kcal / (kg·℃)。

## 15.2.2  中厚板轧机温降模型的建立

### 15.2.2.1  四辊轧机的温降过程

中厚板四辊轧机在轧制钢板时的温降过程。由于在轧制时，不停地喷水冷却，同时每隔几个道次要喷高压水，需考虑的基本传热环节有：高压水除鳞时的温降；辊道传送时的温降；喷水时温降；轧制时钢板的塑性变形热。下面分别予以探讨。

1)辊道传送时的温降

主要是辐射损失，同时也存在自然对流冷却和辊道热传导，但在 1 000 ℃左右，只占总热量的 5%～7%。因此，可以只考虑辐射损失，而把其他影响考虑到据实测确定的辐射率 $\varepsilon$ 中。此热量造成温降为

$$\Delta t = -\frac{2\varepsilon\sigma}{C_p\rho}\left(\frac{t^0 + 273}{1000}\right)^4\frac{\Delta\tau}{h} \tag{15.8}$$

$$\Delta\tau = \frac{\Delta l}{V}$$

式中  $\Delta l$——钢板长度。

2)高压水除鳞

利用高压水流冲击钢坯表面来清除二次氧化铁皮是除鳞的目的，大量高压水流与钢坯表面接触，将带走一部分热量，使钢板产生温降，这种热量损失属于强迫对流，根据热平衡原理得其温降为

$$\Delta t^0 = \frac{-\alpha_r}{\rho C_p} \frac{F l_r}{V v} (t^0 - t_w^0) \qquad (15.9)$$

式中　$\alpha_r$ ——对流换热系数，kcal / (m²·h·℃)；

$\quad\quad\quad l_r$ ——高压水段长度，m；

$\quad\quad\quad t^0$ ——轧件温度，℃；

$\quad\quad\quad t_w^0$ ——冷却水温度，℃；

$\quad\quad\quad V$ ——轧件体积，m³；

$\quad\quad\quad v$ ——辊道传送轧件的速度，m/s。

3)轧制过程中的热量交换

轧制时存在着两个换热过程。一个是轧制时轧件塑性变形所产生的热量 $Q_H$，因而造成一个温升 $\Delta t_H$；另一个是轧制时高温件和低温轧辊接触时所损失的热量，$Q_c$ 造成的温降 $\Delta t_r^0$。因此，轧制中轧件的温度变化 $\Delta t_r^0$ 为

$$\Delta t_r^0 = \Delta t_H^0 - \Delta t_c^0 \qquad (15.10)$$

可用热量平衡推出：

$$\Delta t_H^0 = \frac{P_c \ln \dfrac{H}{h} \times 10^6}{427 \rho C_p} \eta \qquad (15.11)$$

$$P_c = 1.15 Q_p \sigma$$

$$\Delta t_c^0 = \frac{4\lambda}{C_p r} \frac{1}{vh} \frac{l_c}{h_c} (t^0 - t_B^0) \qquad (15.12)$$

式中　$\eta$ ——热吸受效率。

$\quad\quad\quad t_B^0$ ——轧辊温度。

### 15.2.2.2　基于实测和数值计算方法的温降模型

本次测试对轧件温度、轧制时间、压下量均进行采样，由于只是轧件在轧制过程中的温度，因此其温降方程主要是轧制阶段的温降，至于出炉至机前的温降，本次测试未作考虑。

1)温降模型的结构

在轧机入口处，轧件一方面被水冷却，另一方面由于轧辊接触失去热量。另外，由于塑性变形引起发热，起着复杂的热量增减变化，其表达式将极为复杂。为适合数学模型的工程实用，选取数学模型结构为

$$T_D = T_W + (T_E - T_W) \exp(\frac{-k_s}{C_p \rho} \frac{t}{h}) \qquad (15.13)$$

式中　$T_D$ ——钢板温度，℃；

$\quad\quad\quad T_W$ ——冷却水温度，℃；

$\quad\quad\quad T_E$ ——第一道次之前的钢板温度，℃；

$\quad\quad\quad k_s$ ——等价传热系数，取 $k_s = 8.5$；

$\quad\quad\quad C_p$ ——钢板比热，$C_p = 160$ cal / (t·℃)；

$\quad\quad\quad \rho$ ——钢板密度，$\rho = 7.85$ t / m³；

$t$——轧制时间，min；

$h$——轧件厚度，mm。

公式推导过程如下：

根据传热学原理，对流换热过程为　　$dQ = \alpha(t - t_W)F\,d\tau$

也可写为　　$dQ = \alpha(T - T_W)F\,dt$

式中　$T$——温度；

　　　$t$——时间。

因此　　　$\dfrac{-k_s}{C_p\rho h}\int_0^t dt = \int_{T_E}^{T_D}\dfrac{1}{(T_E - T_W)}dT$ ；　　$\dfrac{-k_s}{C_p\rho}\dfrac{t}{h} = \ln\dfrac{T_D - T_W}{T_E - T_W}$ ；　　$\dfrac{T_D - T_W}{T_E - T_W} = \exp(\dfrac{-k_s t}{C_p\rho h})$

亦即　　　$T_D = T_W + (T_E - T_W)\exp(\dfrac{-k_s}{C_p\rho}\cdot\dfrac{t}{h})$

2)温降模型的回归分析

将上式写为　　$T_D - T_W = (T_E - T_W)\exp(\dfrac{-k_s}{C_p\rho}\dfrac{t}{h})$

设　　$T_D - T_W = T, T_E - T_W = T_0, \dfrac{-k_s}{C_p\rho} = b$

则　　$T = T_0\exp(b\dfrac{t}{h})$

$$\ln T = \ln T_0 + b\dfrac{t}{h}$$

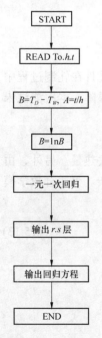

图 15.1　温降模型回归程序框图

即　　$y = b_0 + b\dfrac{x_1}{x_2}$ ，令 $x_1/x_2 = x$ ，则 $y = b_0 + bx$ 　　为基本回归形式。

代入一元一次回归，经计算得

相关系数　　　$r = 0.807$

判定系数　　　$R_z = 0.651$；方差 $S = 0.055$；$N = 248$；$N-2 = 246$。

查冯士雍著《回归分析》附表Ⅰ相关系数检验表知：

$r \geq 0.537$　　回归方程在 0.01 水平上显著；

$r \geq 0.423$　　回归方程在 0.05 水平上显著。

由此可见，本次回归在 0.01 水平上显著，即高度显著，且方差小于 0.1。

回归方程为

$$T_D = T_W + (1\,202.152 - T_W)\exp(\dfrac{-2.087}{C_p\rho}\dfrac{t}{h}) \tag{15.14}$$

由实测得 $T_W = 20\ ℃$，式(15.14)为所求的温降模型。

3)温降模型程序框图

温降模型回归程序框图见图 15.1。

### 15.2.2.3　基于人工神经网络中厚板轧机温降模型

人工神经元网络 ANN(Artificial Netural Networks)是由大量简单单

元以及这些单元的分层组织大规模并行联结而成的一种网络，它力图像生物神经系统一样处理事物，实现人脑的某些功能。1986 年，Rnmenhort 提出的前馈网络的误差反传算法 BP(Back Propagation)，实现了 Minsky 的多层网络设想，使得 ANN 理论向实用化方面迈进了一大步。ANN 的 B P 网络模型在模式识别、函数逼近等领域得到了广泛的应用，但利用神经网络解决实际问题时，必定会涉及到大量的数值计算问题。为了解决数值计算与计算机仿真之间的矛盾，美国 Mathworks 公司推出了一套高性能的数值计算的可视化软件包 Matlab，它集数学计算、图形计算、语言设计、计算机仿真等于一体，具有极高的编程效率，更具特色的是 Matlab 集中了许多领域专家学者的智慧，成功地扩展了 50 多个专业领域工具箱。而神经网络工具箱是 Matlab 下所开发出来的许多工具箱之一，它是以神经网络理论为基础，用 Matlab 语言构造出典型神经网络型工具函数，Matlab 中专门编制了大量有关 BP 网络的工具函数，为 BP 网络的应用研究提供了强有力的工具。本书分析了 Matlab 软件包中人工神经网络工具箱的有关 BP 网络的工具函数，采用改进的 BP 网络 Levenberg Marquardt 训练规则，对中厚板轧机温度进行优化计算，取得了很好的效果。

1)人工神经网络原理

人工神经网络 ANN 是基于模仿生物大脑的结构和功能而构成的一种信息处理系统。它的组织能够模拟生物神经系统所做出的交互反应。其一个突出的特点是信息的分布式存储和结构与处理的并行性，这使得它具有联想记忆的能力和很强的容错性。其另一个特性就是它的自适应性，这主要表现在它的学习能力和自组织能力上。

2)BP 网络模型中的有关计算公式

BP 算法的基本思想是：对于一个输入样本,经过权值、阈值和激励函数运算后,得到一个输出,然后让它与期望的样本进行比较。若有偏差,则从输出开始反向传播该偏差,进行权值、阈值调整,使网络输出逐渐与希望输出一致。

BP 算法由四个过程组成：输入模式由输入层经过中间层向输出层的"模式顺传播"过程；网络的希望输出与实际输出之间的误差信号由输出层经过中间层向输入层逐层修正连接权的"误差逆传播"过程；由"模式顺传播"与"误差逆传播"的反复交替进行的网络"记忆训练"过程和网络趋向于收敛，即网络的全局误差趋向极小值的"学习收敛"过程(如图 15.2 所示)。

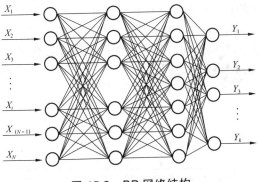

图 15.2　BP 网络结构

BP 网络的输出函数为
$$f(u_j) = \frac{1}{1+e^{-u_j}}$$
(15.15)

$$u_j = \sum_{i=1}^{n} W_{ij} - \theta_j$$
(15.16)

式中　$W_{ij}$ —— 相邻任意两个神经元之间的连接权值。

误差函数为
$$E = \frac{1}{2} \sum_{k=1}^{n} (y_k - \hat{y_k})^2$$
(15.17)

式中　$y_k$ —— 对某一输入 $u$, 网络之理论输出值;

$\hat{y_k}$ —— 对某一输入 $u$, 网络之实际输出值。

权值调整公式为
$$W_{ij} = W_{ij} + \mu \frac{\partial E}{\partial W_{ij}}, \mu > 0$$
(15.18)

式中　$\mu$ —— 步长。

以往的 BP 算法权值调整多采用梯度法或 Gauss Newton 法,采用梯度法对每个 $W_{ij}$ 的修正为

$$\Delta W_{ij} = -\sum_{i=1}^{p} \mu \frac{\partial E}{\partial W_{ij}}$$
(15.19)

这样 $\Delta E < 0$ 可使误差向减小的方向变化，直到 $\Delta E = 0$ 为止。梯度法在最初几步迭代中(距离极小点较远时)函数位下降很快,愈接近极小点下降得愈慢。而 Gauss Newton 法在接近极小点处收敛很快,而远离极小点时不能保证收敛。为克服传统 BP 算法的这些缺点,采用 BP 网络 Levenberg Marquadt 优化算法,从而使学习时间更短。Levenberg Marquadt 优化方法的权值调整率选为

$$\Delta W = (J^T J + \mu I)^{-1} JE$$
(15.20)

式中　$J$ —— 误差对权值微分的 Jacbian 矩阵;

$E$ —— 误差向量;

$\mu$ —— 自适应调整参量。

参数 $\mu$ 确定了学习算法是根据 Gauss Newton 法还是梯度法来完成的。学习过程中,当 $\mu$ 很大时, 上式中 $J^T J$ 项变得无关紧要,因而学习过程由 $\mu^{-1} JE$ 决定,即学习过程主要根据梯度法下降,迭代使误差增加, $\mu$ 也就会增加,直到误差不再增加为止。学习过程中,当 $\mu$ 较小时,上式就成为 Gauss Newton 法。这种方法收敛速度较快, 其缺点是在计算 $J$ 矩阵及其逆阵需要较大的存储空间。整个神经网络训练过程中, 权值的收敛方向介于梯度法和 Gauss Newton 法收敛方向之间。

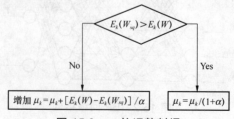

图 15.3　$\mu$ 的调整判据

3)基于 BP 网络的中厚板轧机温度参数计算

温降模型是轧制理论的一项重要的基础性研究工作,经过几十年的研究已经有了很多解析方法。但这些方法自身都存在一定的局限性。而利用 Matlab 下的 BP 网络预报轧制温度有着明显的优势。采用改进的 BP 网络 Levenberg Marquadt 训练规则优化计算 4200 中厚板轧机的温降过程,网络结构选用两个隐含层。输入层的输入参数是:高压水段长度、冷却水温度、传热系数、轧制时间、轧件厚度、轧件体积、辊道传送轧件的速度、轧件的成分、轧辊温度等 9 个参数。

输出层的输出参数是温度,两个隐含层的神经元个数经过试验和优选分别确定为 18 和 8。传递函数分别采用 tansing() (正切 S 型函数)和 purelin() (线性型函数)。误差平方和定为 0.005,学习率初值为 0.01,动量常数选为 0.9,最大训练步数选为 5000。采用 4200 中厚板轧机的轧制过程中实测记录的 500 组前述各钢种的轧制数据作为训练的样本数,对温度的 BP 网络进行离线训练,以建立网络的权值矩阵,然后用 20 组数据对训练好的 BP 网络进行检验和预报。用函数 initff()进行网络初始化,再用函数 trainlm()进行训练,最后用函数 simuff()进行模拟预报计算。由于所有采集的数据不是在同一个数量级,为了便于神经网络训练过程的有效性,需将采集的数据进行归一化处理,即将全部的数据映射到[0, +1]之间,这样处理有助于提高神经网络计算速度。训练的误差平方 $\sigma^2$ 随训练次数 $n$ 的变化见图 15.4。

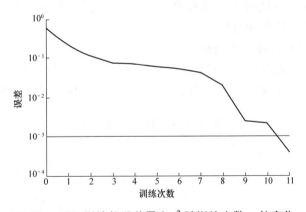

图 15.4  BP 训练的误差平方 $\sigma^2$ 随训练次数 $n$ 的变化

表 15.1  中厚板轧制过程轧件温度预报值与实测值数值对照表

| 时间(s) | 0.525 | 1.7 | 2.5 | 2.65 | 3.1 | 3.3 | 3.4 | 3.5 | 3.65 | 3.85 | 4.25 | 4.45 | 4.6 | 4.8 | 4.85 | 4.9 | 5 |
|---|---|---|---|---|---|---|---|---|---|---|---|---|---|---|---|---|---|
| 预报值 | 1 197 | 1 180 | 1 161 | 1 157 | 1 140 | 1 130 | 1 125 | 1 119 | 1 109 | 1 092 | 1 046 | 1 011 | 986 | 954 | 946 | 936 | 921 |
| 实测值 | 1 190 | 1 174 | 1 165 | 1 146 | 1 131 | 1 122 | 1 136 | 1 100 | 1 102 | 1 078 | 1 021 | 1 023 | 994 | 947 | 952 | 944 | 914 |

中厚板轧制过程轧件温度预报值与实测值的比较见图 15.5。

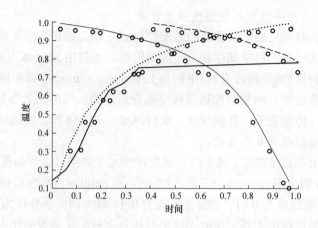

图 15.5　中厚板轧制过程轧件温度预报值与实测值的比较

从图 15.5 可知，钢板温度随时间的延长逐渐降低，随厚度的减小，温度也在降低，但当厚度大于 100 mm，即 5 s 内时，温度随时间的降低不大；仅当 $h<50$ mm，即大于 5 s 后，温度随时间延长大幅度降低，此时散热面积增大，也是与传热学原理所揭示内容是相符的，轧制温度的 BP 网络预报值相对误差小于 5%。因此，该 BP 网络预报 4200 中厚板轧机的温度精度相当高，已经完全能满足中厚板生产中对控制精度的要求。另外，BP 神经网络可同时承担建立模型和模型自适应两个任务，即学习和再学习，故可不断适应生产环境的变化，确保预报精度。

15.2.2.4　中厚板轧机温降过程的分析

中厚板轧机在轧制过程中，其轧件温度一般在 800～1 200 ℃之间，而本次测试所得温降模型为表 15.2 所列数据。由此可见，所建立的温降模型是合理的。

表 15.2　温降模型计算数据

| 参数 | 次数 | | | | | | | | | | |
|---|---|---|---|---|---|---|---|---|---|---|---|
| | 1 | 2 | 3 | 4 | 5 | 6 | 7 | 8 | 9 | 10 | 11 |
| $t$(min) | 0 | 0.5 | 1 | 1.5 | 2 | 2.5 | 3 | 3.5 | 4 | 4.5 | 5 |
| $h$(mm) | 250 | 200 | 180 | 160 | 140 | 120 | 100 | 80 | 60 | 40 | 50 |
| $T_D$(℃) | 1 202 | 1 197 | 1 191 | 1 185 | 1 174 | 1 161 | 1 144 | 1 119 | 1 078 | 1 000 | 916 |

在回归的过程中，相关系数 $r$ 远远大于高度显著的显著性系数，也说明所得温降方程是完全符合温降规律的。

本次温降模型的回归计算，248 组数据是从 114 块钢板中选取的，板坯厚度有 220、250 mm，成品厚度有 80、60、40、30 mm 各种规格，轧制时间一般均为 3～5 min。

由表 15.2 知，钢板温度随时间的延长逐渐降低，随厚度的减少，温度也在降低，但当厚度大于 100 mm，温度随时间的降低不大；仅当 $h<50$ mm，温度随时间延长大幅度降低，此时散热面积增大，也是与传热学原理所揭示内容相符的，因此建议在控制轧制时，可轧至 80 mm 后凉钢。

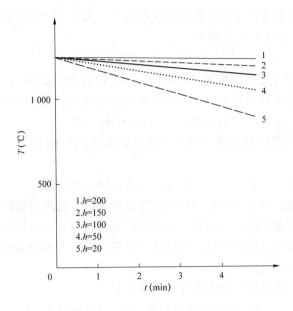

图 15.6　轧制时间钢板温降曲线

温降除与时间 $t$ 和钢板厚度 $h$ 的变化有关外，同时也与现场的冷却方式、轧制制度、板坯的性能及轧辊接触面积等均有关系，本次回归在回归系数上均有所体现，这也是在使用温降模型中应当注意的方面。

## 15.3　中厚板轧机宽展模型的建立

### 15.3.1　宽展理论

#### 15.3.1.1　宽展原理

在不同的轧制条件下，坯料在轧制过程中的宽展形式，宽展沿横断面高度分布不同。如图 15.7 所示，它一般由以下几个部分组成：滑动宽展 $\Delta B_1$、翻平宽展 $\Delta B_2$ 和鼓形宽展 $\Delta B_3$。

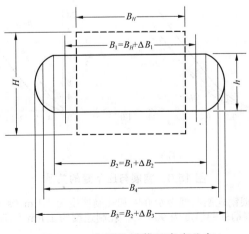

图 15.7　宽展沿横截面高度分布

(1)滑动宽展 $\Delta B_1$ 是变形金属在轧辊的接触面上，由于生产相对滑动使轧件宽度增加的量，以 $\Delta B_1$ 表示，宽展后的宽度为

$$B_1 = B_H + \Delta B_1 \tag{15.21}$$

(2)翻平宽展是由于接触摩擦阻力的原因，使轧件侧面的金属，在变形过程中翻转到接触表面上来，使轧件的宽度增加，增加的量用 $\Delta B_2$ 表示，加这部分量后轧件的宽度为

$$B_2 = B_1 + \Delta B_2 = B_H + \Delta B_1 + \Delta B_2 \tag{15.22}$$

(3)鼓形宽展是轧件侧面变成鼓形而造成的宽展量，用 $\Delta B_3$ 表示，此时轧件的最大宽度为

$$B_3 = B_2 + \Delta B_3 = B_H + \Delta B_1 + \Delta B_2 + \Delta B_3 \tag{15.23}$$

通常所说的宽展，是每道次轧制前后轧件宽度之差。宽展值依赖于摩擦系数和变形区的几何参数的变化而不同。它们有一定的变化规律，但至今定量的规律尚未掌握，因此对中厚板轧机的宽展，通过实测，探索出一条符合自己规律的宽展模型。

### 15.3.1.2　影响宽展的因素

宽展的变化与一系列轧制因素构成复杂的关系：

$$\Delta B = f(H, h, l, B, D, \psi_a, \Delta h, \varepsilon, f, t, m, P_\sigma, V, \dot{\varepsilon}) \tag{15.24}$$

式中　$H$、$h$——变形区的高度；

$l$、$B$、$D$——变形区的长度、宽度和轧辊直径；

$\psi_a$——变形区的横断面形状；

$\Delta h$、$\varepsilon$——压下量、压下率；

$f$、$t$、$m$——摩擦系数、轧制温度、金属的化学成分；

$P_\sigma$——金属的机械性能；

$V$、$\dot{\varepsilon}$——轧辊线速度和变形速度。

$H$、$h$、$l$、$B$ 和 $\psi_a$ 是表示变形区特征的几何因素，$f$、$t$、$m$、$P_\sigma$、$\dot{\varepsilon}$ 和 $V$ 是物理因素。

1)压下量的影响

随着压下量的增加，宽展量也增加，如图 15.8 所示。这是因为压下量增加时，变形

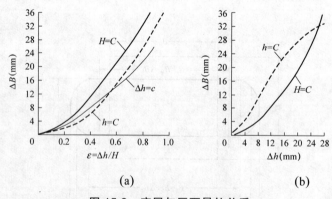

图 15.8　宽展与压下量的关系

(a)当 $\Delta h$、$H$、$h$ 为常数低碳钢轧制温度为 900 ℃和轧制速度为 1.1 m／s 时，$\Delta B$ 与 $\Delta h／H$ 的关系；
(b)当 $H$、$h$ 为常数低碳钢轧制温度为 900 ℃，轧制速度为 1.1 m／s 时，$\Delta B$ 与 $\Delta h$ 的关系。

区长度增加，变形区形状参数 $l/h_c$ 增大，因而使纵向塑性流动阻力增加，纵向压缩主应力数值加大。

2)轧辊直径的影响

其他条件不变时，宽展 $\Delta B$ 随轧辊直径 $D$ 增加而增加。这是因为当 $D$ 增加时，变形区长度加大，使纵向的阻力增加，据最小阻力定律，金属更容易向宽度方向流动，如图15.9所示。

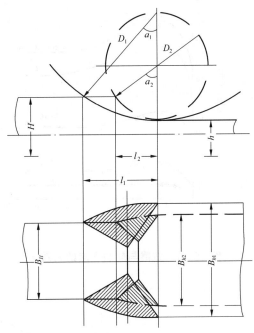

图 15.9　轧辊直径 $D$ 对宽展的影响

研究轧辊辊径对宽展的影响时，应注意到轧辊为圆柱体这一特点，沿轧制方向，由于是圆弧形的，必须产生有利于延伸变形的水平分力，增大延伸。即延伸总是大于宽展。

3)轧件宽度的影响

一般说来，当 $l/B_l$ 增加，宽展增加，亦即宽展与变形区长度 $l$ 成正比，而与其宽度 $\bar{B}$ 成反比，如图15.10所示。

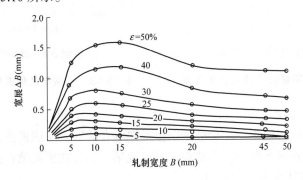

图 15.10　轧件宽度与宽展的关系

4)摩擦的影响

宽展是随摩擦系数的增加而增加的。轧制过程中凡是影响摩擦的因素对宽展都有影响。摩擦系数除与轧辊材质：轧辊表面光洁度有关系外，还与轧制温度、轧制速度、润滑状况及轧件的化学成分等因素有关(见图 15.11～图 15.13)。

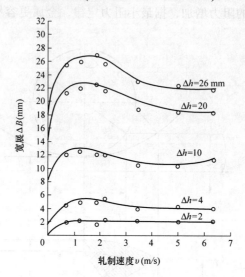

图 15.11　宽展与轧制速度的关系

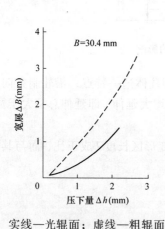

实线—光辊面；虚线—粗辊面

图 15.12　宽展与压下量和辊面状况的关系

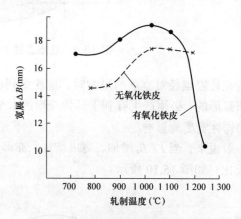

$A_1$ 钢 $\Delta h / H$=50%

图 15.13　宽展与轧件温度的关系

### 15.3.1.3　宽展计算公式

由于影响宽展因素很多，一般公式中很难把所有的因素考虑进去，甚至一些主要因素也难考虑正确，在所有的现有公式中，只能说某一类公式更能适合某种轧制情况。

表 15.3 为宽展计算公式一览表。

表 15.3　宽展计算公式一览表

| 类型 | 著者 | 公式形式 | 影响参数 |
|---|---|---|---|
| I | 1. 日兹 | $\Delta b = 0.35(H-h)$ | |
| II | 2. 谢德拉切克 | $\Delta b = \dfrac{H-h}{6}\cdot\left(\sqrt{\dfrac{R}{H}}\right)$ | $H$、$h$、$C$、$R$ |
| | 3. 齐别尔 | $\Delta b = C\cdot\left(\dfrac{H-h}{H}\right)\cdot\sqrt{R(H-h)}$ | $H$、$h$、$C$、$R$ |
| | 4. 基尔赫倍尔格 | $\Delta b = 0.02(H-h)\cdot\cot\alpha$ | $H$、$h$、$C$、$R$ |
| | 5. 舍尔德 | $\Delta b = \dfrac{H-h}{h}\sqrt{R\cdot(H-h)}\cdot\sin\alpha$ | $H$、$h$、$C$、$R$ |
| | 6. 扎罗米柯夫 | $\Delta b = \dfrac{(H-h)\sqrt{R(H-h)}}{1.5(H+h)}$ | $H$、$h$、$C$、$R$ |
| III | 7. 塔费尔及安凯 | $\Delta b = \dfrac{B_1}{1-\dfrac{(H-h)\sqrt[3]{H-h}}{B\cdot H\cdot 2\sqrt[3]{C}}}-B$ | $H$、$h$、$C$、$R$ |
| | 8. 法尔克 | $\Delta b = \sqrt{\dfrac{0.161(H-h)\cdot B(H+h)}{h\cdot\alpha}+B^2}-B$ | $H$、$h$、$C$、$R$、$B$ |
| | 9. 利杰尔 | $\Delta b = \dfrac{B(H-h)\sqrt{R(H-h)}}{B\cdot H+h\sqrt{R(H-h)}}\cdot C_m$ | $H$、$h$、$C$、$R$、$B$ |
| IV | 10. 古布金 | $\Delta b = \left(1+\dfrac{H-h}{H}\right)\cdot f\cdot\left[\sqrt{R(H-h)}-\dfrac{H-h}{2}\right]\dfrac{H-h}{H}$ | $H$、$h$、$C$、$R$、$\mu$ |
| | 11. 巴赫基诺夫 | $\Delta b = 1.15\dfrac{H-h}{2H}\left[\sqrt{R(H-h)}-\dfrac{H-h}{2f}\right]$ | $H$、$h$、$C$、$R$、$\mu$ |
| V | 12. 采利柯夫简化式 | $\Delta b = 0.58C_b\left(\sqrt{R(H-h)}-\dfrac{H-h}{2f}\ln\dfrac{H}{h}\right)$ | $H$、$h$、$C$、$R$、$\mu$、$B$ |
| | 13. 艾克隆德 | $\Delta b = \sqrt{4m^2(H+h)^2\left(\dfrac{1}{B}\right)^2+B^2+4ml(3H-h)}$ $-2m(H+h)\dfrac{1}{B}-B_1$ | $H$、$h$、$C$、$R$、$\mu$、$B$ |
| | 14. 塔尔诺夫斯基 | $\dfrac{\tan B'}{\tan\dfrac{1}{\eta'}}=\dfrac{k_1'}{1+\dfrac{A'}{k'}}$ | $H$、$h$、$C$、$R$、$\mu$、$B$ |
| VI | 15. 顾正秋实用公式 | $\Delta b = C\cdot l\cdot\left(\dfrac{H-h}{H}\right)$ | $H$、$h$、$C$、$R$ |
| | 16. Z.Wusatowski 公式 | $\beta=\left(\dfrac{h}{H}\right)^{-10^{-1.268(BZH)(HZD)^{0.556}}}$ | $H$、$h$、$C$、$R$、$B$ |
| | | $\beta=\left(\dfrac{h}{H}\right)^{-10^{-0.3457(B/H)(H/D)^{0.968}}}$ | $H$、$h$、$C$、$R$、$B$ |

注：$B.b$ 为轧前及轧后轧件之宽度；$\Delta b$ 为绝对宽展量；$\beta=\dfrac{b}{B}$，宽展率；$H$、$h$ 分别为轧前及轧后轧件之厚度；

　　$R$ 为轧辊工作辊半径；$C$ 为各公式选用之系数；$\tau$ 为接触弧水平投影长度；$\mu$、$f$ 分别为摩擦系数；$\alpha$ 为咬入角。

### 15.3.1.4　各公式适用性分析

　　类型 I：日兹公式是按压下量的大小决定绝对宽展量 $\Delta b$ 的。其形式为 $\Delta b = 0.35(H-h)$ 。由日兹公式可见，除绝对压下量外，其他各种因素，如轧件厚度 $H$ 及 $h$、轧辊半径

$R$ 及咬入角 $\alpha$、轧件宽度 $B$ 等各项因素均未考虑，仅取了一个 0.35 来综合考虑其他外界条件是远远不能正确反映宽展的变化规律的。因此，仅仅用压下量 $\Delta h$ 值计算宽展是不行的，此日兹公式在实际生产中不宜采用。

类型 II：以齐别尔为代表的，除考虑 $H$、$h$、$C$ 以外又增加接触弧长 $l$(或轧辊半径 $R$)对宽展的影响。前已述及，宽展值是随轧辊直径增加而增加的。齐别尔的表达式为 $\Delta b = (\dfrac{\Delta h}{b})(\dfrac{R}{H})$。基尔赫倍尔格、舍尔德和扎罗米柯夫等人的公式作为第 II 种类型。基本参数均为 $H$、$h$、$C$、$R$ 四项。对上述有代表性的谢德拉切克公式进行验算表明与实测值偏差均较大，其宽展率计算值与实测值偏差较大，相差在 5% 以内者仅达 62.2%，且计算值均较实测值低。这主要是由于该公式多系在低压缩条件下收集之数据总结出的经验公式，在大压缩时其误差即加大，当相对压缩超过 40% 后，该式即失去使用价值。

类型 III：有法尔克、利杰尔以及安凯等人的公式。他们又增加了轧件宽度 $B$ 对宽展的影响，使公式的基本参数增加到 $H$、$h$、$C$、$R$、$B$ 五项。宽展 $B$ 值在宽展率的计算中是不容忽视的，是有决定性影响的因素，特别在窄变形区的条件下，轧件宽度对宽展率 $\beta = \dfrac{b}{B}$ 影响特别明显。当轧制条件相同，窄件比宽轧件在相同的压下量其宽展率要大，这是最小阻力定律的基本点。

类型 IV：不包括轧件宽度的影响，而把外摩擦系数 $\mu$ 为影响的因素，以及轧制温度、轧辊材质和表面光滑程度、轧制速度、轧件金属化学成分等因素考虑进去，使公式的基本参数增加到 $H$、$h$、$C$、$R$、$\mu$ 五项。轧辊表面粗糙度、轧件温度及轧制速度降低，均使摩擦系数增大，因而宽展也随之增加。古布金和巴赫基诺夫的公式也同样显示了这一规律，当摩擦系数增大时，式中第二项之 $f(l - \dfrac{\Delta h}{2})$ 及 $(l - \dfrac{\Delta h}{2f})$ 均增大，因而使 $\Delta b$ 值亦增大。

对类型 IV(未考虑摩擦系数影响) 及类型 III(未考虑轧件宽度影响) 这两类型的公式，由于对影响宽展的因素考虑得不够全面，因而其计算结果亦与试验值有较大差距。古布金公式的命中率仅达 68.2%。而经过进一步修改的巴赫基诺夫公式，其命中率也仅达 79.9%。

类型 V：对影响宽展的各项因素考虑得比较多，包括 $H$、$h$、$C$、$R$、$\mu$、$B$ 六项因素的有艾克隆德及经格利什柯简化后的采利柯夫公式为：$\Delta b = 0.58 C_b (l - \dfrac{\Delta h}{2f}) \ln \dfrac{H}{h}$。对该式验算结果其命中率仅达 79.1%，与巴赫基诺夫公式相近。

塔尔诺夫斯基公式：$\dfrac{\tan \beta'}{\tan \dfrac{1}{\eta'}} = \dfrac{k_1'}{1 + \dfrac{A'}{k'}}$，除必须计算 $\dfrac{\Delta h}{D}$，$\dfrac{B}{D}$、$1/\tan \dfrac{1}{\eta'}$ 等项外，尚备有

在各种摩擦系数条件下，由 $\dfrac{\Delta h}{D}$、$\dfrac{B}{D}$ 决定 $\tan B'/\tan \dfrac{1}{\eta'}$ 的大量曲线。用试验数据 490 例，对该式进行验算，其命中率达到 89.7%，比前述各类公式的精度都高，但由于公式结构复杂，在实际应用中很不方便，因而限制了该式的使用。

Z.Wusatowski 公式认为宽展的重要因素是坯料的原始断面尺寸和轧辊直径 $D$。本人用 640 个试验数据对该公式进行了验算，其结果也较好地与试验相符合，其命中率达 87.5%，而对顾正秋提出计算宽展的实用公式：$\Delta b = C \cdot \dfrac{l}{H} \cdot \Delta h$ 亦进行了同样的验算，其计算值与试验值偏差较大，其命中率仅达 75.9%。顾氏公式偏差太大的原因，在于该实用公式对影响宽展的各项因素考虑得不够。因此，使用 Z.Wusatoulski 公式是符合中厚板轧机的宽展规律的。

### 15.3.2 建立中厚板轧机宽展模型

#### 15.3.2.1 轧制过程的宽展

中厚板轧机在轧制时，其坯料的原始断面尺寸和轧辊直径 $D$ 均较大，轧件存在一定的宽展，建立其宽展模型对探索中厚板轧机的宽展规律，提高轧制压力模型的精度有重要意义。

在变形区内，微分体素的力平衡条件确定了宽展区的分界，并假定由曲线三角形 $ACB$ 围成的宽展区内，如图 15.14 所示，金属只产生横向变形。当沿距轧辊中心线 $x+\mathrm{d}x$ 的 $ac$ 截面移动 $\mathrm{d}x$ 时，即位于 $bd$ 截面时，移动的体积保持相等。

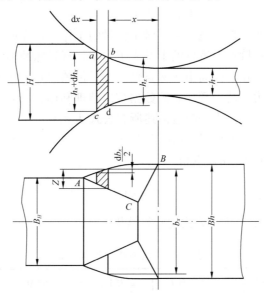

图 15.14    当无外端影响时假定轧件的宽展区

$$\frac{1}{2} h_x \,\mathrm{d}x \frac{\mathrm{d}b_x}{2} = -\frac{1}{2} z\,\mathrm{d}x \cdot 2\frac{\mathrm{d}h_x}{2}$$

$$\mathrm{d}b_x = -2z\frac{\mathrm{d}h_x}{h_x} \tag{15.25}$$

式中　$\mathrm{d}h_x$——高度 $h_x$ 的减缩量；

$\mathrm{d}b_x$——当截面 $ac$ 移动 $\mathrm{d}x$ 时轧件宽度的增量；

$Z$——由轧件侧到 $bd$ 截面上假定宽展区边界的距离。

上式右边的负号表示随着 $h_x$ 的减少而增加。

以式(15.25)为基础经一系列推导简化，给出了以下宽展系数公式。

$$\omega = \lambda^{-W}$$

式中： $W = 10^{-1.269} \cdot \varepsilon_d^{0.556} \cdot \delta$

$$\delta = \frac{B_H}{H}$$

$$\varepsilon_d = \frac{H}{D}$$

$$\lambda = \frac{h}{H}$$

在采用大压量时的宽展系数公式为

$$\omega_1 = \lambda^{-W_1} \tag{15.26}$$

式中： $W_1 = 10^{-0.345\,7} \cdot \varepsilon_d^{0.968} \cdot \delta$

由于公式是在坯料的原始断面尺寸和轧辊直径 $D$ 的基础上推导出的，同时又给出大压下量的宽展公式，因此可认为，式(15.21)是能够揭示中厚板轧机的宽展实质的。

### 15.3.2.2 中厚板轧机宽展模型的建立

1)基于实测数据分析的中厚板轧机宽展模型

本次测试对中厚板轧机的宽度测试做了大量的工作，首先设计并制造了一套简易测宽系统，但由于智能型脉冲测宽仪的上马未予实用。现对脉冲测宽仪进行了标定，所测轧件114块均有测宽数据，然而由于测宽仪测宽，传感器宽装在齿轮的轴端，推床环境恶劣，测宽时推床夹力不均，现场实测数据难以整理利用，因此采用式(15.21)对实测数据进行反推验算，其命中率水平超过前述所有公式达87%以上。通过验算，也对其系数进行了调整，使之适合4200轧机轧制工况。

在式(15.21)中，对 $W_1$ 重新取值

$$W_1 = 10^{-0.7457} \cdot \varepsilon_d^{0.96\,8} \cdot \delta \tag{15.27}$$

表15.4给出一组钢板用此公式的验算结果。

#### 表 15.4 宽展模型验算结果

| 实测宽(mm) | 2 949.0 | 2 950.1 | 2 951.2 | 2 954.0 | 2 954.8 | 2 521.5 |
|---|---|---|---|---|---|---|
| 计算宽(mm) | 2 948.5 | 2 949.0 | 2 949.8 | 2 955.5 | 2 954.4 | 2 520.1 |
| 实测宽(mm) | 2 524.4 | 2 528.5 | 2 551.7 | 2 555.6 | 2 559.8 | 2 540.5 |
| 计算宽(mm) | 2 525.7 | 2 527.7 | 2 551.2 | 2 554.8 | 2 558.9 | 2 559.0 |

由表15.4可知，利用式(15.26)和式(15.27)与实测之间误差如下：

绝对误差 $\quad \overline{\Delta} = \dfrac{\sum \Delta}{n} = 0.875$

相对误差 $\quad \delta = 0.035\%$

宽展模型计算程序框图见图15.15。

由此可见，利用式(15.27)计算中厚板轧机轧制过程中的宽展值是能够保证其准确性。

2)基于BP人工神经网络的中厚板轧机宽展模型

在中厚板轧机轧制过程中，宽度控制是保证板材质量的重要因素，要实现宽度的自动控制必须建立精确的宽展数学模型，其模型预报的精度将直接影响着轧制规程的制定、压下量的调整、轧机辊缝的设定以及对板形的控制。中厚板轧机在线控制时，存在着各种现场因素的变化、坯料中合金元素的偏差、轧制工艺参数的不稳定等实际情况，故传统宽展模型在预测宽展时往往误差较大。对在线控制的宽展数学模型进行简化，尽量减少模型中的参数变量，又导致了宽展数学模型的不完整性，从而不能对客观对象提供精确的描述。所以，常规的宽展计算公式不能提供足够精确的近似值。即使在很多情况下采用自适应技术，利用实测数据重新计算模型参数，但由于模型本身结构的限制，难以适应中厚板轧机的实际生产过程。为了克服这些不足之处，运用人工神经网络方法，建立精确的数学模型，从而大大提高了轧机自动控制的水平。

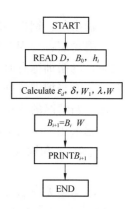

图15.15　宽展模型计算程序框图

神经网络是人工神经元网络（Artificial Neural Networks，ANN)的简称，它由大量处理单元(神经元)广泛互联而成。网络的信息处理由神经元之间的相互作用来实现，知识与信息的存储表现为网络元件互联间分布式的物理联系，网络的学习和识别取决于各神经元连接权值的动态演化过程，此神经网络包括3层：即输入层、隐含层和输出层。每层都由一些神经元组成。最常用的学习算法为误差反向传播法(BP算法)，它是一种监督(即有导师)学习算法。这个学习算法由正向传播和反向传播两部分组成。正向传播过程时输入信号从输入层经隐含层传向输出层，每个神经元的状态只影响下一层的神经元状态；如果在输出层得不到期望的输出，则转入反向传播，将误差信号沿原来的连接道路返回，通过修改各层神经元的权值，使误差信号最小。

本书将神经网络应用于宽展预测，当选取的参数不同时，所获得的宽度与各个参数之间的映射关系不同。由于参数的多样性，故只能选取具有代表性的几个参数作为输入样本向量，而将对应的变化后的宽度作为输出向量，经过人工神经网络模型的学习识别，获取各种影响因素对映射关系影响的权重，即可获得反演计算所需的映射模式。当把实测的具有代表性的几个参数作为新输入样本赋予模型后，即可得到唯一的与之对应的钢板宽度预测值。

Ⅰ.BP神经网络模型的构建

a. 神经网络结构分析

影响轧制宽度变化的因素很多，如钢板的轧前宽度、轧前厚度、轧后厚度、轧辊直径、轧制温度、轧制速度等。在建立BP网络模型时，应将主要的影响因素作为BP网络输入层参数。根据4200中厚板轧机的大规模测试试验数据，故确定各层参数如下。

输入层：钢板的轧前宽度$\mu_1$，轧前厚度$\mu_2$，轧后厚度$\mu_3$，轧辊直径$\mu_4$，轧制温度$\mu_5$，轧制速度$\mu_6$。

输出层：钢板的轧后宽度 $R_y$。

隐含层：合理选择隐含层的层数和各隐含层的单元数是神经网络设计最困难的部分之一，网络训练有时会产生"过拟合"，所谓"过拟合"就是训练集的误差被训练得非常小，而当把训练好的网络用于新的数据时却产生很大误差的现象，也就是说，此时网络适应新情况的泛化能力很差。提高网络泛化能力的方法是选择合适大小的网络结构。该问题采用三层网络就能很好地解决，故设计隐含层为一层。在三层网络中，隐含层神经元个数 $n_2$ 和输入层神经元个数 $n_1$ 之间有以下近似关系：

$$n_2 = 2n_1 + 1 \tag{15.28}$$

因为输入层参数为 6 个，经过网络训练误差和速度比较后，确定隐含层神经元个数为 15，此时 BP 网络的函数逼近效果最好。

经过以上分析，确定神经网络的结构为：6—15—1。

b. 输入参数和输出参数的标准化

为了避免在神经网络的计算机模拟过程中数值会发生溢出，必须对网络输入层和输出层的各单元值进行标准化处理，并使它们处于区间[0，1]或[-1，1]中。本书采用的输入参数的标准化方法为

$$\hat{x} = \frac{x - x_{\min}}{x_{\max} - x_{\min}} \tag{15.29}$$

式中　$x_{\max}$——该组变量的最大值；

　　　$x_{\min}$——该组变量的最小值。

Ⅱ. 模型的训练及检验

输入数据正则化后，就可以对网络进行训练和检验。训练、检验过程需要的样本，已经通过对 4200 中厚板轧机的大规模测试获得。具体程序通过 MATLAB 提供的神经网络工具箱来实现。

a. BP 网络的训练

初始化后的网络即可用于训练，即将网络的输入和输出反复作用于网络，不断调整误差达到最小，从而实现输入与输出间的非线性映射。对于 NEWFF 函数产生的 BP 网络，其缺省的性能函数是网络输出和目标输出间的均方差 MSE。训练次数设为 1000，训练目标误差设定为 0.001，学习速率为 0.1。程序运行结果如下：

TRAINLM，Epoch 0/1000，MSE 0.158057/0.0001，Gradient 15.5779/1e-010

TRAINLM，Epoch 6/1000，MSE 6.48987e-005/0.0001，Gradient 0.510885/1e-010

TRAINLM，Performance goal met.

网络训练过程误差如图 15.16 所示。

从图 15.16 中可以看到，误差在训练过程中的变化情况，该网络经过 6 次误差反传，即经过 6 次权值和阈值的调整，曲线的拟合误差就降到了 $10^{-4}$ 以下，网络训练速度很快，说明该网络结构选取合理。

b. 训练后网络的逼近结果分析

该网络经过试验数据训练后，网络输出函数和实测数据的逼近程度如图 15.17 所示。

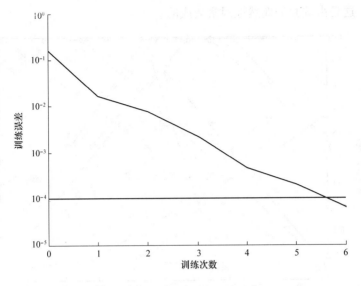

图 15.16　网络训练过程误差

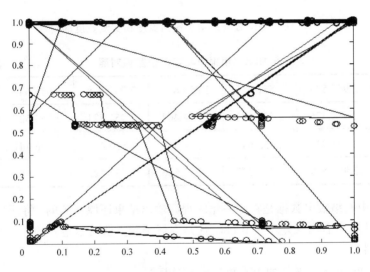

图 15.17　网络输出函数与实测数据的逼近程度

图 15.17 中的曲线是训练后所得目标函数，圆圈是训练数据。利用 105 组试验数据，经过网络 6 次误差反传调整权值和阈值后，可以看到，实测数据与网络输出函数非常逼近，误差小于 $10^{-4}$。

c. 训练后网络的测试

另取 105 组数据之外的 12 组数据对该网络进行测试。测试数据的网络输出宽度和实测宽度的对比如图 15.18 和表 15.5 所示。

图 15.18 中横坐标为测试输入参数 *P_test*，纵坐标为网络输出宽度 *Y* 和实测宽度 *T_test*。该图是由非训练集数据生成的，图中的曲线代表目标函数，圆圈代表网络预测结果，可以看到，测试数据几乎全部在预测曲线上，虽略有偏差，但偏差很小，只有少部

分偏离较大，这是由试验的偶然性因素造成的。

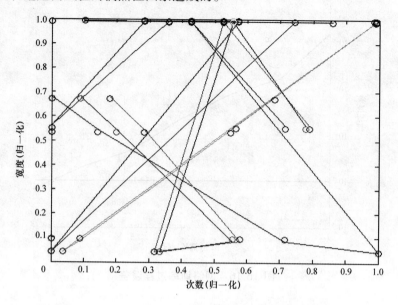

**图 15.18　测试数据的网络输出宽度和实测宽度的对比**

**表 15.5　预报值与实测值数值对照**　　　　　　　　　　　　　　　　（单位：mm）

| 实测宽展 | 2 954.548 | 2 551.955 | 2 954.648 | 2 952.648 | 2 955.648 | 2 958.648 |
|---|---|---|---|---|---|---|
| 网络输出 | 2 954.476 | 2 551.625 | 2 954.464 | 2 952.721 | 2 955.527 | 2 957.651 |
| 实测宽展 | 2 955.948 | 2 955.648 | 1 571.565 | 1 556.577 | 2 506.741 | 2 502.469 |
| 网络输出 | 2 955.789 | 2 955.227 | 1 572.546 | 1 556.125 | 2 506.552 | 2 502.514 |

　　表 15.5 中网络输出数据是将归一化的程序输出结果还原得到的。将网络输出结果和实测宽展对比可以看出误差小于 0.1%，这是常规预测方法难以达到的，充分体现了神经网络的优越性。

　　3)基于 Elman 神经网络的中厚板轧机宽展模型

　　近年来，人工神经网络技术在轧制过程中得到了广泛的应用。由于神经网络具有并行处理、联想记忆、分布式知识存储、鲁棒性强等特点，尤其是它的自组织、自适应、自学习功能，从而在复杂非线性系统的分析和预测中得到了广泛应用。目前非线性系统辨识中普遍采用的是 BP 网络，但 BP 网络是静态网络，它只是实现——对应的静态非线性映射关系，不适合动态系统的实时辨识。BP 网络模型随系统阶次的增加，迅速扩大的网络结构使网络学习收敛速度减慢，并造成网络输入节点过多、训练困难及对外部噪声敏感等弊病。相比之下，动态回归神经网络(RNN)提供了一种极具潜力的选择，它能够更生动、更直接地反映系统的动态特性。

　　Elman 型回归神经网络是一种典型的动态神经元网络，它是在 BP 网络基本结构的基础上，通过存储内部状态使其具备映射动态特征的功能，从而使系统具有适应时变特性的能力。在中厚板轧机轧制过程中，宽度控制是保证板材质量的重要因素，要实现宽度的自动控制必须建立精确的宽展数学模型，其模型预报的精度将直接影响着轧制规程的制定、压下量的调整、轧机辊缝的设定以及对板形的控制。中厚板轧机在线控制时，存在着各种现场因素的变化、坯料中合金元素的偏差、轧制工艺参数的不稳定等实际情况，故传统宽展模型在预测宽展时往往误差较大。可见，宽展模型具有动态特性，所以采用 Elman 型神经网络对中厚板轧机的宽展预测进行建模和分析是合适的。

Ⅰ．Elman 神经网络结构及算法

Elman 型回归神经网络一般分为 4 层：输入层、中间层(隐含层)、承接层和输出层，其结构如图 15.19 所示。其输入层、隐含层和输出层类似于前馈网络，输入层的单元仅起信号传输作用；输出层单元起线性加权作用；隐含层单元的传递函数可采用线性或非线性函数；承接层又称为上下层或状态层，它用来记忆隐含层单元前一时刻的输出值，可以认为是一个一步延时算子。

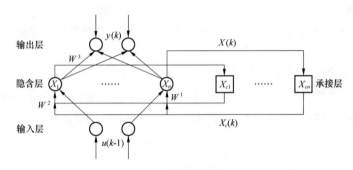

图 15.19　Elman 神经网络模型

如图 15.19 所示，Elman 网络的非线性状态空间表达式为

$$\begin{cases} y(k) = g(w^3 x(k)) \\ x(k) = f(w^1 x_c(k)) + w^2(u(k-1)) \\ x_c(k) = x(k-1) \end{cases} \tag{15.30}$$

式中　$y$、$x$、$u$、$x_c$——$m$ 维输出结点向量，$n$ 维中间层结点单元向量，$r$ 维输入向量和 $n$ 维反馈状态向量；

$w^3$、$w^2$、$w^1$——中间层到输出层、输入层到中间层、承接层到中间层的连接权值；

$g(.)$——输出神经元的传递函数，是中间层输出的线性组合；

$f(.)$——中间层神经元的传递函数，常采用 $s$ 函数。

Elman 网络也采用 BP 算法进行权值修正，学习指标函数采用误差平方和函数：

$$E(w) = \sum_{k=1}^{n} [y_k(w) - \tilde{y}(w)]^2 \tag{15.31}$$

其中 $\tilde{y}_k(w)$ 为目标输出向量。

Ⅱ．Elman 网络模型的构建

a. 网络结构分析

影响轧制宽度变化的因素很多,如钢板的轧前宽度、轧前厚度、轧后厚度、轧辊直径、轧制温度、轧制速度等。在建立 Elman 网络模型时,应将主要的影响因素作为 Elman 网络输入层参数。根据 4200 中厚板轧机的大规模测试试验数据,故确定各层参数如下:

输入层:钢板的轧前宽度 $\mu_1$,轧前厚度 $\mu_2$,轧后厚度 $\mu_3$,轧辊直径 $\mu_4$,轧制温度 $\mu_5$,轧制速度 $\mu_6$。

输出层:钢板的轧后宽度 $y_k$。

隐含层:合理确定 Elman 网络的结构是预测性能的基础。实际结构的确定尤其是中间层神经元数目的确定是一个经验性的问题,还需要大量的试验。在三层网络中,隐含层神经元个数 $n_2$ 和输入层神经元个数 $n_1$ 之间有以下近似关系:

$$n_2 = 2n_1 + 1 \tag{15.32}$$

由样本数据可知,网络输入层应该有 6 个神经元,输出层应该有 1 个神经元。故分别将中间层神经元的数目设置为 13、15、17、21、23,根据预测结果的精度,确定隐含层神经元数目。

b. 输入参数和输出参数的标准化

为了避免在神经网络的计算机模拟过程中数值会发生溢出,必须对网络输入层和输出层的各单元值进行标准化处理,并使它们处于区间[0, 1]或[-1, 1]中。本书采用的输入参数的标准化方法为:

$$\hat{x} = \frac{x - x_{\min}}{x_{\max} - x_{\min}} \tag{15.33}$$

Ⅲ. 宽展模型的建立

输入数据正则化后,就可以对网络进行训练和检验。训练、检验过程需要的样本,已经通过对 4200 中厚板轧机的大规模测试获得。具体程序通过 MATLAB 提供的神经网络工具箱来实现。

a. 不同隐含层神经元个数预测结果分析

将现场实测的 116 组数据,105 组作为训练数据,11 组作为预测数据。分别将 Elman 网络隐含层神经元数目设为 13、15、17、21、23,用 105 组实测宽展数据进行 Elman 网络的训练,训练完成后利用 11 组实测数据检验网络的性能。将预测数作为横坐标,网络预测输出宽展与实测宽展的差值作为纵坐标,得图如图 15.20 所示。

从图 15.20 可以看出,当隐层神经元个数为 13 和 15 时(图中 × 和 o 所示),网络的预测误差约为±4%,网络的预测精度已能达到常规 BP 网络的训练精度。隐层神经元个数为 17 时(图中实线所示),网络的预测误差不超过±4%,比隐层神经元个数为 13 和 15 时精度稍有提高。隐层神经元个数为 21 时(图中小黑点所示),网络的预测误差基本控制在±2%以内,预测精度有了显著的提高。当继续增加隐层神经元数目到 23 时,可以看到(图中虚线所示),网络的预测误差有了显著增大,达到了±6%,这将无法体现 Elman 网络的优越性。可见,通过增加隐层神经元个数的方法不能提高网络的预测精度。

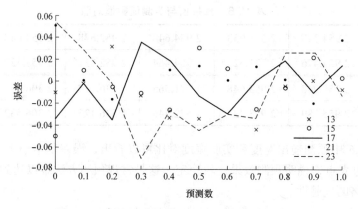

图 15.20　不同隐层神经元宽展预测误差比较

b. Elman 网络与 BP 网络预测结果分析比较

由 Elman 网络不同隐层神经元对宽展的预测分析可知，只有当隐层神经元数目为 23 时，预测误差比较大。故将 Elman 网络隐层神经元数目设定为 13、15、17、21。同时修改程序，建立常规三层前向 BP 网络，与 Elman 网络预测结果比较。如图 15.21 所示。

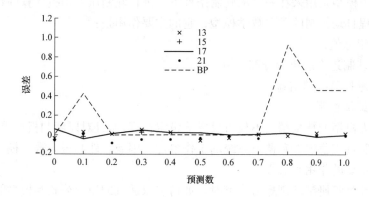

图 15.21　Elman 网络与 BP 网络预测结果比较

由图 15.21 可以看到 BP 网络出现了 4 个误差很大的点，这样的误差是中厚板轧制宽展预测不能接受的，在以往 BP 网络分析中也很少遇到。说明此次 BP 网络的训练出现了网络的泛化现象，网络训练可能陷入了局部极小点，严重偏离了事实。由此，也暴露出 BP 网络的一个致命弱点：网络的工作性能不稳定，容易出现泛化现象。相比之下应用 Elman 网络建立的宽展预测模型，不仅精度有了很大的提高，而且预测效果稳定。从图中可以看到，没有出现误差很大的点，充分体现了 Elman 网络的优越性。

c. Elman 网络预测结果

通过以上分析可知，当 Elman 网络隐层神经元数目设定为 21 时，预测效果最好，故将 Elman 网络隐层神经元数目设为 21，对中厚板轧制过程中宽度变化进行预测，输出结果经仿真，得表 15.6。

表 15.6　预报值与实测值数值对照　　　　　　　　（单位：mm）

| 实测宽展 | 2 954.348 | 2 331.933 | 2 954.648 | 2 952.648 | 2 953.648 | 2 958.648 |
| --- | --- | --- | --- | --- | --- | --- |
| 网络输出 | 2 954.476 | 2 331.623 | 2 954.464 | 2 952.721 | 2 953.527 | 2 957.651 |
| 实测宽展 | 2 955.948 | 2 953.648 | 1 571.565 | 1 536.577 | 2 306.741 | |
| 网络输出 | 2 955.789 | 2 953.227 | 1 572.346 | 1 536.125 | 2 306.532 | |

由表 15.6 中预测输出宽度和实测宽度对比可以看出，误差基本小于 0.2%，而且没有出现误差过大点，说明预测效果比较稳定。这是常规预测方法难以达到的，充分体现了 Elman 网络的优越性。

## 15.4　中厚板轧机轧制压力模型

### 15.4.1　概述

轧制压力 $P$ 是轧机最重要的设备及工艺参数，广泛用于轧机零部件强度设计计算与校核，又是制定工艺规程、调整轧机以及强化轧制、扩大产品品种、充分挖掘设备潜力等的重要参数。

轧制压力模型是用来在一定的轧制条件下，进行轧制压力预报计算的数学方程，是实现轧制过程自动控制的重要数学模型，它的主要作用是：

(1)设定辊缝值；

(2)进行轧制道次的负荷分配；

(3)计算厚控系统的增益；

(4)用于最优控制。

轧制压力模型的预报精度不仅直接影响设定精度，而且对厚度和板型等有直接影响，还将影响轧制过程稳定性和调节系统的工作条件。因此，轧制压力数学模型在自动控制技术中具有重要的作用和意义。

在工程计算和研制轧制压力模型时，如何选取适宜的压力公式和模型结构，以保证满意的精度，又便于应用，是工程上首先面临的一个重要决策问题。

在建立轧制压力模型的过程中，中厚板轧机轧制有其本身特点。在应力状态系数 $Q_P$ 的影响因素中，外摩擦力影响系数 $n_\sigma'$ 始终存在的情况下，外区影响系数 $n_\sigma''$ 起着主要作用。轧制压力模型中另一个主要参数是金属塑性变形抗力 $\sigma$，它的大小不仅与金属材料的化学成分有关，而且还取决于塑性变形的物理条件——变形温度、变形程度和变形速度。

应力状态系数 $Q_p$ 和变形抗力 $\sigma$ 是轧制压力模型中两个基本的参数，需根据过程的统计规律给出。

$$P = 1.15 B_c l_c Q_P \sigma \tag{15.34}$$

式中　　$B_c$——平均宽度；

$l_c$——变形区长度。

在中厚板轧机上

$$P = 1.15B_c l_c n'_\sigma n''_\sigma \sigma \qquad (15.35)$$

式(15.35)不仅较全面地反映各主要影响因素的作用，而且各影响因素分离得十分清楚。这样就可以通过建立精度较高的子模型，提高压力模型的精度。因此，这种压力模型的结构形式，在现代计算控制技术中得到了广泛的应用。

### 15.4.2 中厚板轧机轧制压力模型的建立

由式(15.34)知，建立轧制压力模型，需分别建立金属塑性变形抗力 $\sigma$ 和应力状态系数 $Q_p$ 两个子模型。

#### 15.4.2.1 建立中厚板轧机轧件塑性变形抗力 $\sigma$ 模型

1)基于数值计算方法的中厚板轧机轧件塑性变形抗力 $\sigma$ 模型

中厚板轧机所用的金属塑性变形抗力 $\sigma$ 模型为

$$\sigma = \sigma_0 \exp(\alpha_1 T + \alpha_2)(\frac{\mu_i}{10})^{\alpha_3 T + \alpha_4} \times [\alpha_6(\frac{\gamma_i}{\alpha_4})^{\alpha_5} - (\alpha_6 - 1)\frac{\gamma_i}{0.4}] \qquad (15.36)$$

$$\Delta h_i = h_i - h_{i-1} \qquad (15.37)$$

$$\varepsilon_i = \frac{\Delta h_i}{h_i} \qquad (15.38)$$

$$v_i = \frac{\pi n_i R}{30} \qquad (15.39)$$

$$u_i = \ln\frac{h_{i-1}}{h_i} \cdot \frac{v_i}{l_i} \qquad (15.40)$$

$$l_i = \sqrt{R \Delta h_i} \qquad (15.41)$$

$$r_i = \ln(\frac{1}{1 - \frac{2}{3}\varepsilon_i}) \qquad (15.42)$$

2)基于人工神经网络方法的中厚板轧机轧件塑性变形抗力 $\sigma$ 模型

金属塑性变形抗力是表征钢材压力加工性能的一个基本量，正确确定不同变形条件下金属的变形抗力，是制定合理的轧制工艺规程的必要条件。以往许多研究者在建立变形抗力与变形量、变形速度及温度的关系模型时，采用多元非线性回归对实测的数据进行处理，得到相应的变形抗力模型。该方法首先要对变形抗力模型的函数类型做出假设(如通常采用指数型函数)，而实际上变形抗力的变化规律并不能在大范围内与所选择的函数类型完全一致。特别是当考虑静态再结晶、应变积累、动态再结晶和相变等因素的影响时，变形抗力的变化很复杂，难以用所选定的函数来描述，因而这种方法势必带来较大的误差。人工神经网络是在模拟脑神经对外部环境进行学习过程中建立起来的一种人工智能模式识别方法，具有适应性强和能够处理复杂非线性问题的特点，广泛应用于解决非线性系以及模型未知系统的预测和控制。最常用的学习算法为误差反向传播法(BP 算法)，它是一种监督(即有导师)学习算法。这个学习算法由正向传播和反向传播两部分组成。正向传播过程时输入信号从输入层经隐含层传向输出层，每个神经元的状态只影响下一层神经元状态；如果在输出层得不到期望的输出，则转入反向传播，将误差信号沿原来的连接道路返回，通过修改各层神经元的权值，使误差信号最小。

本书通过对优质碳素钢塑性变形抗力的实测值，利用 BP 网络从大量的离散数据中经过学习训练，提取其领域知识，并将这些知识表示为网络连接权值的大小和分布，从而建立相应的系统模型。实现了应力–应变的直接映射，不需要假设数学模型的类型，因此可以避免上述误差。通过与实测数据对比表明，神经网络具有良好的学习和预报精度。

Ⅰ. 试验数据

本文数据取自用恒应变速率凸轮压缩试验机进行热模拟压缩试验，实测的热轧条件下的金属变形抗力。试验钢种及其化学成分见表 15.7，变形条件见表 15.8。

表 15.7  金属化学成分($x$%)

| 钢种 | 成分($x$%) | | | | | | | |
|---|---|---|---|---|---|---|---|---|
| | C | Si | Mn | P | S | Cr | Ni | Cu |
| 08F | 0.06 | 0.005 | 0.51 | 0.012 | 0.015 | — | — | 0.10 |
| 10 | 0.09 | 0.29 | 0.51 | 0.008 | 0.020 | | | |
| 20 | 0.18 | 0.29 | 0.57 | 0.051 | 0.050 | | | |
| 25 | 0.24 | 0.26 | 0.625 | 0.022 | 0.012 | 0.08 | 0.15 | 0.12 |
| 55 | 0.555 | 0.26 | 0.60 | 0.014 | 0.010 | 0.06 | 0.14 | 0.10 |
| 45 | 0.478 | 0.255 | 0.79 | 0.017 | 0.025 | — | | |
| 50 | 0.495 | 0.26 | 0.64 | 0.020 | 0.022 | 0.06 | 0.12 | 0.065 |
| 65Y | 0.672 | 0.27 | 0.70 | 0.006 | 0.024 | — | | |

表 15.8  试验的变形条件

| $T(℃)$ | 850 | 900 | 950 | 1 000 | 1 050 | 1 100 | 1 150 |
|---|---|---|---|---|---|---|---|
| $\varepsilon(s^{-1})$ | 2～80 | | | | | | |
| $\varepsilon$ | 0.05～0.69 | | | | | | |

Ⅱ. BP 神经网络模型的构建

a. 神经网络结构分析

金属塑性变形抗力的大小，决定于金属的化学成分、金属的组织、加工温度、变形速度、变形程度以及与这些有关的各个过程，如加工硬化、再结晶、动态恢复、静态恢复等。这些因素通过金属的内部影响变形阻力的大小。在建立 BP 网络模型时，应将主要的影响因素作为 BP 网络输入层参数。根据优质碳素结构钢的变形抗力试验数据，确定各层参数如下：

输入层：碳钢的 C 含量 $\mu_1$，Si 含量 $\mu_2$，Mn 含量 $\mu_3$，P 含量 $\mu_4$，S 含量 $\mu_5$，Cr 含量 $\mu_6$，Ni 含量 $\mu_7$，Cu 含量 $\mu_8$，变形速度 $\mu_9$，加工温度 $\mu_{10}$，变形程度 $\mu_{11}$。

输出层：碳钢的变形抗力 $R_y$。

隐含层：合理选择隐含层的层数和各隐含层的单元数是神经网络设计最困难的部分之一，网络训练有时会产生"过拟合"现象。所谓"过拟合"就是训练集的误差被训练得非常小，而当把训练好的网络用于新的数据时却产生很大误差的现象，也就是说，此时网络适应新情况的泛化能力很差。提高网络泛化能力的方法是选择合适大小的网络结构。该问题采用三层网络就能很好地解决，故设计隐含层为一层。在三层网络中，隐含层神经元个数 $n_2$ 和输入层神经元个数 $n_1$ 之间有以下近似关系：$n_2=2n_1+1$。

因为输入层参数为 11 个，经过网络训练误差和速度比较后，确定隐含层神经元个数为 25。

经过以上分析，确定神经网络的结构为：11—25—1。

b. 输入参数和输出参数的标准化

为了避免神经网络在计算机模拟过程中数值会发生溢出，必须对网络输入层和输出层的各参数进行标准化处理，并使它们处于区间[0，1]或[-1，1]中。本书采用的输入参数的标准化方法为

$$\hat{x} = \frac{x - x_{min}}{x_{max} - x_{min}}$$

式中　$x_{max}$——该组变量的最大值；

　　　$x_{min}$——该组变量的最小值。

Ⅲ. 模型的训练及检验

输入数据标准化后，就可以对网络进行训练和检验。训练、检验过程需要的样本，已经通过对优质碳素结构钢的热模拟压缩试验获得。具体程序通过 MATLAB 提供的神经网络工具箱来实现。

a. 模型的 BP 网络训练

初始化后的网络即可用于训练，即将网络的输入和输出反复作用于网络，不断调整误差达到最小，从而实现输入与输出间的非线性映射。对于 NEWFF 函数产生的 BP 网络，其缺省的性能函数是网络输出和目标输出间的均方差 MSE。最大训练次数设为 1 000，训练目标误差设定为 0.000 1，学习速率为 0.1。

程序运行结果如下：

TRAINLM，Epoch 0 / 1000，MSE 0.571516 / 0.0001，Gradient 2.59428 / 1e-010

TRAINLM，Epoch 25 / 1000，MSE 0.0161459 / 0.0001，Gradient 1.70452 / 1e-010

TRAINLM，Epoch 57 / 1000，MSE 9.42866e-005 / 0.0001，Gradient 0.245798 / 1e-010

TRAINLM，　Performance goal met.

从程序运行结果可知，该网络经过 57 次训练后，网络输出与目标输出间的均方差降到了 $9.428\ 66 \times 10^{-5}$，梯度降为 0.245 798，此时由于均方差达到了目标要求，所以网络停止训练。

网络训练过程误差如图 15.22 所示。

从图中可以看到误差在网络训练过程中的变化情况，图中横坐标为训练步数，纵坐标为训练方差。该网络经过 57 次误差反传，即经过 57 次权值和阈值的调整，曲线的拟合误差就降到了 $10^{-4}$ 以下，网络训练速度很快，说明该网络结构选取合理。

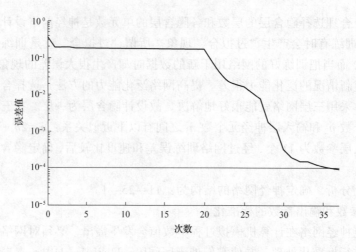

**图 15.22   网络训练过程误差**

b. 训练后网络的逼近结果分析

该网络经过试验数据训练后，网络输出函数和试验数据的逼近程度如图 15.23 所示。

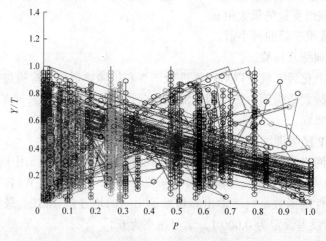

**图 15.23   网络输出与实测数据的逼近程度**

图 15.23 中横坐标为网络训练输入参数 $P$，纵坐标为网络输出变形抗力 $Y$ 和实测变形抗力 $T$，图中曲线是训练后所得目标函数 $Y$，圆圈是用来训练网络的实测数据 $T$。利用 290 组试验数据，经过网络 57 次误差反传调整权值和阈值后，可以看到实测数据与网络输出函数非常逼近，误差小于 $10^{-4}$。也就是说，目标函数 $Y$ 和实测数据 $T$ 实现了很好的拟合。

c. 训练后网络的测试

另取 290 组数据之外的 50 组数据对该网络进行测试。测试数据的网络输出变形抗力和实测变形抗力的对比如图 15.24 和表 15.9 所示。

图 15.24 中横坐标为测试输入参数 $P\_test$，纵坐标为网络输出变形抗力 $Y$ 和实测变形抗力 $T\_test$。该图是由非训练集数据生成的，图中的曲线代表目标函数，圆圈代表网

络预测结果，可以看到，测试数据几乎全部在预测曲线上。虽略有偏差，但偏差很小，只有少部分偏离较大，是由试验的偶然性因素造成的。

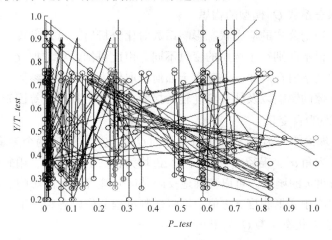

图 15.24　测试数据的网络输出和实测变形抗力的对比

表 15.9　网络输出与实测值对照

| 网络输出值(MPa) | 122.826 2 | 96.465 07 | 202.484 2 | 155.519 4 | 217.856 8 | 155.522 2 |
|---|---|---|---|---|---|---|
| 实测值(MPa) | 121 | 99 | 200 | 155 | 215 | 158 |
| 误差绝对值(%) | 1.486 8 | 2.65 | 1.226 9 | 1.261 | 1.511 5 | 1.828 |
| 网络输出值(MPa) | 117.578 5 | 215.961 9 | 178.845 | 159.505 6 | 154.505 7 | 118.251 |
| 实测值(MPa) | 115 | 215 | 180 | 155 | 156 | 119 |
| 误差绝对值(%) | 2.026 2 | 0.445 4 | 0.646 | 2.701 5 | 1.112 | 0.65 |
| 网络输出值(MPa) | 217.406 7 | 169.962 5 | 152.175 9 | 154.514 2 | 112.901 6 | 220.959 7 |
| 实测值(MPa) | 215 | 172 | 150 | 158 | 112 | 220 |
| 误差绝对值(%) | 1.107 | 1.199 | 1.428 6 | 2.744 | 0.798 5 | 0.454 5 |
| 网络输出值(MPa) | 155.082 5 | 108.545 2 | 225.744 4 | 147.697 1 | 121.807 7 | 228.681 6 |
| 实测值(MPa) | 155 | 108 | 225 | 150 | 120 | 250 |
| 误差绝对值(%) | 1.441 | 0.500 5 | 0.529 8 | 1.559 | 1.484 1 | 0.577 |
| 网络输出值(MPa) | 206.060 9 | 225.175 9 | 165.462 1 | 127.468 8 | 255.481 4 | 146.489 1 |
| 实测值(MPa) | 205 | 225 | 169 | 126 | 258 | 149 |
| 误差绝对值(%) | 0.514 8 | 0.966 5 | 2.158 | 1.152 5 | 1.785 | 1.714 |

表 15.9 中，网络输出数据是将归一化的程序输出结果还原得到的。将网络输出结果和实测变形抗力对比可以看出误差小于 5%，这是常规预测方法难以达到的，充分体现了神经网络的优越性。

通过本书分析研究表明，得到的神经网络模型可以很好地预测金属变形抗力值随其化学成分、变形速率、变形温度、变形程度变化而变化的情况。与传统回归模型相比，具有更高的精度，误差基本限制在 5% 以内，实现了与实测结果的高度拟合。

15.4.2.2 建立中厚板轧机轧件应力状态系数 $Q_P$ 模型

1)基于数值计算方法的中厚板轧机轧件应力状态系数 $Q_P$ 模型

Ⅰ.应力状态系数 $Q_P$ 模型的构思

对各个压力理论公式的应力状态影响系数对比分析后，可以发现，尽管各理论公式的形式各异，但根本区别在于选用的变量不同。由此可知，要掌握 $Q_P$ 这样一个非常复杂的过程参数的基本内在规律，关键在于如何选取作为自变量的参数，以便能较确切地反映外区、外摩擦的影响以及轧件与轧辊的接触面积和工具形状等因素的综合规律。

a. $H_0 / D$ 和 $\varepsilon$ 为自变量

Bland-Ford 理论的 $\delta$ 函数，以及 Hill 理论的 $Q_p$ 简化式均以这两个参量作用为自变量。这两种理论在咬入角 $\alpha$、辊径 $D$ 和压下量 $\Delta h$ 均为常数的情况下，用轧件厚度和辊径的尺寸比和变形程度 $\varepsilon$ 的函数，可以精确地反映外区及轧件尺寸的影响。在这种情况下，通过试验说明取决于变形程度 $\varepsilon$ 之值，可将轧制过程分作以各种压下量进行轧制，也能说明 $H_0 / D$ 对应力状态系数 $Q_p$ 的影响。

但是应该指出的是，由于摩擦系数 $f$ 无法检测和控制，难以进行试验。而 $H_0 / D$ 反映了轧件外区和工具尺寸的影响，可以认为，在一定的试验条件下，摩擦系数近似为一常数，其定量的影响已包含在试验结果之中。

鉴于上述，可以认为以 $H_0 / D$ 和 $\varepsilon$ 作为自变量可较好地全面反映轧件的外区、外摩擦系数、轧件与轧辊的接触面积以及工具形状等因素的综合影响规律，从而可以作为自变量未建立 $Q_P$ 的模型。

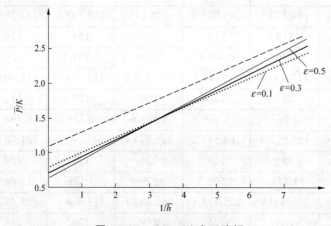

图 15.25　Sims 公式理论解

b. 以 $l / h_c$ 和 $\varepsilon$ 作为自变量

令 $h_c$ 为轧机入、出口厚度的算术平均值，即平均厚度。$l / h_c$ 称做变形区的几何形状参数。这种观点主要是俄罗斯的一些学者提出的。对于这种观点，长期以来，存在着比较大的争议。但对实际的轧制情况应作具体分析，同时随着研究的深入，发现随 $\varepsilon$ 的不同，$\dfrac{\overline{p}}{k}$ 并无显著差异，从而说明 $l / h_c$ 是一个主要的自变量。通过试验发现，随着 $l / h_c$ 的变化，单位压力 $P$ 和单位摩擦力 $\tau$ 的分布都具有明显的规律性，并根据 $l / h_c$ 对 $P / k$ 的影响规律将轧制过程分作如图 15.26 的各种类型。

综上所述，以上两种观点都是理论和试验的
验证，基本上都能定性地反映轧件外区、外摩擦
系数、轧件和轧辊的接触面以及工具形状对应力
状态的影响规律，因此这两种理论都可作为建立
理论–统计型应力状态系数 $Q_P$ 模型的基础。

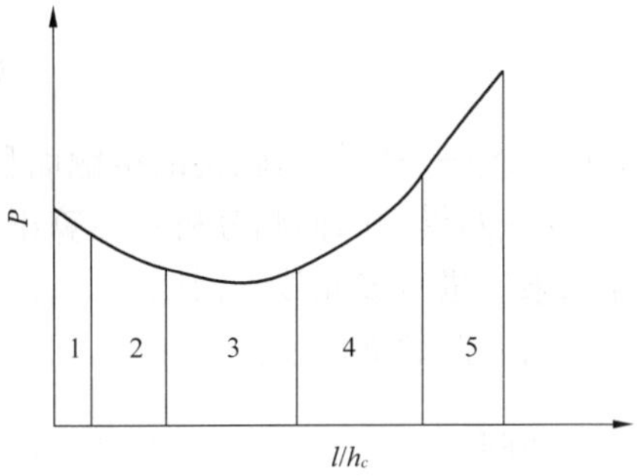

Ⅱ. 中厚板轧机应力状态系数 $Q_P$ 模型的建立

a. $Q_P$ 模型的基本结论形式

本书首先采用 $Q_P=F(l/h_c, \varepsilon)$ 的结构进行回归

图 15.26　变形区几何形状参数的影响

分析，同时也对应力状态系数模型的结构形式进
行了探索，探讨在不同轧制条件下外区对轧制压力的影响规律。影响轧制压力的外部因
素反映在应力状态系数这个特征值上，而影响应力状态系数的因素较多，主要有 $l/h_c$、
$\varepsilon$、$f$、$H_0/D$ 等，因此认为摩擦系数 $f$ 在试验中保持一定，压下率 $\varepsilon$ 的单独影响不甚明显。
所以，又选取形状参数 $l/h_c$ 和轧件厚度与轧辊直径之比 $H_0/D$ 这两个因子为自变量，
应力状态系数 $Q_P$ 为因变量，即 $Q_P=f(H_0/D, l/h_c)$ 的形式。

b. 提高 $Q_P$ 模型精度的措施

$Q_P$ 模型是轧制压力模型的核心，其精度对压力模型的精度具有决定性的影响。为了
保证 $Q_P$ 模型具有足够的精度，除了遵从研制模型的一般原则外，还必须对各个环节都
十分精心，并采取一些相应的措施。

首先，由于应力状态的特性受外区、摩擦系统、轧件与轧辊的接触面积和工具形状
等一系列因素的影响，这些影响因素之间又存在着相互联系、相互制约的复杂关系，所
以应力状态对压力的影响具有很强的条件性。$Q_P$ 模型必须通过生产性试验建立，而且原
始数据也必须包含轧机的所有产品范围的原始数据。

其次，由于 $Q_P$ 不能直接检测，无论是在工程上或是在计算控制技术中，通常是采
用实测轧制压力，并通过压力公式进行逆运算的方法获得间接测量值，任何参数的间接
测量值都包含有一定程度的模型误差。为了保证 $Q_P$ 的间接测量值具有满意的精度，如
何选定适宜的轧制压力模型是至关重要的。

c. 建立中厚板轧机应力状态系数模型的公式推导过程

在实测中，测得轧制压力 $P_i$、轧辊转速 $n_i$、轧件温度 $T_i$、辊缝 $S_i$、轧件宽度 $b_i$ 以及
钢中化学成分，同时也测取轧制时间 $t_i$，利用前述变形抗力公式，可得到实测的应力状
态系数 $Q_P$；又将形状参数 $l/h_c$、$H_0/D$ 及 $\varepsilon$ 分别算出，再将这些参数按前述两种结构形
式作多元回归，并进行分析比较，便于建立最优的中厚板轧机数学模型。

(1)应力状态系数 $Q_P$ 实测值的计算

$$P = 1.15Q_P\sigma = 1.15n'_\sigma n''_\sigma \sigma \tag{15.43}$$

$$Q_P = n'_\sigma n''_\sigma \tag{15.44}$$

$$P_i = P_{ci}A_i = 1.15AQ_{Pi}\sigma_i \tag{15.45}$$

$$Q_P = \frac{P_i}{1.15\sigma_i A_i} \tag{15.46}$$

式中　$A_i$——轧件与轧辊的接触面积，$A_i = B_{ci} \times l_{ci}$。

(2)$Q_P$模型的回归分析：在算出实测中的 $Q_P$ 的基础上，可以进行回归，本书采用最小二乘法进行多元线性回归。

从实测数据出发　　　　　$$Y = f(x_1, x_2, \cdots, x_n)$$

回归　　　　　　　　　　$$\hat{Y} = b_0 + b_1 x_1 + b_2 x_2 + \cdots + b_n x_n \tag{15.47}$$

其中 $b_i$ 称 $Y$ 对 $X_i$ 的回归系数（$i = 1, 2, \cdots, k$），$b_0$ 称为常数项。根据最小二乘法，要选择这样的 $b_0, b_1, \cdots, b_n$，使

$$\sum(Y - \hat{Y}) = \sum[Y - (b_0 + b_1 x_1 + b_2 x_2 + \cdots + b_n x_n)]^2 \tag{15.48}$$

达到极小。为此将上式分别对 $b_0, b_1, \cdots, b_k$ 求偏导数，令其等于 0，经化简整理后可得 $b_0, b_1, \cdots, b_k$，必须满足下面的正规方程：

$$\begin{cases} l_{11}b_1 + l_{12}b_2 + l_{13}b_3 + \cdots l_{1k}b_k = l_{1y} \\ l_{21}b_1 + l_{22}b_2 + l_{23}b_3 + \cdots + l_{2k}b_k = l_{2y} \\ \qquad\qquad \cdots \\ l_{k1}b_1 + l_{k2}b_2 + l_{k3}b_3 + \cdots + l_{kk}bk = l_{ky} \end{cases} \tag{15.49}$$

$$b_0 = \hat{Y} - b_1\overline{x}_1 - \cdots - b_k\overline{x}_k \tag{15.50}$$

$$\overline{Y} = \sum Y / N, \overline{x}_i = \sum x_i / N \tag{15.51}$$

$$i = 1, 2, \cdots, k$$

$$l_{ij} = k_{ji} = \sum(x_i - \overline{x}_i)(x_j - \overline{x}_j)$$

$$= \sum x_i x_j - \frac{1}{N}(\sum x_i)(\sum x_j) \quad i = 1, 2, \cdots, k \tag{15.52}$$

$$l_{iy} = \sum(x_i - \overline{x}_j)(Y - \overline{Y})$$

$$= \sum x_i Y - \frac{1}{N}(\sum x_i)(\sum Y) \quad i = 1, 2, \cdots, k \tag{15.53}$$

解线性方程组(15.49)即可求得诸回归系数 $b_i$，从而常数项也可求得。

(3)多元线性回归的方差分析：首先，$Y$ 总的离差平方和 $l_{iy}$ 仍可分解成回归平方和及剩余平方和两部分：

$$l_{YY} = \sum(Y - \hat{Y})^2 = \sum(Y - \hat{Y})^2 + \sum(\hat{Y} - \overline{Y})^2 \tag{15.54}$$

在多元线性回归中，回归平方和表示的是所考虑的所有 $k$ 个自变量对 $Y$ 的变差的总影响，按下式计算：

$$U = \sum(\hat{Y} - \overline{Y})^2 = \sum_{i=1}^{k} b_i l_{iy} \qquad (15.55)$$

而剩余平方和(即各点残差的平方和)，则是除这些自变量外，其他随机因素对 $Y$ 的影响，它等于

$$Q = \sum(Y - \hat{Y})^2 = l_{YY} - U \qquad (15.56)$$

$U$ 愈大，$Q$ 愈小，则表示 $Y$ 与这些自变量的线性关系愈密切，回归的规律性愈强，效果也就愈好。

而剩余标准差为

$$S = \sqrt{\frac{Q}{N-k-1}} \qquad (15.57)$$

显著性系数 $F$ 是回归均方与剩余均方的比。即

$$F = \frac{U/k}{Q/(N-k-1)} = \frac{V}{ks^2} \qquad (15.58)$$

d. 两种结构形式的回归

(1) $Q_P = f(l/h_c \cdot \varepsilon)$ 的回归：本书对中厚板轧机实测数据进行回归分析。形式为

$$Q_P = b_0 + b_1 \cdot l/h_c + b_2 \cdot l/(h_c \cdot \varepsilon) + b_3 \cdot \varepsilon \qquad (15.59)$$

令 $\qquad x_1 = l/h_c, x_2 = l/h_c \cdot \varepsilon, x_3 = \varepsilon, y = Q_P$

即 $\qquad y = b_0 + b_1 x_1 + b_2 x_2 + b_3 x_3$

经多元线性回归分析，代入 71 块钢板，697 个轧制道次的实测工艺参数，其中：SS41 11 块，Q235-A 10 块，Q235-B 50 块，SM50B-1 20 块。

回归方程为

$$Q_{Pi} = 3.008 - 0.788\,8l/h_{ci} + 8.635l/h_{ci} \cdot \varepsilon_i - 14.322\varepsilon_i \qquad (15.60)$$

$Y$ 总的离差平方和：$l_{YY} = 172.446$

剩余平方和：$Q = 92.094$

剩余标准差：$S=0.565$

显著性系数：$F=205.295$

查 $F$ 分布表知：$F_{0.10} = 2.08$；$F_{0.05} = 2.60$；$F_{0.01} = 3.78$。

$F \gg F_{0.01}$，说明该方程自变量与因变量的回归关系，即回归的 $Q_P = f(l/h_c, \varepsilon)$ 方程是高度显著的。

而剩余标准差 $S=0.565$ 是相当小的，可见其预报精度是相当高的。

在 $l/h_c > 1$ 时，则上述 71 块钢板中的 116 个轧制道次的工艺参数与回归，其回归方程为

$$Q_{Pi} = 0.078\,7 + 1.244l/h_{ci} - 6.063l/h_{ci} \cdot \varepsilon + 5.897\varepsilon_i \qquad (15.61)$$

$Y$ 总的离差平方和：$l_{YY} = 7.329$

剩余平方和：$Q = 5.644$

剩余标准差：$S=0.244$

显著性系数：$F=11.15$

前述 $F_{0.01}=5.78$，$F>>F_{0.01}$

说明式(15.61)的回归是高度显著的，且剩余标准差 $S=0.244$ 也较小。

(2)$Q_P=f(l/h_c, H_0/D)$的回归：代入上述 71 块钢板的轧制工艺参数，使 $x=l/h_c$，

$y=H_0/D, z=Q_P$ 配二元多项式回归方程：$Z=\alpha_{00}+\alpha_{10}x+\alpha_{oy}+\alpha_n xy+\alpha_{z0}x^2+\alpha_{0z}y^2$

经计算，(见图 15.27)其回归方程为：

$$Q_P=3.938-3.031l/h_c+0.672H_0/D+1.303(l/h_c)^2$$
$$-11.783(l/h_c)(H_0/D)-3.594(H_0/D)^2 \tag{15.62}$$

$Z$ 总的离差平方和：$l_{YY}=162.136$

剩余平方和：$Q=716.447$

剩余标准差：$S=0.555$

显著性系数：$F=151.121$

查 $F$ 分布表知：

$$F_{0.10}=1.85；F_{0.05}=2.21；F_{0.01}=2.80$$

由此可见，$F>>F_{0.01}$，此回方程高度显著。而剩余标准差 $S=0.555$，比式(15.60)的精度要高。

在 $l/h_c>1$ 时，取其 71 块钢板中的 107 个轧制道次的工艺参数与回归，其回归方程为

$$Q_{Pi}=8.468-2.838l/h_{ci}-145.996H_0/D_i-0.899(l/h_{ci})^2$$
$$+69.076l/h_{ci}\cdot H_0/D_i+399.290(H_0/D_i)^2 \tag{15.63}$$

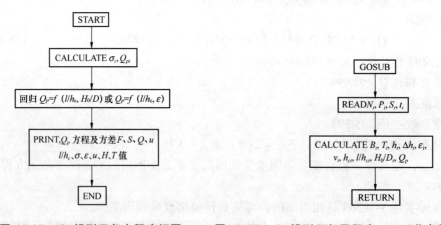

图 15.27　$Q_P$ 模型回归主程序框图　　图 15.28　$Q_P$ 模型回归子程序——工艺参数计算框图

总的离差平方和：$l_{YY}=6.191$

剩余平方和：$Q=4.850$

剩余标准差：$S=0.219$

显著性系数：$F=5.528$，前述 $F_{0.01}=2.80$。

$F > F_{0.01}$，说明式(15.63)的回归是高度显著的。且剩余标准差 $S=0.219$，为前面所有回归方程的剩余标准差值相比最小。

2)中厚板轧机轧件应力状态系数 $Q_P$ 模型的分析

Ⅰ．方差分析

两种方程选取的参数、模型结构均不同，但回归效果均是高度显著，其显著性系数均远远大于高度显著性系数。

其剩余标准差 $S$ 均在 0.57 以下，但 $Q_P=f(l/h_c, H_0/D)$ 形式的回归方程的方差较小，可见其预报 $Q_P$ 的精度较高。因此，从方差分析的角度，$Q_P=f(l/h_c, H_0/D)$ 型式的回归方程为好。

Ⅱ．两种模型的仿真结果分析

a. $Q_P=f(l/h_c, H_0/D)$ 的仿真结果分析

当 $l/h_c < 1$ 时，主要是外区影响。从图 15.30 可看出，$Q_P=f(l/h_c, H_0/D)$ 与 $Q_P=(l/h_c)^{-0.4}$，在同样的 $l/h_c$ 值下，前者的值稍高，这说明中厚板轧机轧制过程的应力状态中外区的影响比 A·N·采利柯夫所揭示的外区影响要大，也由于始终存在外摩擦的影响，使得曲线 1 值较高。

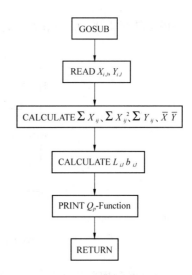

图 15.29　$Q_P$ 模型回归子程序
——多元回归程序框图

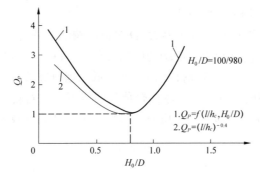

图 15.30　$Q_P=f(l/h_c, H_0/D)$ 与 $Q_P=(l/h_c)^{-0.4}$ 的曲线比较

同时可知，当 $H_0/D$ 一定时，$Q_P$ 与 $l/h_c$ 为二次曲线关系，$Q_P$ 有极小值，在极值左侧，$Q_P$ 随 $l/h_c$ 减小而增加，这主要是外区限制金属不均匀变形所致。$Q_P$ 极小值的出现意味着外区对应力状态的影响程度与外摩擦力的影响程度两者处于均衡状态，即两者的影响系数在数值上均为 1。因此，凡影响金属不均匀变形及其应力状态的因素，如 $H_0$、$h$、$D$、$f$ 等发生变化时，都会波及到 $Q_P$ 值，故其并非定值。

Ⅱ．$Q_P=f(l/h_c, \varepsilon)$ 的仿真结果分析

在图 15.31 中，当 $l/h_c=1$ 时，曲线有第二类间断点(不可去间断点)；随着 $\varepsilon$ 的增大，在 $l/h_c < 1$ 时曲线 3 中 $Q_P$ 值随 $l/h_c$ 的减小而减小，这与正常的外区影响规律是不符的。而 $Q_P$ 在曲线 1 中是随 $l/h_c$ 的减小而增大。在 $Q_P \geq 1$ 时，曲线的 $Q_P$ 值随 $l/h_c$ 的增大而增大；但其在 $l/h_c=1$ 时，$Q_P$ 并不等于 1，说明此时外摩擦的影响大于外区的影响。总之，

中厚板轧机采用 $Q_P = f(l/h_c, \varepsilon)$ 是不能适应的。

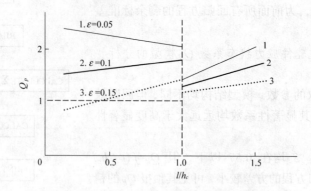

图 15.31 $Q_P = f(l/h_c, \varepsilon)$ 与 $l/h_c$ 关系曲线

c. 两种回归模型与 Sims 简化式在对外摩擦的影响结果分析比较

当 $l/h_c > 1$ 时，两种回归方程与 Sims 简化式的结果比较见图 15.32，曲线 1 是 $Q_P = f(l/h_c, H_0/D)$ 的回归形式，曲线 2、3 是 $Q_P = f(l/h_c, \varepsilon)$ 的回归方程，曲线 4、5 是 Sims 简化式的回归方程，它们均随 $l/h_c$ 的增大而增大，增值最快的是曲线 1，增值最慢的是 Sims 简化回归式。可见，Sims 式不适于厚板轧机，曲线 1、2 皆由中厚板轧机测试数据回归而成，但曲线 2 对外摩擦影响因素的规律反映不及曲线 1，可知曲线 1 其回归式结构合理，因此该式是实际可用的回归方程。

d. $Q_P = f(l/h_c, H_0/D)$ 回归方程中的 $H_0/D$ 参数影响结果分析

当 $l/h_c \leqslant 1$ 时，在 $Q_P = f(l/h_c, H_0/D)$ 的回归方程中，$Q_P$ 与 $H_0/D$ 是二次曲线关系，见图 15.33；当 $l/h_c$ 相同时，厚件较薄件的 $Q_P$ 值偏低。据研究认为：在外区影响占主导作用的左侧区内，$l/h_c$ 相同条件下，因厚件较薄件的压下率相对较大，故此厚件较薄件的不均匀变形程度相对较小，即外区对压力的影响较小，从而导致 $Q_P$ 值偏低。

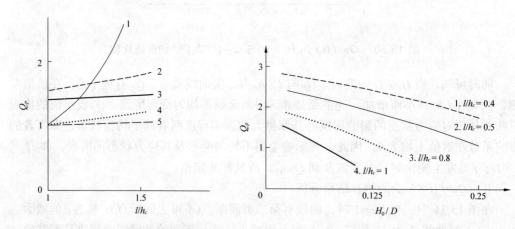

图 15.32 $l/h_c$ 应力状态影响规律　　图 15.33 $l/h_c \geqslant 1$ 时的 $Q_P$ 应力状态影响规律

当 $l/h_c \geqslant 1$，$Q_P = f(l/h_c, H_0/D)$，回归方程中 $Q_P$ 与 $H_0/D$ 的关系是抛物线(见图 15.34)。

当 $l/h_c$ 不同时，$Q_P$ 与 $H_0/D$ 关系曲线亦异，此时，外摩擦影响占主导作用。曲线极值点的左侧，板厚相对较薄，变形区长度变大，外区和外摩擦共同影响其应力状态，在其极值点的右侧，轧件厚度较大，则主要是外区的影响。当 $l/h_c$ 愈大时，$Q_P = f(l/h_c, H_0/D)$ 曲线的极值点愈向左边移动，这说明其变形区长度加大时，外摩擦影响变大，使其曲线整体左移。

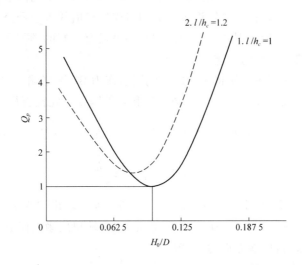

图 15.34　$l/h_c \geqslant 1$ 时，$Q_P = f(l/h_c, H_0/D)$ 回归方程关系曲线

总之，中厚板轧机应力状态系数模型的选择以 $Q_P = f(l/h_c, H_0/D)$ 的形式为宜，它反映了该轧机的应力状态的内在规律，揭示了应力状态各影响因素的状况。

3)基于人工神经网络的中厚板轧机轧件应力状态系数 $Q_P$ 模型

变形区应力状态影响系数 $Q_P$ 模型是轧制压力模型的核心，其精度对压力模型的精度具有决定性的影响。由于应力状态的特性受外区、摩擦系统、轧件与轧辊的接触面积和工具形状等一系列因素的影响，这些影响因素之间又存在着相互联系、相互制约的复杂关系。为了保证 $Q_P$ 模型具有足够的精度，除了遵从研制模型的一般原则外，还必须对各个环节都十分精心，并采取一些相应的措施。由于 $Q_P$ 不能直接检测，必须通过生产性试验建立，而且原始数据也必须包含轧机的所有产品范围的原始数据，通常是采用实测轧制压力，并通过压力公式进行逆运算的方法获得间接测量值作为 $Q_P$ 的实测值。为此，研制了精度较高的 4200 轧机的应力状态系数模型。

神经网络是人工神经元网络(Artificial Neural Networks，ANN)的简称，它由大量处理单元(神经元)广泛互联而成。网络的信息处理是由神经元之间的相互作用来实现的，知识与信息的存储表现为网络元件互联间分布式的物理联系，网络的学习和识别取决于各神经元连接权值的动态演化过程。图 15.35 为一典型的神经网络，其神经元用圆圈表示，连接(即权值)用直线表示，连接权值变化是在神经网络学习过程中进行的。此神经网络包括 3 层，即输入层、隐含层和输出层。每层都由一些神经元组成。最常用的学习算法为误差反向传播法(BP 算法)，它是一种监督(即有导师)学习算法。这个学习算法由正向传播和反向传播两部分组成。正向传播过程时输入信号从输入层经隐含层传向输出层，每个神经元的状态只影响下一层的神经元状态；如果在输出层得不到期望的输出，则转入反向传播，将误差信号沿原来的连接道路返回，通过修改各层神经元的权值，使误差信号最小。

本书的应力状态系数预测的神经网络模型的建立是通过 Matlab 神经网络工具箱来实现的。通过对应力状态系数的实测值，利用 BP 网络从大量的离散数据中经过学习训练，提取其领域知识，并将这些知识表示为网络连接权值的大小和分布，从而建立相应的系统模型。通过与试验数据对比表明，神经网络具有良好的学习和预报精度。

Ⅰ. BP 神经网络模型的构建

在建立 BP 网络模型时，应将主要的影响因素作为 BP 网络输入层参数。影响应力状态系数 $Q_P$ 变化的主要因素为：形状参数 $l/h_c$ 和轧件厚度与轧辊直径之比 $h_1/D$，$l$ 为接触弧长水平投影，$l = \sqrt{D\Delta h/2}$；$D$ 为工作辊直径；$\Delta h$ 为压下量，$\Delta h = h_0 - h_1$；$h_0$、$h_1$ 为入口、出口轧件的厚度；$h_c$ 为轧件平均厚度，$h_c = \dfrac{h_0 + h_1}{2}$。

经分析，采用三层 BP 网络，输入层为 $D$、$h_0$、$h_1$，输出层为 $Q_P$，隐含层神经元个数为 15，即结构为 3—15—1，隐层激发函数 tansig，输出层激发函数为 purelin，初始权值、阈值随机设定，目标误差设为 0.001。

Ⅱ. 模型的训练及检验

a. BP 网络的训练

通过 Matlab 提供的神经网络工具箱对 BP 网络进行训练和检验，样本来自北京科技大学冶金机械测试室在舞钢 4200 厚板轧机上进行的现场实测数据。针对 192 组数据，将前 150 组数据作为学习样本集，后 42 组数据作为检验样本集，设定最大训练次数为 1 000，训练目标误差为 0.001，学习速率为 0.005。

程序运行结果如下：

TRAINLM, Epoch 0 / 1000, MSE 6.20227 / 0.001, Gradient 915.101 / 1e-010

TRAINLM, Epoch 50 / 1000, MSE 0.0454984 / 0.001, Gradient 1.30624 / 1e-010

TRAINLM, Epoch 100 / 1000, MSE 0.00616207 / 0.001, Gradient 0.257908 / 1e-010

TRAINLM, Epoch 150 / 1000, MSE 0.00306023 / 0.001, Gradient 0.180785 / 1e-010

TRAINLM, Epoch 200 / 1000,  MSE 0.00183997 / 0.001, Gradient 1.2247 / 1e-010

TRAINLM, Epoch 236 / 1000,  MSE 0.000906164 / 0.001, Gradient 3.41609 / 1e-010

TRAINLM, Performance goal met.

从程序运行结果可以看到，该网络经过 236 次训练后，网络输出与目标输出间的均方差降到了 $9.061\,64 \times 10^{-4}$，梯度降为 3.416 09，此时由于均方差达到了目标要求，所以网络停止训练。程序训练过程如图 15.35 所示。

从图中可以看到误差在网络训练过程中的变化情况，图中横坐标为训练步数，纵坐标为训练方差。该网络经过 236 次误差反传，即经过 236 次权值和阈值的调整，曲线的拟合误差就降到了 $10^{-3}$ 以下，网络训练速度很快，说明该网络结构选取合理。

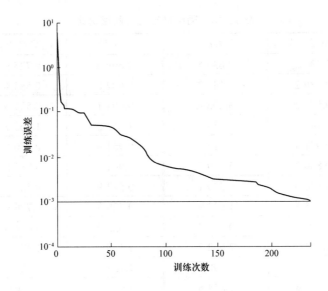

**图 15.35　网络训练过程误差**

b. 训练后网络的逼近结果分析

该网络经过试验数据训练后,网络输出函数和试验数据的逼近程度如图 15.36 所示。图 15.36 中横坐标为网络训练输入参数 $P$,纵坐标为网络输出应力状态系数 $Q_P$ 和实测应力状态系数 $Q_P$,图中曲线是训练后所得目标函数,星号是用来训练网络的实测数据 $T$。利用 150 组试验数据,经过网络 236 次误差反传调整权值和阈值后,可以看到,实测数据与网络输出函数非常逼近,误差接近 $10^{-3}$,也就是说,目标函数 $Y$ 和实测数据 $T$ 实现了很好的拟合。

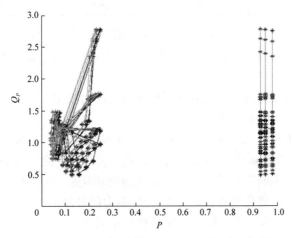

**图 15.36　网络输出与实测数据的逼近程度**

c. 训练后网络的测试

另取 150 组数据之外的 42 组数据对该网络进行测试。测试数据的网络输出和实测值的对比如表 15.10 所示。

表 15.10  网络输出与实测值对比

| 实测值 | 网络输出值 | 误差(%) | 实测值 | 网络输出值 | 误差(%) |
|---|---|---|---|---|---|
| 0.711 9 | 0.731 2 | 2.639 5 | 0.699 3 | 0.725 9 | 3.664 4 |
| 0.613 6 | 0.589 2 | 4.141 2 | 0.602 8 | 0.583 4 | 3.325 3 |
| 0.505 0 | 0.522 2 | 3.293 8 | 0.494 1 | 0.521 8 | 5.308 5 |
| 1.164 1 | 1.148 5 | 1.358 3 | 1.154 2 | 1.163 7 | 0.816 4 |
| 0.976 4 | 0.971 3 | 0.525 1 | 0.961 9 | 0.970 8 | 0.916 8 |
| 0.913 4 | 0.886 2 | 3.069 3 | 0.901 5 | 0.883 0 | 2.095 1 |
| 0.833 7 | 0.830 8 | 0.349 1 | 0.823 9 | 0.826 2 | 0.278 4 |
| 0.737 8 | 0.745 5 | 1.032 9 | 0.729 3 | 0.739 2 | 1.339 3 |
| 0.631 6 | 0.629 2 | 0.381 4 | 0.623 0 | 0.623 8 | 0.128 2 |
| 1.191 7 | 1.224 3 | 2.662 7 | 1.178 0 | 1.208 1 | 2.491 5 |
| 1.191 7 | 1.140 4 | 4.498 4 | 1.133 9 | 1.126 2 | 0.683 7 |
| 1.087 4 | 1.067 6 | 1.854 6 | 1.078 0 | 1.056 3 | 2.054 3 |
| 1.016 9 | 1.003 5 | 1.335 3 | 1.009 3 | 0.994 7 | 1.467 8 |
| 1.016 9 | 0.941 5 | 8.008 5 | 0.927 0 | 0.934 3 | 0.781 3 |
| 1.336 7 | 1.440 2 | 7.186 5 | 1.329 0 | 1.374 9 | 3.338 4 |
| 1.285 1 | 1.218 6 | 5.457 1 | 1.278 8 | 1.239 2 | 3.195 6 |
| 1.764 3 | 1.761 8 | 0.141 9 | 1.752 4 | 1.754 9 | 0.142 5 |
| 1.748 8 | 1.744 8 | 0.229 3 | 1.738 1 | 1.737 6 | 0.028 7 |
| 1.730 6 | 1.726 5 | 0.237 5 | 1.721 0 | 1.719 0 | 0.116 3 |
| 1.709 5 | 1.706 9 | 0.152 3 | 1.701 1 | 1.699 3 | 0.105 9 |
| 1.685 2 | 1.686 6 | 0.083 0 | 1.678 0 | 1.679 3 | 0.077 4 |

由表 15.10 可以看出,网络输出结果和实测值对比误差基本限制在 6%以内,平均误差为 1.922 3%,这样的预测精度是常规预测方法难以达到的,充分体现了神经网络的优越性。

### 15.4.3  基于人工神经网络方法的中厚板轧机轧制压力模型

#### 15.4.3.1  BP 神经网络模型的构建

神经网络是人工神经元网络(Artificial Neural Networks,ANN)的简称,它由大量处理单元(神经元)广泛互联而成。网络的信息处理是由神经元之间的相互作用来实现,知识与信息的存储表现为网络元件互联间分布式的物理联系,网络的学习和识别取决于各神经元连接权值的动态演化过程。图 15.37 为轧制力的神经网络,其神经元用圆圈表示,连接(即权值)用直线表示,连接权值变化是在神经网络学习过程中进行的。此神经网络包括 3 层:即输入层、隐含层和输出层,每层都由一些神经元组成。

最常用的学习算法为 BP 算法,这个学习算法由正向传播和反向传播两部分组成。正向传播过程时输入信号从输入层经隐含层传向输出层,每个神经元的状态只影响下一层的神经元状态;如果在输出层得不到期望的输出,则转入反向传播,将误差信号沿原来的连接道路返回,通过修改各层神经元的权值,使误差信号最小。

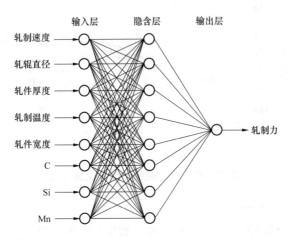

**图 15.37　轧制力神经网络模型**

1)神经网络结构分析

影响轧制力变化的因素很多,如钢板的化学成分、轧辊直径、轧制速度、轧制温度、轧前宽度、轧后宽度、轧前厚度、轧后厚度等。在建立 BP 网络模型时,应将主要的影响因素作为 BP 网络输入层参数。轧制力的神经网络模型如图 15.37 所示。根据 4200 中厚板轧机的实测数据,确定各层参数如下:

输入层:钢板的轧制速度 $\mu_1$,轧辊直径 $\mu_2$,轧前厚度 $\mu_3$,轧后厚度 $\mu_4$,轧制温度 $\mu_5$,轧前宽度 $\mu_6$,轧后宽度 $\mu_7$,钢板的 C 含量 $\mu_8$,Si 含量 $\mu_9$,Mn 含量 $\mu_{10}$,P 含量 $\mu_{11}$,S 含量 $\mu_{12}$,Cr 含量 $\mu_{13}$,Ni 含量 $\mu_{14}$,Cu 含量 $\mu_{15}$。

输出层:钢板的轧制力 $R_y$。

隐含层:合理选择隐含层的层数和各隐含层的单元数是神经网络设计最困难的部分之一,网络训练有时会产生"过拟合",所谓"过拟合"就是训练集的误差被训练得非常小,而当把训练好的网络用于新的数据时却产生很大误差的现象,也就是说,此时网络适应新情况的泛化能力很差。提高网络泛化能力的方法是选择合适大小的网络结构。该问题采用三层网络就能很好地解决,故设计隐含层为一层。在三层网络中,隐含层神经元个数 $n_2$ 和输入层神经元个数 $n_1$ 之间有以下近似关系:$n_2=2n_1+1$,因为输入层参数为15 个,根据该公式得隐层神经元个数约为 51 个,为提高预报精度将隐层神经元个数取为 25、28、31、33、35、40,分别进行训练,并将 15 组预测数据的误差进行比较,如图 15.38 所示。

由图 15.38 可以看出,当隐层神经元取为 35、40 时,误差超过了 ±15%,可见通过增加隐层神经元个数的方法并不能提高预测精度。隐层神经元取为 25 时,误差同样会增大,可见隐层神经元数目过少,预测精度也会降低。在隐层神经元取为 31 时,网络预测误差较小,验证了公式 1,故确定隐含层神经元个数为 31,此时 BP 网络的函数逼近效果最好。

经过以上分析,确定神经网络的结构为:15—31—1。

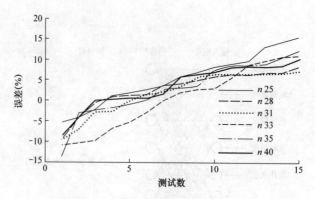

图 15.38　不同神经元个数误差比较

2)输入参数和输出参数的标准化

为了避免在神经网络的计算机模拟过程中数值会发生溢出，必须对网络输入层和输出层的各单元值进行标准化处理，并使它们处于区间[0，1]或[-1，1]中。本书采用的输入参数的标准化方法为

$$\hat{x} = \frac{x - x_{\min}}{x_{\max} - x_{\min}} \tag{15.64}$$

式中　$x_{\max}$——该组变量的最大值；

$\qquad x_{\min}$——该组变量的最小值。

### 15.4.3.2　模型的训练及检验

输入数据正则化后，就可以对网络进行训练和检验。训练、检验过程需要的样本，由 4200 中厚板轧机上进行的现场实测数据获得。具体程序通过 MATLAB 提供的神经网络工具箱来实现。

1)BP 网络的训练

初始化后的网络即可用于训练，即将网络的输入和输出反复作用于网络，不断调整误差达到最小，从而实现输入与输出间的非线性映射。对于 NEWFF 函数产生的 BP 网络，其缺省的性能函数是网络输出和目标输出间的均方差 MSE。训练次数设为 1 000，训练目标误差设定为 0.001，学习速率为 0.1。程序训练过程如图 15.39 所示。

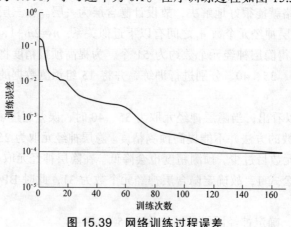

图 15.39　网络训练过程误差

从图中可以看到误差在训练过程中的变化情况，该网络经过 170 次误差反传，即经过 170 次权值和阈值的调整，曲线的拟合误差就降到了 $10^{-4}$ 以下，网络训练速度很快，说明该网络结构选取合理。

2)训练后网络的逼近结果分析

该网络经过试验数据训练后，网络输出函数和试验数据的逼近程度如图 15.40 所示。

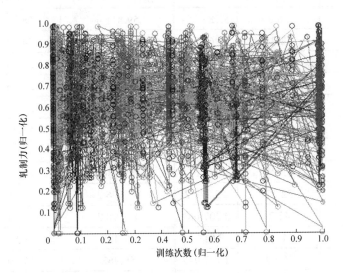

**图 15.40　网络输出与实测数据的逼近程度**

图 15.40 中横坐标为网络训练输入参数 $P$，纵坐标为网络输出轧制力 $Y$ 和实测轧制力 $T$，图中曲线是训练后所得目标函数 $Y$，圆圈是用来训练网络的实测数据 $T$。利用 288 组试验数据，经过网络 170 次误差反传调整权值和阈值后，可以看到，实测数据与网络输出函数非常逼近，误差小于 $10^{-4}$。也就是说，目标函数 $Y$ 和实测数据 $T$ 实现了很好的拟合。

3)训练后网络的测试

另取 288 组数据之外的 31 组数据对该网络进行测试。测试数据的网络输出轧制力和实测轧制力的对比如表 15.11 所示。

表 15.11 中网络输出数据是将归一化的程序输出结果还原得到的。将网络输出结果和实测轧制力对比可以看出误差基本不超过±4%，只有少数误差较大，这是由试验的偶然性因素造成的。这样的预测精度是常规预测方法难以达到的，充分体现了神经网络的优越性。

## 15.5　小结

### 15.5.1　中厚板轧机轧制过程温降模型的结论

(1)在控轧控冷的条件下，轧件可轧至 80 mm 后凉钢，便于温度迅速降低，既能提高生产率，又能保证钢板质量。

(2)基于 Matlab 的人工神经网络工具箱，采用改进的 BP 网络 Levenberg Marquadt 优化算法建立起的 4200 中厚板轧机轧制温度的计算方法精度比较高，温度的 BP 网络预报值相对误差小于 5%。因此，该 BP 网络预报 4200 中厚板轧机的轧制温度的精度相当高，已经完全能满足中板生产对控制精度的要求。

表 15.11　网络输出与实测值对照

| 网络输出值(MN) | 实测值(MN) | 误差(%) | 网络输出值(MN) | 实测值(MN) | 误差(%) |
|---|---|---|---|---|---|
| 58.249 | 56.8 | 5.788 554 | 59.811 4 | 58.18 | 4.097 821 |
| 45.975 | 42.25 | 5.965 796 | 55.700 4 | 54.59 | −2.659 75 |
| 59.019 4 | 58.08 | 2.407 52 | 58.954 8 | 57.58 | 5.479 665 |
| 52.519 8 | 55.59 | −5.511 28 | 26.056 | 25.66 | 1.444 154 |
| 45.859 6 | 42.22 | 5.758 292 | 58.108 6 | 59.16 | −2.758 96 |
| 45.274 6 | 42.61 | 1.555 774 | 59.257 | 57.72 | 5.915 225 |
| 41.59 | 40.67 | 1.759 551 | 59.179 6 | 59.21 | −0.077 59 |
| 45.654 4 | 42.74 | 2.094 654 | 45.784 | 41.87 | 4.571 46 |
| 50.510 8 | 52.12 | −5.274 2 | 55.196 2 | 54.65 | 1.608 696 |
| 42.788 6 | 42.7 | 0.207 064 | 45.998 2 | 41.14 | 6.496 175 |
| 58.918 6 | 41.65 | −7.018 24 | 57.495 | 58.52 | −2.759 18 |
| 59.964 4 | 59.09 | 2.187 947 | 56.962 | 57.79 | −2.240 14 |
| 26.612 | 26.55 | 0.984 518 | 45.856 2 | 42.66 | 2.685 171 |
| 51.195 | 52.59 | −5.857 4 | 45.951 6 | 42.21 | 5.918 819 |
| 45.278 2 | 41.87 | 5.255 852 | 45.978 4 | 42.55 | 5.295 455 |
| 40.259 8 | 58.89 | 5.554 59 | | | |

(3)采用改进的 BP 网络 Levenberg Marquadt 优化算法，建立的 4200 中厚板轧机轧制压力计算方法，无需模型结构、计算收敛速度快、预报精度高，为 4200 中厚板轧机的轧制温度预报提供了一条新的途径。

### 15.5.2　中厚板轧机轧制过程宽展模型的结论

通过对轧机宽展模型的仿真分析知，宽展量随压下量 $\Delta h$、轧辊直径 $D$ 和变形区长度 $l$ 的增加而增加；而人工神经网络可以很好地通过轧制时的实际状态参数预测钢板的轧后宽度，并能取得很好的效果。随着神经网络技术的不断完善和发展，人工神经网络将广泛地应用于工程数学建模的各个领域。因为三层的 BP 网络能够逼近任意非线性函数，有着强大的建模能力。工程实践中的许多问题影响因素很多，属于非线性问题。人工神经网络为解决非线性问题提供了新的解决途径，特别在轧钢过程中有广泛的应用前景。

研究表明，针对中厚板轧机宽展建立的 Elman 神经网络预测模型比采用三层前向 BP 网络模型更合理。由于 Elman 神经网络是典型的反馈神经网络，既有 BP 网络简单明了的优点，又能够更生动、直接地反映系统的动态特性，所以 Elman 神经网络模型比 BP 网络模型具有更快的收敛速度，具有不易陷入局部最小和预测精度高的特点。

本书详细叙述了宽展理论及各宽展公式，并分析了各公式的适用性，由此得出了适应于中厚板轧机的宽展公式，在经过大量试验论证的基础上，给出了轧制过程中厚板轧机的宽展模型，对中厚板轧机而言是有重要意义的。

### 15.5.3 中厚板轧机轧制压力模型的结论

本书的分析研究表明，神经网络可以很好地预测应力状态系数 $Q_P$ 随工作辊直径、入口出口轧件厚度以及压下量的变化而变化的情况。

本书的分析研究表明，神经网络可以很好地预测轧制力值随其化学成分、变形速度、变形温度、轧辊直径、轧制宽度、轧制厚度变化而变化的情况。与传统回归模型相比，具有更高的精度，误差基本限制在±4%以内，实现了与实测结果的高度拟合。

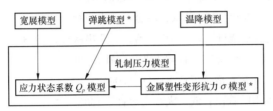

*示意该模型是根据文献所采用的数学模型

**图 15.41　建立中厚板轧机数学模型示意图**

**表 15.12　中厚板轧机控制模型表**

| 模型名称 | 结　构　形　式 |
|---|---|
| 1．温降模型 | $T_D = T_W + (1\,202.52 - T_W)\exp(\dfrac{-2.087}{C_p \cdot \rho} \cdot \dfrac{t}{h})$ |
| 2．宽展模型 | $\omega = \lambda^{-W}\qquad W = 10^{-0.745\,7 \cdot \varepsilon_d^{0.968} \cdot \delta}$ |
| 3．弹跳模型 | $F_{2\,300} = (p_{2\,300} - 237)/488\qquad F_{2\,900} = (p_{2\,900} - 254)/532$ |
| 4．金属塑性变形抗力模型 | $\sigma = \sigma_0 \exp(\alpha_1 T + \alpha_2)\left(\dfrac{u}{10}\right)^{\alpha_3 T + \alpha_4} \times \left[\alpha_6 \left(\dfrac{r}{\alpha_4}\right)^{\alpha_5} - (\alpha_6 - 1)\dfrac{r}{0.4}\right]$ |
| 5．应力状态系数模型 | $Q_P = 3.938 - 3.013\,l/h_c + 0.672 H_0/D + 1.303(l/h_c)^2 - 11.783$<br>$\times(l/h_c)(H_0/D) - 3.594(H_0/D)^2\qquad l/h_c \leq 1$<br>$Q_P = 8.468 - 2.838 l/h_c - 145.996 H_0/D - 0.899(l/h_c)^2 + 69.075$<br>$\times(l/h_c)(H_0/D) + 399.290(H_0/D)^2\qquad l/h_c > 1$ |
| 6．轧制压力模型 | $P = 1.15 Q_P B_c l_c \sigma$ |

# 参 考 文 献

[1] 温熙森，邱静，陶俊勇. 机电系统分析动力学及其应用. 北京：科学出版社，2005

[2] 张光澄. 非线性最优化计算方法. 北京：气象出版社，2005

[3] 谢应齐，曹杰. 非线性动力学数学方法. 北京：高等教育出版社，2002

[4] 赵玫，周海亭. 机械振动与噪声学. 北京：科学出版社，2005

[5] 郭乙木，陶伟明，庄苗. 线性与非线性有限元及其应用. 北京：机械工业出版社，2004

[6] 廖伯瑜，周新民，尹志宏. 现代机械动力学及其工程应用. 北京：机械工业出版社，2005

[7] 邹家祥. 冶金机械的力学行为. 北京：科学出版社，1999

[8] 邹家祥. 冷连轧机系统振动控制. 北京：冶金工业出版社，1998

[9] 孙一康. 带钢热连轧的模型与控制. 北京：冶金工业出版社，1998

[10] 邵忍平. 机械系统动力学. 北京：机械工业出版社，2005

[11] 邹家祥. 轧钢机械. 北京：冶金工业出版社，2004

[12] 黄润生. 混沌及其应用. 武汉：武汉大学出版社，2005

[13] 宋天霞，郭建生，杨元明. 非线性固体力学计算方法. 武汉：华中科技大学出版社，2002

[14] 陈立周. 机械优化设计方法. 北京：冶金工业出版社，2001

[15] 郑宏兴，姚纪欢，张成. MATLAB 6. 工具箱使用技巧与实例. 武汉：华中科技大学出版社，
    2003

[16] 赵志业. 金属塑性变形与轧制理论. 北京：冶金工业出版社，1991

[17] 李生智. 金属压力加工概论. 北京：冶金工业出版社，1984

[18] 胡贤磊. 中厚板轧机控制模型的研究：[博士学位论文]. 沈阳：东北大学，2003

[19] 刘立忠. 中厚板轧制的数值模拟及数学模型研究：[博士学位论文]. 沈阳：东北大学，2002

[20] 王祖城，汪家才. 弹性和塑性理论及有限单元法. 北京：冶金工业出版社，1985

[21] 黎景全. 轧制工艺参数测试技术. 北京：冶金工业出版社，1984

[22] 冯士雍. 回归分析方法. 北京：科学出版社，1988

[23] 杨节. 轧制过程数学模型. 北京：冶金工业出版社，1985

[24] 周纪华，管克智. 金属塑性变形阻力. 北京：机械工业出版社，1989

[25] 高永生. 四辊轧机轴向力学行为的研究. 北京科技大学[博士学位]论文. 1992

[26] B·鲍洛金. 弹性体系的动力稳定性. 北京：高等教育出版社，1960

[27] 贾春元. 板的非线性分析. 北京：高等教育出版社，1990

[28] 陈塑农. 结构振动分析的矩阵摄动理论. 重庆：重庆出版社，1990

[29] 陈春凯. MATLAB 人工神经网络工具箱中的 BP 工具函数及其应用. 许昌师专学报，2002，
    21(5):39~44

[30] 楼顺天，施样. 基于 MATLAB 的系统分析与设计—神经网络. 西安：西安电子科技大学出版社，
    1988

[31] 王学辉，张明辉. Matlab6.1 最新详解. 北京：中国水利水电出版社，2002

[32] 胡守仁. 神经网络应用技术. 长沙：国防科技大学出版社，1995

[33] 沈世镒. 神经网络系统理论及应用. 北京：科学出版社，1998

[34] 王国栋，刘相华. 金属轧制过程人工智能优化. 北京:冶金工业出版社，2000

[35] 魏立群.基于ＢＰ网络的平整轧制压力计算. 钢铁，2002，57(12):25~27

[36] 王秀梅，王国栋，邹天来，等. 热连轧轧制压力模型参数辨别中 ANN 和数理统计.钢铁,1999，54(增刊):741~744

[37] 王国栋,刘相华,吕程，等. 人工智能在轧钢中应用与性能预报. 钢铁，2000，55(增刊):24~51

[38] 程晓茹，胡衍生，任勇，等. 基于人工神经网络的中厚板精轧机轧制压力预报.武汉科技大学学报(自然科学版)，2001，24(2):152~155

[39] 吕程,王国栋,刘相华，等. 基于神经网络的热连轧精轧机组轧制压力高精度预报.钢铁,1998，55(5):55~55.59

[40] 邱红雷，等.人工神经网络在中厚板轧机轧制力预报中的应用. 材料与冶金学报，2002，6:150~155

[41] 飞思科技产品研发中心. 神经网络理论与 MATLAB 7 实现. 北京:电子工业出版社，2005

[42] 于世果，李宏图.国外厚板轧机及轧制技术的发展(一). 轧钢,1999，10(5):45

[43] 于世果，李宏图.国外厚板轧机及轧制技术的发展(二). 轧钢,1999，12(6):29

[44] 张燕燕. 厚板轧制新工艺与新技术的采用. 轧钢，1998，12(6):40

[45] 孙浩，陈启祥，陈林谦. 迪林根厚板厂工艺设备考察. 轧钢，2000，17(2):9

[46] 陈启祥，帅奇. 浅谈我国中厚板的设备及生产. 冶金信息，2000(4):21

[47] 孙卫华，孙浩，孙玮. 我国中厚板生产现状与发展. 山东冶金，1999，21(12):15

[48] 李峰.谈我国中厚板轧机的技术改造. 轧钢，1995，12(4): 47

[49] 王丽莉.初轧机主传动系统扭转自激振动的稳定性. 有色矿冶，2003,1(19)

[50] 傅衣铭，张思进. 中厚矩形板的非线性动力稳定性分析. 工程力学，1995,3(l2)

[51] J.G.Beese Roll separating force in slabbing mills Iron and steel Engineer,1974,51(4) VOI.51.No.4

[52] SRINNAN，R S. Dynamic Stability of Rectangular Laminated Composite planes. Computer and Structure，1986, 24(2)

[53] S L. A Variable Parameter. Instrumentation Method for Dynamic Instability of Linear and Nonlinear Elastic Systems. Jour

[54] Lau，SL. Amplitude Incremental principle for nonlinear vibration of Elastic System. Journal of Applied Mechanic，1981，48: 959～964

[55] William L R. Hot rolling of steel. New York，USA: Marrcel Dekker，Inc，1985

[56] Kawatute.I.F.A.C.Proceedings of the third international conference，Digital Computer Application to Process Control，1971,5

[57] Orowan，E.Graphical Calculation of the Roll pressure with the Assumption of Homogeneous Compression and Slipping Friction. Proc，I. Mech. E 1945.Vol. 150，p.145

[58] Sims，R. B. The Calculation of Roll Force and Torgue in Hot Rolling Mills.inst Mech，Engr，1954，Vol. 168，No.6

[59] VAI Rolling Mill INFO "Profile & Flatness in Hot Strip Mills"(资料)

[60] S.R.Petersen. Impact Torsuionl Vibration Of Direct –current Hot Strip Mill Drive Moters . Iron and Steel Engineer .October 1998.p105

[61] William L.Roberts, Computing The Coefficient Of Friction In The Roll bite From mill Data, Blast Furnace and Steel Plant for Jone, 1967.p450

[62] Randall R. Frequency Analysis. Bruel & Kjar.1987

[63] Brigham E O. The Fast Fourier Transform.. Prentice Hall.1975

[64] Harris F J. Trigonometric Transforms: San Diego State University

[65] Norton M P. Fundamentals of Noise and Vibraition Analysis for Engineers. Cambridge University press, Melbourne, Australia.1989

[66] Y. Leviatan, Study of near-zone fields of a small aperture, J. Appl. Phys. eq r1986, 60:1577

[67] A. Robert. Electromagnetic theory of diffraction by a circular aperture in a thick, perfectly

[68] conducting screen, J. Opt. Soc. Am., 1987, 10:1987

[69] K. Huang, Proc. R. Soc., 1951, A208:552

[70] C.henry, J. J. Hopheld, Phys. Rev. Lett., 1965, 15:964

[71] O.J.F. Martin, A. Dereux, , C. Girard. Iterative scheme for computing exactly the total field propagating in dielectric structure of arbitrary shape. J. Opt. Soc. Am. A 1994:1075

[72] Lembregts F. Parameter Estimation in Modal Analysis. Proceedings of ISMA 14. Leuven, Belgium, September, 1989.p.55

[73] Gade S, Herlufser H.Windows to FFT Analysis, Sound and Vibration. March.1998

[74] Beauchamp K G, Random Data :Analysis and measurement Proceedures. Wiley- Interscience, 1971

[75] Bracewell R N. The fourier Transform and Its Application. McGraw-Hill book Company, 1986

[76] Ramirez R W. The FFT: Fundamentals and Concepts. Pretice Hall, 1985

[77] Randall B. Frequency Analysis. Bruel &Kjar, 1987

[78] Harris F J. On The Use of Windows for harmonic Analysis with the Discrete Fourier Transform. IEEE 66, pp.51 ~ 85, 1978

[79] Harris F J.Trigonometric Transforms San Diego State University

[80] Elliot D F.Rao K R.Fast Transforms: Algorithms, Analyses, Applications.Academic press, New York, 1982

[81] Wellstead P E. Methods and Application of Digital spectral Tecniques. Technical report nr.008 / 85, Solartron, Farnborough, U.K., 1985

[82] N.Dynamic Signal Analyzer Application: Effective Machinery Maintenance Using Vibration Analysis. Application note 245-1, Hewlet Packard, 1985

[83] Noton M.P. Fundamentals of Noise and Vibration Analysis for Engineers. Cambridge University Press, Melbourne, Australia, 1989

[84] Angelo M. Virbation Montoring of Machines. Technical Review no.1, bruel & Kjar, 1987

[85] ISO / TR 14638: Geometrical product specification (GPS) – Masterplan, 1995

[86] X. Q. Jiang. An Integrated Overview of Next Generation GPS. Proceedings of the Second International Symposium on Instrumentation Science and Technology. Jinan, China. 2002: 259 ~ 264

[87] Z. Humienny, P. H. Osanna, et al. Geometrical Product Specifications. Warszawa: Warsaw University of Technology Printing House, 2001

[88] International Organization for Standardization. Guide to the Expression of Uncertainty in Measurement (GUM). BIPM, IEC, IFCC, ISO, IUPAU, IUPAP, OIML, 2nd edition, 1995

[89] ISO 14253-1: Geometrical product specification (GPS) – Inspection by measurement of workpieces and measuring equipment – Part 1: Decision rules for proving conformance or non-conformance with specifications, 1998

[90] ISO / TS 14253-2: Geometrical product specification (GPS)–Inspection by measurement of workpieces and measuring equipment – Part 2: Guide to the estimation of uncertainty in GPS measurement, in calibration of measuring equipment and in product verification, 1999

[91] ISO / TS 14253-3: Geometrical product specification (GPS) – Inspection by measurement of workpieces and measuring equipment – Part 3: Guidelines for achieving agreements on measurement uncertainty statements, 2002

[92] ISO / TS 17450-2: Geometrical product specification (GPS) – General Concepts – Part 2: Operators and uncertainty, 2002

[93] ISO / TS 17450-1: Geometrical product specification (GPS) – General Concepts – Part 1: Model for geometric specification and verification, 2002

[94] BS 6808: British standard – Coordinate measuring machines, parts 1–3. London: British Standards Institute, 1987

[95] JIS B7440: Japanese industrial standard – Test code for accuracy of coordinate measuring machines. Tokyo: Japanese Standards Association, 1987

[96] VDI / VDE 2617: Accuracy of coordinate measuring machines, parts 1–4. Düsseldorf: Verein Deutscher Ingenieure (VDI / VDE), 1989

[97] P. Bennich. Chains of Standards – A New Concept in GPS Standards. Manufacturing review. The American Society of Mechanical Engineers, 1994,7(1): 29 ~ 38

[98] J. X. Wang, X. Q. Jiang, L. M. Ma, Z. G. Xu, Z. Li. A Framework for Uncertainty evaluation of GPS Standard-chain. Proceedings of ASPE Summer Topical Meeting on Uncertainty Analysis in Measurement and Design. Pennsylvania, USA, 2004: 146 ~ 151

[99] WANG Jin-xing, JIANG Xiang-qian, MA Li-min, XU Zhen-gao, LI Zhu. Uncertainty of Flatness Least-square Verification. Proceedings of 3th International Symposium on Instrumentation Science and Technology. Xi'an, P.R. China, 2004: 219 ~ 223

[100] Wang Jinxing, Jiang Xiangqian, Ma Limin, Xu Zhengao and Li Zhu. A calculation method for compliance uncertainty of GPS standard-chain. Proceedings of 2nd International Symposium on Precision Mechanical Measurements. Beijing, P. R. China, 2004:156 ~ 157, 166

[101] J. X. Wang, X. Q. Jiang, L. M. Ma, Z. G. Xu, Z. Li. Decision rules for workpieces based on total uncertainty. International Journal of Advanced Manufacturing Technology, DOI: 10.1007 / s00170-004-2477-9

[102] Wang Jinxing, Jiang Xiangqian, Ma Limin, Xu Zhengao and Li Zhu. Uncertainty of spatial straightness in 3D measurement. J. Phys.: Conf. Ser. 2005, 13: 220~223

[103] 王金星，蒋向前，马利民，等. 线性轮廓滤波器的不确定度传递规律研究. 计量学报，2005，26(4): 313~315，325

[104] 王金星，蒋向前，马利民，等. 平面度坐标测量的不确定度计算. 中国机械工程，2005，16(19): 1701~1703

[105] 王金星，蒋向前，马利民，等. 空间直线度坐标测量的不确定度计算. 华中科技大学学报，2005，33(12): 1~3

[106] 王金星，马利民，蒋向前，等. GPS 标准体系的研究进展. 中国标准化，2004，6: 71~73

[107] 王金星，蒋向前. 现代 GPS 的理论基础及关键技术. 世界标准化与质量管理，2004，11: 30~35

[108] MA Li-min, WANG Jin-xing, JIANG Xiang-qian, LI Zhu, XU Zhen-gao. Analysis of the Geometrical Specification Model Based on the New GPS Language. Journal of Shanghai University, 2004, 8: 7~11

[109] MA Li-min, JIANG Xiang-qian, WANG Jin-xing, LI Zhu, XU Zhen-gao. Expression Specifications of Geometrical Products Based on the Improved GPS Language. Proceedings of 3[th] International Symposium on Instrumentation Science and Technology. Xi'an, P.R. China. 2004: 128~134

[110] 马利民，蒋向前，王金星，等. 新一代产品几何量技术规范(GPS)标准体系研究. 中国机械工程，2005，16(1): 12~15

[111] 马利民，蒋向前，王金星，等. 新一代产品几何量技术规范(GPS)中几何要素研究. 中国机械工程，2005，16(12): 1046~1049

[112] 马利民，蒋向前，王金星，等. 基于新一代语言 GPS 的几何产品表达规范研究. 河南科技大学学报，2005，26(3): 13~17

[113] 李柱，徐振高，蒋向前，等. 基于计量学的产品几何量技术规范新发展及其意义. 量测资讯(中国台湾)，2005，3: 53~56

[114] 李柱，高咏生. "顶天立地"——21 世纪计量与仪器科学技术的发展. 中国机械工程，2000，11(3): 270~272

[115] 王金星，马利民，蒋向前，等. GPS 标准体系的研究进展. 中国标准化，2004，6: 71~73

[116] BS 8888: Technical product documentation (TPD) – Specification for defining, specifying and graphically representing products，2000

[117] PD 8888: Technical product documentation (TPD) – An interim report，2001

[118] BS 8888: Technical product documentation (TPD) – Specification for defining, specifying and graphically representing products，2002

[119] V. Srinivasan. A geometrical product specification language based on a classification of symmetry groups. Computer-Aided Design, 1999, 31: 659~668

[120] 蒋向前. 现代产品几何量技术规范(GPS)国际标准体系. 机械工程学报，2004，40(12): 133~138

[121] M. G. Cox, P. M. Harris. Design and use of reference data sets for testing scientific software. Anal. Chim. Acta. 1999, 380: 339 ~ 351

[122] M. G. Cox. A discussion of approaches for determining a reference value in the analysis of key-comparison data. 4th Workshop on Advanced Mathematical and Computational Tools in Metrology, Oxford, England, 1999: 45 ~ 65

[123] M. G. Cox, A. B. Forbes, P. M. Herris, G. N. Peggs. Experimental design in determining the parametric errors of CMMS. 4th International Conference on Laser Metrology and Machine Performance, Univ. Northumbria, Newcastle, England, 1999: 13 ~ 22

[124] I. J. Anderson, J. C. Mason and D. A. Turner. An efficient algorithm for template matching. Advanced Mathematical and Computational Tools in Metrology IV, World scientific, Singapore, 2000: 1 ~ 10

[125] D. A. Turner, I. J. Anderson, J. C. Mason, M. G. Cox and A. B. Forbes. An efficient separation-of-variables approach to parametric orthogonal distance regression. Advanced Mathematical and Computational Tools in Metrology IV, World scientific, Singapore, 2000: 246 ~ 255

[126] C. Ross, I. J. Anderson, J. C. Mason and D. A. Turner. Approximating coordinate data that has outliers. Advanced Mathematical and Computational Tools in Metrology IV, World scientific, Singapore, 2000: 210 ~ 219

[127] J. Allgair, C. Archie, etc. Towards a Unified Advanced CDSEM Specification for Sub-0.18um Technology. Proc. SPIE 3332, 1998: 138 ~ 150

[128] H. Amick, B. Sennewald, N. C. Pardue, E. C. Teague. Vibration of a Room-Sized Airspring-Supported Slab. Noise Control Eng. J., 1998, 64(2): 39 ~ 47

[129] C. Archie, J. Lowney, M. T. Postek. Modeling and Experimental Aspects of Apparent Beam Width as an Edge Resolution Measure. Proc. SPIE 3677, 1999: 669 ~ 687

[130] J. Bennett, J. A. Dagata. TOF-SIMS Imaging of STM-Modified Semiconductor Surface. Secondary Ion Mass Spectrometry SIMS IX, A. Benninghoven et al., eds., John Wiley and Sons, Chichester, 1994: 34 ~ 74

[131] M.W. Cresswell, R.A. Allen, L.W. Linholm, etc. New Test Structure for Nanometer- Level Overlay and Feature-Placement Metrology. IEEE Transactions on Semiconductor Manuf., 1994, 7(3): 266 ~ 271

[132] J. Fu, V. W. Tsai, R. Koning, R. G. Dixson, T.V. Vorburger. Algorithms for Calculating Single-Atom Step Heighs. Nano-technology, 1999, 10: 438 ~ 433

[133] J. Fowler, M. Carlisle. Information Technology for Engineering and Manufacturing. Journal of Research of the National Institute of Standards and Technology, November, 2000

[134] R. Sriram, S. R. Gorti, A. Gupta, G. Kim and A. Wong. An Object-Oriented Representation for Product and Design Processes. Journal of CAD, 1998, 30 (7): 489 ~ 501

[135] R. Sriram, M. Pratt, S. Feng and E. Y. Song. Information Modeling on Conceptual Design Integrated with Process Planning. Recent Advances in Design for Manufacture, DE-Vlo. 109,

the Proceedings of the 2000 International Mechanical Engineering Congress and Exposition, 2000: 123 ~ 130

[136] Z. C. Yan, B. D. Yang, C. H. Menq. Uncertainty analysis and variation reduction of three dimensional coordinate metrology. Part 1: Geometric error decomposition. International J. of Machine Tools & Manufacture, 1999, 39: 1199 ~ 1217

[137] Z. C. Yan, B. D. Yang, C. H. Menq. Uncertainty analysis and variation reduction of three dimensional coordinate metrology. Part 2: Uncertainty analysis. International J. of Machine Tools & Manufacture, 1999, 39: 1219 ~ 1238

[138] V. Srinivasan. An Integrated View of Geometrical Specification and Verification. 7th CIRP Seminar on Computer-Aided Tolerancing, 2001

[139] Ma Limin, Jiang Xiangqian, Xu Zhengao and Li Zhu. An Investigation on the Technical Standard Strategy for China's Manufacturing Industry. J. Phys.: Conf. Ser. 2005, 13: 389 ~ 393

[140] 王以铭. 测量不确定度评定与表示指南. 北京: 中国计量出版社, 2001

[141] International Organization for Standardization, Guide to the Expression of Uncertainty in Measurement (GUM). BIPM, IEC, IFCC, ISO, IUPAU, IUPAP, OIML, 1st edition, 1993

[142] http://www.bipm.fr/CC/documents/JCGM/bibliography_on_uncertainty.html

[143] http://physics.nist.gov/cuu/Uncertainty

[144] http://www.gum.dk

[145] http://www.quametec.com

[146] http://www.measurement.com

[147] International vocabulary of basic and general terms in metrology (VIM). BIPM, IEC, IFCC, ISO, IUPAU, IUPAP, OIML, 2nd edition, 1993

[148] GUM Supplement 1 – Numerical Method for the Propagation of Distributions. (A draft document)

[149] W. T. Estler. The Joint Committee for Guides in Metrology: Supplementing the Guide to the Expression of Uncertainty in Measurement. Proceedings of ASPE Summer Topical Meeting on Uncertainty Analysis in Measurement and Design. Pennsylvania, USA. 2004. 3 ~ 4

[150] 刘智敏. 不确定度原理. 北京: 中国计量出版社, 1993

[151] 叶德培. 测量不确定度. 北京: 国防工业出版社, 1996

[152] 刘智敏, 刘风. 现代不确定度方法与应用. 北京: 中国计量出版社, 1997

[153] 沙定国. 误差分析与测量不确定度评定. 北京: 中国计量出版社, 2003

[154] http://www.cciblac.org.cn/documents/wenjian/ag04.htm

[155] http://zqdlt.nim.ac.cn

[156] http://www.qian2000.net

[157] ICRPG Handbook for Estimating the Uncertainty in Measurements Made with Liquid Propellant Rocket Engine Systems. Chemical Propulsion Information Agency, No. 180, 1969

[158] ANSI/ASME PTC 19.1-85, Instruments and Apparatus, Part 1: Measurement Uncertainty, 1985

[159] Ronald H Dieck. Measurement Uncertainty Models. ISA Transactions, 1997, 36 (1): 29 ~ 35

[160] NCSL Z540-2: Guide to the Expression of Uncertainty in Measurement, 1997 (National Standard of USA)

[161] S. D. Phillips. Uncertainty due to Finite Resolution Measurement. Proceedings of ASPE Summer Topical Meeting on Uncertainty Analysis in Measurement and Design. Pennsylvania, USA. 2004: 14 ~ 27

[162] Dilip A Shah. The Uncertain State of Uncertainty in Industry. Proceedings of ASPE Summer Topical Meeting on Uncertainty Analysis in Measurement and Design. Pennsylvania, USA. 2004: 34 ~ 39

[163] Jonathan W. Arenberg. Industry Applications of Uncertainty Analysis. Proceedings of ASPE Summer Topical Meeting on Uncertainty Analysis in Measurement and Design. Pennsylvania, USA. 2004: 40 ~ 45

[164] Joe Drescher. Characterization of a Turbine Airfoil Cooling Hole Check Standard for 5-axis CMMs-Uncertainty Reduction by Redundancy and Error Reversal. Proceedings of ASPE Summer Topical Meeting on Uncertainty Analysis in Measurement and Design. Pennsylvania, USA. 2004: 107 ~ 112

[165] Peter Blake. Surface Figure Measurement at 80K: Alignment and Uncertainty Analysis. Proceedings of ASPE Summer Topical Meeting on Uncertainty Analysis in Measurement and Design. Pennsylvania, USA. 2004: 72 ~ 77

[166] Woncheol Choi, Thomas R. Kurfess, Jonathan Cagan. Sampling uncertainty in coordinate measurement data analysis. Precision Engineering, 1998, 22: 153 ~ 163

[167] Chenggang Che, Jun Ni. A generic coordinate transformation uncertainty assessment approach and its application in machine vision metrology. International Journal of Machine Tools & Manufacture, 1998, 38: 1241 ~ 1256

[168] Christopher J. Freitas. The issue of numerical uncertainty. Applied Mathematical Modelling, 2002, 26: 237 ~ 248

[169] ASME B89.7.3.1: Guidelines for Decision Rules: Considering Measurement Uncertainty in Determining Conformance to Specifications, 2001

[170] ASME B89.7.3.2: Simplified GUM. (In progress)

[171] ASME B89.7.3.3: Guidelines for Assessing the Reliability of Dimensional Measurement Uncertainty Statement, 2002

[172] 刘智敏. 不确定度及其实践. 北京: 中国计量出版社, 2000

[173] 费业泰. 误差理论与数据处理. 北京: 机械工业出版社, 2000

[174] N.M. Durakbasa, P.H. Osanna, A. Afjehi-Sadat. A general approach to workpiece characterization in the frame of GPS (Geometrical Product Specification and Verification). International Journal of Machine Tools & Manufacture, 2001, 41: 2147 ~ 2151

[175] 王金星, 蒋向前. 新型产品几何技术规范(GPS)研究——现代 GPS 的理论基础及关键技术. 世界标准化与质量管理, 2004, 11: 30 ~ 35

[176] J. X. Wang, X. Q. Jiang, et al. A Framework for Uncertainty Evaluation of GPS Standard-chain.

Proceedings of ASPE Summer Topical Meeting on Uncertainty Analysis in Measurement and Design. Pennsylvania, USA. 2004: 146 ~ 151

[177] J. X. Wang, X. Jiang, et al. Decision rules for workpieces based on total uncertainty. The International Journal of Advanced Manufacturing and Technology, DOI: 10.1007/s00170-004-2477-9

[178] 李柱，徐振高，蒋向前．互换性与测量技术．北京：高等教育出版社，2004

[179] Wang Jinxing, Jiang Xiangqian et al. A Calculation Method for Compliance Uncertainty of GPS Standard-chain. Proceedings of the Second International Symposium on Precision Mechanical Measurements. Beijing, China. 2004: 156 ~ 166

[180] ISO 14660-1: Geometrical product specification (GPS) – Geometrical features – Part 1: General terms and definitions, 1999

[181] ISO 14660-2: Geometrical product specification (GPS) – Geometrical features – Part 2: Extracted median line of a cylinder and a cone, extracted median surface, local size of an extracted feature, 1999

[182] ISO / TC 213 / WG 14 / N170: Geometrical Product Specifications (GPS) – Features utilized in specification and verification – Part 1: General, 2001

[183] Weckenmann A, et al. Functionality oriented evaluation and sampling strategy in coordinate metrology. Precision Engineering, 1995, 17: 244 ~ 252

[184] Chan F M, Ling T G, Stout K J. The influence of sampling strategy on a circular feature in coordinate measurements. Measurement, 1991, 19(2): 73 ~ 81

[185] Lee G, Mou J, Shen Y. Sampling strategy design for dimensional measurement of geometric features using coordinate measuring machine. Int J Mach Tools Manufact, 1997, 37(7): 917 ~ 934

[186] 高国军, 等. 用 CMM 检测自由曲面时检测点和路径的规划方法研究. 西安交通大学学报, 1996, 7: 57 ~ 63

[187] Kiyoshi Takamasu, Ryoshu Furutani, Shigeo Ozono. Basic concept of feature-based metrology. Measurement, 1999, 26: 151 ~ 156

[188] S.G. Zhang, A. Ajmal, J. Wootton, A. Chisholm. A feature-based inspection process planning system for co-ordinate measuring machine (CMM). Journal of Materials Processing Technology, 2000, 107: 111 ~ 118

[189] ISO / DTS 16610-01: Geometrical product specification (GPS) – Filtration – Part 1: Overview and basic terminology, 2003

[190] ISO / DTS 16610-20: Geometrical product specification (GPS) – Filtration – Part 20: Linear profile filters: Basic concepts, 2003

[191] ISO / DTS 16610-21: Geometrical product specification (GPS) – Filtration – Part 21: Linear profile filters: Gaussian filters, 2003

[192] ISO / DTS 16610-22: Geometrical product specification (GPS) – Filtration – Part 22: Linear profile filters: Spline filters, 2003

[193] ISO / DTS 16610-26: Geometrical product specification (GPS) – Filtration – Part 26: Linear

profile filters: Filtration on nominally orthogonal grid planar data sets， 2003

[194] ISO / DTS 16610-27: Geometrical product specification (GPS) – Filtration – Part 27: Linear profile filters: Filtration on nominally orthogonal grid cylindrical data sets， 2003

[195] ISO / DTS 16610-29: Geometrical product specification (GPS) – Filtration – Part 29: Linear profile filters: Spline wavelets， 2003

[196] ISO / DTS 16610-60: Geometrical product specification (GPS) – Filtration – Part 60: Linear areal filters: Basic concepts， 2003

[197] ISO / DTS 16610-30: Geometrical product specification (GPS) – Filtration – Part 30: Robust profile filters: Basic concepts， 2003

[198] ISO / DTS 16610-31: Geometrical product specification (GPS) – Filtration – Part 31: Robust profile filters: Gaussian regression filters， 2003

[199] ISO / DTS 16610-32: Geometrical product specification (GPS) – Filtration – Part 32: Robust profile filters: Spline filters， 2003

[200] ISO / DTS 16610-40: Geometrical product specification (GPS) – Filtration – Part 40: Morphological profile filters: Basic concepts， 2003

[201] ISO / DTS 16610-41: Geometrical product specification (GPS) – Filtration – Part 41: Morphological profile filters: Disk and horizontal line segment filters， 2003

[202] ISO / DTS 16610-42: Geometrical product specification (GPS) – Filtration – Part 42: Morphological profile filters: Motif filters， 2003

[203] ISO / DTS 16610-49: Geometrical product specification (GPS) – Filtration – Part 49: Morphological profile filters: Scale space techniques， 2003

[204] ISO 11562: Geometrical Product Specifications (GPS) – Surface Texture: Profile Method – Metrological Characteristics of Phase Correct Filters， 1996

[205] 李惠芬. 基于新型 GPS 体系的表面稳健高斯滤波技术的研究：[博士学位论文]. 武汉：华中科技大学， 2004

[206] ISO / DIS 12780-2.2: Geometrical Product Specifications (GPS) – Straightness – Part 2: Specification operators， 2001

[207] ISO 4288: Geometrical product specification (GPS) – Surface texture – Profile method: Rules and procedures for the assessment of surface texture， 2003

[208] Jérôme Bachmann， Jean marc Linares， Jean Michel Sprauel， Pierre Bourdet. Aide in decision-making: contribution to uncertainties in three-dimensional measurement. Precision Engineering， 2004， 28(1): 78 ~ 88

[29] Timothy Weber， Saeid Motavalli， Behrooz Fallahi， S. Hossein Cheraghi. A unified approach to form error evaluation. Precision Engineering， 2002， 26: 269 ~ 278

[210] ISO / DIS 12781-1: Geometrical Product Specifications (GPS) – Straightness – Part 1: Terms, definitions and parameters， 1999

[211] ISO / DIS 12780-1: Geometrical Product Specifications (GPS) – Flatness – Part 1: Terms, definitions and parameters， 1999